DANGER MORTEL

Paru dans Le Livre de Poche :

VERTIGES.
FIÈVRE.
MANIPULATIONS.
VIRUS.
SYNCOPES.
SPHINX.
AVEC INTENTION DE NUIRE.
NAISSANCE SUR ORDONNANCE.
VENGEANCE AVEUGLE.
PHASE TERMINALE.
CURE FATALE

ROBIN COOK

Danger mortel

TRADUIT DE L'AMÉRICAIN
PAR JEAN-PAUL MARTIN

LE LIVRE DE POCHE

PROLOGUE

Mercredi 11 octobre, dans l'après-midi.

La soudaine apparition des protéines étrangères constitua l'équivalent moléculaire de la peste noire. Une condamnation à mort sans possibilité de commutation de peine. Et Cedric Harring n'avait pas la moindre idée de ce qui se produisait en lui.

En revanche, les protéines à l'intérieur des cellules du corps de Cedric connaissaient exactement les désastreuses conséquences qui l'attendaient. Les mystérieuses nouvelles protéines submergeaient les cellules tandis que leurs faibles quantités d'enzymes susceptibles de lutter contre ces nouveaux envahisseurs étaient totalement incapables de faire face à la situation. Les nouvelles protéines fatales s'accommodaient parfaitement des répresseurs qui protégeaient les gènes de l'hormone mortelle. Dès lors, une fois les gènes actifs, l'issue devenait fatale. La fin n'était plus qu'une question de temps. Cedric Harring allait se désintégrer en ses éléments stellaires.

CHAPITRE PREMIER

Telle un coup de poignard brûlant, la douleur prit naissance quelque part dans sa poitrine et irradia rapidement, remontant pour lui paralyser la mâchoire et le bras gauche. Aussitôt, Cedric ressentit la terreur de mourir. Jamais Cedric Harring n'avait connu pareille chose.

En un réflexe, ses mains agrippèrent plus fermement le volant, et il parvint à conserver le contrôle du véhicule zigzaguant tandis qu'il tentait de recouvrer son souffle. Il venait juste de déboucher dans Storrow Drive, arrivant de Berkeley Street en plein centre de Boston, fonçant vers l'ouest au milieu de la circulation démentielle de la ville. Devant lui, la route parut s'éloigner puis disparaître au loin, comme au bout d'un long tunnel.

Par un effort de volonté, Cedric résista à l'obscurité qui menaçait de l'engloutir. Peu à peu, la scène s'éclaira. Il vivait toujours. Il renonça à se ranger sur le côté, son instinct lui disant que sa seule chance était de gagner un hôpital aussi vite que possible. Par un heureux hasard, le centre médical de l'Assurance sécurité maladie était relativement proche. Tiens bon, se dit-il.

Accompagnant la douleur, une sueur abondante couvrait le front de Cedric, puis bientôt tout son corps. La sueur lui piquait les yeux, mais il n'osa pas lâcher le volant pour s'essuyer. Il quitta la route pour pénétrer dans le Fenway, un complexe bostonien construit dans la verdure, alors que la douleur revenait, constrictive, lui serrant la poitrine comme un câble. Impossible de s'arrêter. Pas le temps. Penché en avant, il klaxonna et fonça au milieu de véhicules qui durent l'éviter, passant à quelques centimètres. Il vit les visages stupéfiés et furieux des conducteurs. Il se trouvait maintenant sur Park Drive, avec sur sa gauche les étendues marécageuses de l'extrémité de la baie et les jardins presque à l'abandon. La douleur se faisait incessante, violente, accablante. Il pouvait à peine respirer.

L'hôpital était tout proche, sur la droite, à l'emplacement d'une ancienne succursale des magasins Sears. À peine un peu plus loin. Pour l'amour de Dieu... Au-dessus, un grand panneau blanc indiquait : URGENCE, en lettres rouges accompagnées d'une flèche rouge.

Cedric parvint à accéder directement à la plate-forme de la salle des urgences, freinant un peu tard et percutant le mur de béton. Il s'effondra en avant, actionnant l'avertisseur et tentant de recouvrer son souffle.

Le gardien préposé à la sécurité fut le premier à la voiture. Il ouvrit la portière à la volée et, devant l'effrayante pâleur de Cedric, appela à l'aide. Cedric parvint à murmurer : « Douleur à la poitrine. » Hilary Barton, l'infirmière-chef, arriva et demanda un chariot. Tandis que les infirmières et le gardien tiraient Cedric de sa voiture, apparut l'un des résidents des urgences qui aida à le placer sur une civière. Emil Frank n'était résident — on aurait dit « interne » quelques années plus tôt — que depuis quatre mois. Lui aussi remarqua la pâleur de la peau de Cedric et l'abondante transpiration.

— Diaphorèse, annonça-t-il d'une voix pleine d'autorité. Probablement une crise cardiaque.

Hilary roula des yeux. Évidemment que c'était une crise cardiaque. Elle fit rapidement entrer le patient sans se soucier du docteur Frank, qui, son stéthoscope aux oreilles, essayait d'ausculter le cœur de Cedric.

Dès leur arrivée en salle de soins, Hilary demanda oxygène, perfusion et électrocardiogramme, fixant elle-même les trois principales électrodes de l'E.C.G. Dès qu'Emil eut placé la perfusion, elle lui souffla d'administrer immédiatement quatre milligrammes de morphine.

Tandis que la douleur se calmait un peu, Cedric reprit ses esprits. Bien que personne ne le lui eût dit, il savait qu'il venait de faire une crise cardiaque. Et qu'il était passé très près de la mort. Même maintenant, en regardant le masque à oxygène, la perfusion et l'électrocardiographe qui vomissait son papier sur le sol, Cedric savait que jamais il ne s'était senti aussi vulnérable.

— Nous allons vous transporter en cardiologie. Tout va très bien se passer, lui dit Hilary en lui tapotant la main tandis qu'il tentait de sourire. Nous avons appelé votre femme. Elle arrive.

Pour Cedric tout au moins, l'unité de soins intensifs ressemblait à la salle des urgences — et elle lui parut tout aussi effrayante avec ses appareils mystérieux, de la plus moderne technologie électronique. Il pouvait entendre les battements de son cœur que répercutait un moniteur et, en tournant la tête, apercevoir une courbe phosphorescente sillonner un écran de télé.

Bien qu'effrayants, ces appareils, cette technologie le rassuraient. Plus rassurant encore était le fait que son médecin personnel, que l'on avait appelé peu après l'hospitalisation de Cedric, venait juste d'arriver en salle de soins intensifs.

Le docteur Jason Howard suivait Cedric depuis cinq ans. Depuis que sa boîte, la Boston National Bank, avait exigé que les cadres d'un certain âge passent une visite médicale annuelle. Lorsque, il y avait plusieurs années de cela, le docteur Howard avait soudain renoncé à la clientèle privée pour se joindre à l'équipe de l'Assurance sécurité maladie (l'A.S.M.), Cedric s'était fait un devoir de le suivre. Ce qui l'avait conduit à changer la nature de son assurance maladie, mais c'était le docteur Howard qui l'avait séduit, pas l'A.S.M. Ce que Cedric n'avait pas caché au médecin.

— Comment allez-vous ? demanda Jason, serrant le bras de Cedric, mais s'intéressant davantage à l'écran de l'E.C.G.

— Pas... terrible, souffla Cedric, qui dut reprendre plusieurs fois son souffle pour émettre ces deux mots.

— Essayez donc de vous détendre.

Cedric ferma les yeux. *Se détendre ! C'est une blague.*

— Souffrez-vous beaucoup ?

Oui, fit Cedric de la tête, les larmes ruisselant sur ses joues.

— Une autre dose de morphine, ordonna Jason.

Quelques instants après l'administration de la seconde dose, la douleur se fit plus supportable. Le docteur Howard parlait avec le résident, s'assurant que l'on avait bien effectué les prélèvements de sang utiles et demandant une espèce particulière de cathéter. Cedric le regarda, rassuré à la seule vue du séduisant profil aquilin de Howard, conscient de l'assurance de l'homme et de son autorité. Surtout, il ressentait la compassion du docteur Howard. Le docteur Howard se souciait vraiment de son état.

— Il nous faut procéder à un petit examen, dit Jason. Nous allons vous insérer un cathéter de Swan-Ganz pour voir ce qui se passe à l'intérieur. Nous allons vous anesthésier localement pour que vous n'ayez pas mal, d'accord ?

Signe de tête de Cedric. Pour ce qui le concernait, le docteur Howard avait carte blanche pour faire tout ce qu'il jugeait nécessaire. Cedric appréciait sa manière de faire. Jamais le docteur Howard ne le prenait de haut avec ses patients — y compris lorsque Cedric avait passé sa visite, trois semaines plus tôt, et que Howard l'avait sermonné pour son taux élevé de cholestérol, ses deux paquets de cigarettes par jour et sa vie sédentaire. *Si seulement je l'avais écouté*, se dit Cedric. Mais malgré sa triste opinion pour ce qui était du mode de vie de Cedric, le médecin avait reconnu que les examens étaient bons. Le taux de cholestérol n'était pas exorbitant, et l'électrocardiogramme n'avait rien révélé. Rassuré, Cedric avait renoncé à tenter de cesser de fumer et à prendre de l'exercice.

Et puis, moins d'une semaine après la visite, Cedric avait eu l'impression d'avoir attrapé la grippe. Et ce n'était là qu'un début. Son système digestif s'était mis à faire des siennes, et il avait terriblement souffert d'arthrite. Même sa vue paraissait avoir baissé. Il se souvint d'avoir dit à sa femme qu'il avait l'impression d'avoir vieilli de trente ans. Il présentait tous les symptômes qu'avait connus son père au cours de ses derniers mois dans sa maison de retraite. Parfois, en surprenant par hasard son image dans une glace, il avait l'impression de voir le fantôme du vieux bonhomme.

Malgré la morphine, Cedric ressentit soudain une douleur cuisante, constrictive. Il se sentit plongé dans un tunnel, comme dans sa voiture. Il voyait toujours le docteur Howard, mais le médecin était bien loin, et sa voix s'estompait. Et puis l'eau se mit à envahir le tunnel. Cedric s'étouffa et tenta de remonter à la surface, les bras battant l'air frénétiquement.

Plus tard, Cedric reprit connaissance pendant quelques instants d'angoisse. Tandis qu'il luttait pour recouvrer sa conscience, il ressentit une pression intermittente sur sa poitrine et quelque chose dans sa gorge. Quelqu'un, accroupi à côté de lui, lui appuyait sur la poitrine de ses mains. Cedric poussa un cri en ressentant une explosion dans sa poitrine, et l'obscurité lui tomba dessus comme une chape de plomb.

La mort avait toujours été l'ennemie du docteur Jason Howard. Interne au Massachusetts General Hospital, il avait poussé ce credo à l'extrême, ne renonçant jamais devant un arrêt cardiaque tant qu'un supérieur ne le lui en donnait pas l'ordre.

Là, il se refusa d'admettre que cet homme de cinquante-six ans, qu'il avait examiné trois semaines plus tôt à peine, lui déclarant qu'il était relativement en bonne santé, allait mourir. Il s'agissait d'un affront personnel.

Avec un coup d'œil sur le moniteur, qui indiquait toujours une activité électrocardiographique normale, Jason toucha le cou de Cedric. Pas de pouls.

— Donnez-moi une aiguille intracardiaque, demanda-t-il. Et qu'on lui prenne la tension.

On lui mit dans la main une grosse aiguille tandis qu'il palpait la poitrine de Cedric pour localiser l'arête du sternum.

— Tension nulle, annonça Philip Barnes, un anesthésiste qui avait répondu à l'appel codé automatiquement déclenché à l'arrêt cardiaque de Cedric.

Après avoir placé un tube endotrachéal dans la trachée de Cedric, il le ventilait à l'oxygène en comprimant le ballon Ambu.

Pour Jason, le diagnostic apparaissait manifeste : rupture cardiaque. Avec l'E.C.G. qui enregistrait toujours, mais sans révéler la moindre activité du cœur, on se trouvait devant une dissociation électromécanique. Ce qui ne pouvait signifier qu'une chose : la partie du cœur de Cedric qui s'était trouvée privée de son apport de sang venait de s'ouvrir comme un raisin écrasé. Pour confirmer cet horrible diagnostic, Jason plongea l'aiguille intracardiaque dans la poitrine de Jason, perçant le péricarde. Lorsqu'il tira sur le piston de la seringue, elle s'emplit de sang. Aucun doute. Le cœur de Cedric venait de se rompre dans sa poitrine.

— En chirurgie, aboya Jason, empoignant l'extrémité du lit.

Philip roula des yeux à l'adresse de Judith Reinhart, l'infirmière-chef de l'unité de soins intensifs. Ils savaient l'un et l'autre que la tentative était vaine. Au mieux, ils pourraient placer Cedric sous cœur-poumon artificiel, mais après ?

Philip arrêta sa ventilation du patient. Mais au lieu d'aider à pousser le lit, il s'approcha de Jason et lui posa doucement la main sur l'épaule, pour le retenir.

— *C'est* une rupture cardiaque. Vous le savez. Et je le sais. Nous avons perdu, Jason.

Jason eut un mouvement de protestation, mais Philip resserra son étreinte. Jason regarda le visage couleur d'ivoire de Cedric. Il savait que Philip avait raison. Bien qu'il répugnât à l'admettre, le patient était perdu.

— Vous avez raison, dit-il, laissant à regret Philip et Judith le conduire hors de la salle tandis que les autres infirmières allaient préparer le corps.

Alors qu'ils se dirigeaient vers le bureau des admissions, Jason se dit que Cedric était le troisième patient à mourir quelques semaines à peine après avoir passé un examen médical n'ayant rien décelé. Le premier avait, lui aussi, succombé à une crise cardiaque, le deuxième à une attaque cérébrale.

— Je devrais peut-être songer à changer de profession, dit Jason, à demi sérieux. Même mes patients hospitalisés ne s'en sortent pas très bien.

— Manque de chance, c'est tout, dit Philip, lui tapant amicalement sur l'épaule. Nous connaissons tous de mauvaises passes. Cela va s'arranger.

— Ouais, bien sûr.

Philip le quitta pour retourner en chirurgie.

Jason se laissa lourdement tomber sur un siège vide. Il savait qu'il lui fallait s'apprêter à recevoir la femme de Cedric, qui n'allait pas tarder à arriver à l'hôpital. Il se sentait vidé.

— On pourrait croire que je suis maintenant un peu plus accoutumé à la mort, dit-il, à haute voix.

— C'est parce que vous ne l'êtes pas que vous êtes

un bon médecin, lui dit Judith, plongée dans la paperasserie qu'exigeait un décès.

Jason accepta le compliment, mais il savait bien que son attitude à l'égard de la mort dépassait le cadre de sa profession. Deux ans plus tôt à peine, la mort avait anéanti ce qu'il avait de plus cher. Il entendait encore le téléphone sonner à minuit moins le quart, par une sombre nuit de novembre. Il s'était endormi dans son bureau alors qu'il tentait de se mettre à jour dans la lecture de ses revues. Ce devait être sa femme qui appelait depuis l'hôpital des enfants malades pour lui dire qu'elle serait en retard. Pédiatre, on lui avait demandé de revenir ce soir-là pour s'occuper d'un prématuré en détresse respiratoire. Mais l'appel émanait de la police de l'autoroute. Pour annoncer à Jason qu'un semi-remorque arrivant d'Albany et chargé de plaques d'aluminium avait franchi la glissière centrale et percuté de plein fouet la voiture de sa femme. Pas la moindre chance de s'en tirer.

Jason se souvenait encore de la voix du flic comme si c'était hier. D'abord sous le choc et incapable d'y croire, il était devenu furieux. Et ce sentiment de culpabilité, ensuite. Si seulement il y était allé avec Danielle, comme il le faisait parfois, s'installant pour lire à la bibliothèque de l'hôpital. Si seulement il avait insisté pour qu'elle reste dormir à l'hôpital.

Quelques mois plus tard, il avait vendu la maison, hantée par la présence de Danielle, ainsi que sa clientèle et le cabinet qu'il avait partagé avec elle. C'est là qu'il avait rejoint l'Assurance sécurité maladie, acceptant tout ce que lui avait suggéré Patrick Quillan, un psychiatre de ses amis. Mais la douleur était toujours présente, tout comme la colère.

— Excusez-moi, docteur Howard ?

Jason leva les yeux sur le visage large de Kay Ramn, la secrétaire de l'unité de soins intensifs.

— Mme Harring est dans la salle d'attente. Je lui ai dit que vous alliez venir lui parler.

— Oh ! mon Dieu ! dit Jason, qui se frotta les yeux.

Pour tous les médecins, il était difficile de parler aux proches après la mort d'un patient, mais, depuis le décès de Danielle, Jason ressentait la douleur de la famille comme la sienne propre.

En face de l'unité de soins intensifs, se trouvait une petite salle d'attente avec ses revues périmées, ses sièges de vinyle et ses plantes de plastique. Mme Harring regardait par la fenêtre qui donnait au nord, sur Fenway Park et Charles Street. Mince et menue, elle avait laissé ses cheveux conserver leur gris naturel. Quand Jason entra, elle se retourna et le regarda, les yeux rouges, terrifiés.

— Je suis le docteur Howard, annonça Jason, lui faisant signe de s'asseoir.

Ce qu'elle fit, mais tout au bord de la chaise.

— Ça va vraiment mal..., commença-t-elle, sa voix déraillant.

— Je le crains. M. Harring est décédé. Nous avons fait tout ce qui était en notre pouvoir. Du moins n'a-t-il pas souffert.

Jason s'en voulait de débiter ces mensonges attendus, espérés. Il savait que Cedric avait souffert. Il avait vu la frayeur de la mort sur son visage. La mort était toujours une lutte, rarement le paisible abandon de la vie que montrent les films.

Le sang reflua du visage de Mme Harring, et Jason crut un instant qu'elle allait se trouver mal.

— Je n'arrive pas y croire, dit-elle enfin.

— Je sais, fit Jason.

Et il savait.

— Ce n'est pas juste, reprit-elle, avec un regard de défi pour Jason, son visage s'empourprant. Vous lui avez dit qu'il allait bien, non ? Vous lui avez fait passer tous ces examens et déclaré qu'ils étaient normaux ! Pourquoi n'avez-vous rien trouvé ? *Vous auriez pu prévenir cela*.

Jason reconnut la colère, qui annonçait d'ordinaire la douleur. Il se sentit pris d'une grande compassion.

— Je ne lui ai pas exactement dit qu'il allait bien, précisa-t-il gentiment. Ses examens de laboratoire étaient satisfaisants, mais je l'ai mis en garde, comme chaque fois, contre son abus du tabac et son régime. Et je lui ai rappelé que son père était mort d'une crise cardiaque. Tous ces facteurs faisaient de lui un sujet à haut risque malgré les résultats des examens.

— Mais son père avait soixante-quatorze ans quand il est mort. Cedric n'a que cinquante-six ans ! À quoi bon une visite médicale si mon mari doit mourir trois semaines plus tard à peine ?

— Je suis navré, dit Jason. Nous ne sommes pas infaillibles dans nos pronostics. Nous le savons. Nous ne pouvons que faire de notre mieux.

Mme Harring soupira, ses épaules étroites se voûtant. Jason pouvait voir sa colère s'estomper, laissant place à un chagrin accablant.

— Je sais que vous faites tout votre possible, dit-elle d'une voix tremblante. Excusez-moi.

Jason se pencha, lui posa la main sur l'épaule. Elle lui parut toute frêle sous sa main, dans sa fine robe de soie.

— Je sais combien cela vous est pénible.

— Puis-je le voir ? demanda-t-elle à travers ses larmes.

— Bien sûr.

Jason se redressa et lui tendit la main.

— Saviez-vous que Cedric avait pris un rendez-vous pour vous voir ? lui demanda Mme Harring dans le couloir.

Elle s'essuya les yeux avec un mouchoir tiré de son sac.

— Non, je l'ignorais.

— La semaine prochaine. Il n'a pu obtenir un rendez-vous plus tôt. Il ne se sentait pas bien.

Jason ressentit un désagréable sentiment de défense.

Bien que convaincu de n'avoir commis aucune erreur, il n'était pas à l'abri d'un procès.

— Est-ce qu'il s'est plaint de douleurs thoraciques quand il a téléphoné pour son rendez-vous ? demanda-t-il, arrêtant Mme Harring devant la porte de la salle de soins intensifs.

— Non, non. Simplement de nombreux symptômes sans aucun rapport. Surtout d'une grande fatigue.

Jason poussa un soupir de soulagement.

— Il avait les articulations douloureuses. Et sa vue l'inquiétait. Il avait du mal à conduire la nuit.

Du mal à conduire la nuit ? Bien qu'un tel symptôme n'ait aucun lien avec une crise cardiaque, cela lui dit quelque chose.

— Et il avait la peau très sèche. Et il perdait beaucoup de cheveux.

— Il y a un renouvellement normal des cheveux, expliqua Jason machinalement.

Manifestement, toute cette litanie de troubles non spécifiques n'avait rien à voir avec la violente crise cardiaque de l'homme. Il ouvrit la lourde porte de la salle et invita Mme Harring à le suivre jusqu'au box où reposait son mari.

On avait recouvert Cedric d'un drap blanc propre. Mme Harring posa sa petite main décharnée sur la tête de son mari.

— Voulez-vous voir son visage ? proposa Jason.

— Oui, fit Mme Harring, alors que les larmes revenaient et ruisselaient sur ses joues. Jason tira le drap et recula. Oh ! mon Dieu ! On dirait son père avant sa mort ! s'exclama-t-elle en se détournant, et, tandis que Jason remontait le drap, elle murmura : Je n'imaginais pas que la mort vieillissait ainsi un homme.

Ce n'est pas le cas, d'ordinaire, songea Jason. Maintenant qu'il n'était plus obnubilé par le cœur de Cedric, il remarqua les changements de son visage : les cheveux raréfiés, les yeux enfoncés dans les orbites, donnant au visage du mort un aspect creux, décharné. Bien loin de ressembler au souvenir qu'en avait conservé Jason depuis la visite médicale de Cedric, trois semaines plus tôt. Jason replaça le drap et reconduisit Mme Harring à la petite salle d'attente où il la fit rasseoir, prenant un siège en face d'elle.

— Je sais que le moment est mal choisi pour en parler, dit-il, mais nous souhaiterions votre autorisation d'examiner le corps de votre mari. Peut-être pourrons-nous apprendre quelque chose susceptible d'être utile à d'autres à l'avenir.

— Je suppose que si cela peut aider d'autres malades..., commença Mme Harring, qui se mordit la lèvre.

Il lui était pénible de penser à la chose et plus encore de prendre une décision.

— Ce sera utile, sans aucun doute. Et nous vous sommes reconnaissants. Si vous voulez bien attendre ici, je vais demander qu'on vous apporte les formulaires.

— Très bien, dit Mme Harring, résignée.

— Je suis navré, répéta Jason. N'hésitez pas à m'appeler si je puis vous être utile.

Jason alla dire à Edith que Mme Harring consentait à ce que l'on pratique une autopsie.

— Nous avons appelé le cabinet du médecin de l'état civil et nous sommes tombés sur le docteur Danforth. Elle a dit qu'elle souhaitait voir ce cas, lui annonça Judith.

— Eh bien, assurez-vous qu'ils nous enverront les résultats. Jason marqua une hésitation et ajouta : Avez-vous remarqué quelque chose de bizarre chez M. Harring ? Je veux dire, est-ce qu'il vous a paru anormalement vieilli pour un homme de cinquante-six ans ?

— Je n'ai pas remarqué, répondit Judith avant de filer car dans un service qui comptait onze patients elle avait déjà d'autres soucis en tête.

Jason savait que cette urgence le retardait dans

son emploi du temps, mais le décès inattendu de Cedric ne cessait de l'inquiéter. Il se décida à appeler le docteur Danforth, dont la voix se révéla profonde et sonore, et la convainquit de leur laisser pratiquer l'autopsie sur place, expliquant que le décès était consécutif à une longue hérédité cardiaque. Et qu'il souhaitait comparer la pathologie cardio-vasculaire avec l'électrocardiogramme d'effort. Le médecin de l'état civil voulut bien accepter.

Avant de quitter le service, Jason en profita pour aller voir un autre de ses patients dont l'état n'était pas satisfaisant.

Brian Lennox, soixante et un ans, était également victime d'une crise cardiaque. On l'avait admis trois jours plus tôt et, bien que satisfaisant au début, son état avait soudain empiré. Ce matin-là, en faisant sa visite, Jason avait eu l'intention de faire sortir Lennox de l'unité de soins intensifs, mais il avait décelé chez l'homme les prémisses d'une insuffisance cardiaque avec œdème. Ce qui causa à Jason une vive contrariété car Brian Lennox s'ajoutait à la liste de ses patients hospitalisés et dont l'état s'était aggravé ces derniers temps. Au lieu de transférer le patient, Jason l'avait mis sous traitement intensif pour son insuffisance cardiaque.

Tout espoir d'une rapide amélioration de l'état de M. Lennox s'évanouit quand Jason le vit. Assis, il respirait rapidement et faiblement sous un masque à oxygène, le visage ayant pris cette teinte grisâtre que Jason avait appris à redouter. L'infirmière qui s'occupait de lui se redressa après avoir réglé le débit de la perfusion.

— Comment va-t-on ? demanda Jason, arborant un sourire forcé.

Question inutile. Lennox leva une main molle, incapable de répondre, reportant toute son attention sur ses efforts pour respirer.

L'infirmière, dont le badge indiquait qu'elle s'appelait miss Levay, entraîna Jason hors du box, vers le centre de la pièce.

— On dirait que rien ne marche, dit-elle, inquiète. La pression pulmonaire a monté malgré tout ce qu'on lui a donné. On lui a administré le diurétique, l'hydralazine et le nitroprussiate. Je ne sais plus quoi faire.

Jason se retourna vers M. Lennox, qui soufflait comme une locomotive. À part une transplantation, Jason n'avait aucune idée de ce qu'il convenait de faire, et, bien entendu, il n'en était pas question. Gros fumeur, l'homme faisait sans doute également de l'emphysème. Mais M. Lennox aurait dû réagir au traitement. Jason ne put que se dire que la zone lésée par la crise cardiaque s'étendait.

— Demandez une consultation de cardio, dit-il. Peut-être verra-t-on si les coronaires sont davantage touchées. Je ne vois pas autre chose. C'est peut-être un candidat à un pontage.

— Eh bien, c'est toujours ça, dit miss Levay, qui, sans hésiter, se rendit à l'unité centrale pour lancer son appel.

Jason retourna au box pour apporter un peu de sympathie à Brian Lennox. Il aurait souhaité pouvoir faire davantage, mais le diurétique était censé réduire le volume du liquide tandis que l'hydralazine et le nitroprussiate étaient destinés à limiter la pré-surcharge et la post-surcharge cardiaques, le tout étant conçu pour réduire l'effort du cœur et accroître sa capacité de pompage du sang. Le cœur pourrait ainsi se cicatriser après l'agression provoquée par la crise. Mais ça ne marchait pas. Lennox descendait la pente malgré toute l'application, toute la technologie. Ses yeux enfoncés prenaient maintenant un aspect vitreux.

Jason posa la main sur le front de Lennox, dégageant les cheveux du front trempé de sueur. À sa surprise, des cheveux lui restèrent dans la main. Un instant confus, il les contempla puis tira doucement sur d'autres mèches. Elles cédèrent également, presque sans résistance. Examinant l'oreiller derrière la tête de Brian, Jason remarqua d'autres cheveux. Pas beaucoup, mais plus que l'on ne pouvait s'y attendre. Il se demanda si l'un des médicaments prescrits n'avait pas pour effet secondaire de provoquer la chute des cheveux. Il se dit qu'il lui faudrait voir cela dans la soirée. De toute évidence, la chute des cheveux n'était pas le plus important pour l'instant. Mais cela lui rappela ce qu'avait dit Mme Harring. Curieux !

Après avoir demandé qu'on l'appelle une fois la consultation concernant Brian Lennox terminée, et après un nouveau regard masochiste au drap recouvrant le cadavre de Cedric Harring, Jason quitta l'unité de soins intensifs et prit l'ascenseur pour descendre au premier étage qui reliait l'hôpital à l'aile des consultations externes. Le centre médical de l'A.S.M. constituait l'unité centrale du coûteux programme d'assurance maladie. Il comprenait un hôpital de quatre cents lits avec un centre de petite chirurgie, un service de malades externes, une petite aile pour la recherche et un étage de services administratifs. Le bâtiment principal, qui à l'origine abritait les bureaux des magasins Sears, avait un aspect Arts déco. On l'avait vidé et complètement rénové pour y installer l'hôpital et les services administratifs. L'aile des consultations et de la recherche avait été rapportée, mais dans le style de l'ancien bâtiment, avec les mêmes détails. Elle se dressait sur pilotis, au-dessus d'un parking. Le bureau de Jason était situé au deuxième étage, avec le reste du service de médecine interne.

Le centre médical de l'A.S.M. comptait seize spécialistes, encore que quelques-uns, comme Jason, continuaient à faire de la médecine générale. Jason avait toujours eu le sentiment que toute la gamme des maladies humaines l'intéressait, et pas seulement tel ou tel organe ou système.

Les bureaux des médecins occupaient la périphérie du bâtiment, avec une unité centrale entourée d'une aire d'attente dotée de sièges confortables. Les salles d'examen étaient regroupées entre les bureaux. À une extrémité, se trouvaient de petites salles de soins. Le personnel, travaillant en pool, était censé « tourner », mais en réalité infirmières et secrétaires avaient tendance à travailler pour l'un ou l'autre des médecins. Ce qui avait l'avantage de l'efficacité du fait de l'adaptation du personnel aux particularités de chacun des médecins. Travaillaient avec Jason une infirmière du nom de Sally Baunan et une secrétaire, Claudia Mockelberg. Il s'entendait bien avec les deux femmes, mais surtout avec Claudia, qui veillait presque comme une mère au bien-être de Jason. Elle avait perdu son fils unique au Viêt-nam et était heureuse de la ressemblance de Jason avec celui-ci malgré la différence d'âge.

Les deux femmes virent arriver Jason et le suivirent dans son bureau. Sally, les bras chargés des dossiers des patients qui attendaient, plus compulsive que sa collègue, l'absence de Jason avait perturbé son planning soigneusement établi. Il lui tardait de « mettre les choses en train », mais Claudia refréna ses ardeurs et la fit sortir de la pièce.

— Ç'a été aussi moche que votre air le laisse supposer ? demanda-t-elle à Jason.

— C'est si évident ? s'enquit Jason en se lavant les mains au lavabo dans un coin de la pièce.

— On dirait qu'un train d'émotions vous est passé dessus.

— Cedric Harring est mort. Vous vous souvenez de lui ?

— Vaguement. Quand on vous a appelé aux urgences, j'ai sorti son dossier. Il est sur votre bureau.

Jason l'aperçut, du coin de l'œil. L'efficacité de Claudia était parfois agaçante.

— Pourquoi ne pas vous asseoir un instant ? proposa Claudia, qui, plus que quiconque à l'A.S.M., connaissait les réactions de Jason devant la mort.

Elle était une des rares personnes à qui Jason eût parlé de l'accident qui avait coûté la vie à sa femme.

— Je crois que nous devons être sérieusement en retard. Sally va faire un de ces nez !

— Oh ! qu'elle aille se faire foutre ! dit Claudia, s'approchant de Jason et le poussant doucement dans son fauteuil. Sally peut bien se retenir cinq minutes.

Jason sourit malgré lui. Il se pencha et feuilleta le dossier de Cedric Harring.

— Vous vous souvenez des deux autres patients qui sont morts le mois dernier juste après la visite médicale ?

— Briggs et Connoly, dit Claudia sans hésitation.

— Si vous sortiez leurs dossiers ? Je n'aime pas la tournure des événements.

— Seulement si vous me promettez de ne pas... commença Claudia, cherchant la bonne expression puis continuant :... de ne pas vous mettre dans tous vos états. Des malades meurent. Cela arrive, malheureusement. C'est dans la nature du métier. Vous comprenez ? Pourquoi ne pas prendre une tasse de café ?

— Les dossiers, répéta Jason.

— C'est bon, c'est bon, grommela Claudia en sortant.

Jason ouvrit le dossier de Cedric Harring, passant en revue les antécédents, les examens. Rien d'extraordinaire, à part les malsaines habitudes de vie de l'intéressé. Passant à l'E.C.G et à l'E.C.G. d'effort, Jason examina les courbes, à la recherche de quelque signe annonciateur de la catastrophe. Il n'y trouva rien, même avec ce qu'il en savait rétrospectivement.

Claudia revint, ouvrant la porte sans frapper. Jason entendit le plaintif « Claudia... » de Sally, mais Claudia referma la porte et posa sur le bureau de Jason les dossiers de Briggs et de Connoly.

— Ça s'agite dans le coin, dit-elle avant de ressortir. Jason ouvrit les deux dossiers. Briggs était décédé d'une violente crise cardiaque, probablement analogue à celle de Harring. L'autopsie avait révélé une importante occlusion des coronaires, bien que l'électrocardiogramme passé au cours de la visite médicale quatre semaines avant la mort apparût tout aussi normal que celui de Harring. Et pareillement pour l'E.C.G. d'effort. Jason hocha la tête, consterné. Plus encore que l'E.C.G. normal, l'E.C.G. d'effort était censé déceler les fatales prédispositions. Il laissait sans aucun doute supposer que l'examen médical n'était que futilité puisqu'il ne parvenait pas à révéler ces sérieux ennuis de santé. Plus encore, il donnait aux patients une fausse impression de sécurité. Les résultats étant normaux, les patients ne se sentaient nullement motivés pour changer leurs malsaines habitudes de vie. Briggs, tout comme Harring, frisait la soixantaine, fumait comme un pompier et ne prenait jamais d'exercice.

Le second patient, Rupert Connoly était mort d'une brutale attaque cérébrale. Et, là encore, quelque temps à peine après l'examen médical destiné aux cadres et qui n'avait pas davantage fait apparaître d'anomalies. Outre qu'il ne menait pas une vie saine, Connoly avait été un gros buveur, mais pas un alcoolique. Jason allait refermer le dossier quand il remarqua quelque chose qui lui avait échappé. Dans son rapport d'autopsie, le pathologiste faisait état d'une cataracte en évolution. Pensant s'être trompé sur l'âge du patient, Jason consulta les renseignements d'ordre général. Connoly n'avait que cinquante-huit ans. Certes, les cataractes n'étaient pas totalement inconnues à cinquante-huit ans, mais elles n'en étaient pas moins rares. Revenant aux examens, Jason regarda s'il avait noté une cataracte. Il n'avait rien remarqué, ce qui était assez gênant, se bornant à indiquer que le nez, la gorge et les oreilles étaient « normaux ». Il se demanda s'il ne bâclait pas un peu son travail, en « vieillissant ». Mais il remarqua ensuite que les rétines lui étaient apparues normales, également. Et, pour bien voir les rétines, il aurait dû passer à travers les cataractes. N'étant pas ophtalmo, il connaissait ses limites dans ce domaine. Il se demanda si certaines cataractes ne gênaient pas plus que d'autres le passage de la lumière, ajoutant cette question à la liste de celles dont il convenait de chercher la réponse.

Il reposa les dossiers. Trois hommes apparemment en bonne santé étaient morts un mois après leur visite médicale. Seigneur ! se dit-il. Les malades craignaient souvent une hospitalisation. Si cela continuait, ils pourraient bien cesser de passer des check-up.

Jason prit les trois dossiers sous le bras et sortit de son bureau. Il vit Sally, qui, debout à côté de l'unité centrale, le regardait, attendant, espérant.

— Deux minutes, lui souffla silencieusement Jason en traversant l'aire d'attente, avec un signe de tête et un sourire à l'adresse de patients qu'il traitait. Il passa dans le couloir menant au bureau de Roger Wanamaker, un cardiologue que Jason tenait en haute estime. L'homme, obsèse et doté d'une tête de chien de chasse avec des bajoues, sortait d'une des salles d'examen.

— Et si je te tapais d'une consultation ? demanda Jason.

— Ça va te coûter chaud, plaisanta Roger. Qu'est-ce que tu as ?

Jason le suivit dans le désordre de son bureau.

— Des preuves tout à fait embarrassantes, dit Jason, ouvrant les dossiers de ses trois défunts patients à la page de leurs E.C.G. et les plaçant devant Roger. J'ai honte de seulement en parler, mais j'ai trois hommes d'un certain âge qui sont morts juste après que leurs examens médicaux complexes les ont trouvés en parfaite santé. Dont un aujourd'hui précisément. Rupture cardiaque après un sévère infarctus. Je l'avais vu trois semaines plus tôt. C'est lui. Même après avoir appris ce que je sais maintenant, je n'arrive pas à trouver la moindre trace de quoi que ce soit sur aucun des électros. Qu'est-ce que tu en penses ?

Suivit un instant de silence pendant lequel Roger examina les E.C.G.

— Bienvenue au club, dit-il finalement.

— Au club ?

— Ces électros sont parfaits. Nous avons tous connu une expérience identique. J'ai eu quatre cas analogues au cours de ces derniers mois. À peu près tous ceux qui ont bien voulu en parler en ont eu au moins un ou deux.

— Comment se fait-il qu'on n'en ait rien su ?

— À toi de me le dire, proposa Roger avec un sourire de conspirateur. Tu n'as pas vraiment fait de la pub pour ton cas, non ? Il s'agit de linge sale, et nous préférons tous le garder pour nous. Mais tu es chef de service. Pourquoi ne pas nous réunir ?

Hochement de tête mélancolique de Jason. Sous l'égide de l'administration de l'A.S.M., qui prenait toutes les plus importantes décisions concernant l'organisation, le poste de chef de service n'avait rien d'enviable. Chaque année, à tour de rôle, les spécialistes y passaient, et le fardeau était tombé sur les épaules de Jason deux mois plus tôt.

— J'imagine que je devrais le faire, dit-il, ramassant ses dossiers. Du moins les autres médecins devraient-ils savoir qu'ils ne sont pas les seuls s'ils ont connu cela.

— Cela me semble parfait, mais n'attends pas que tout le monde se montre aussi ouvert que toi.

Jason revint vers l'unité centrale, faisant signe à Sally de préparer le premier patient. Elle fila comme un coureur de cent mètres. Il se tourna alors vers Claudia.

— Claudia, j'ai besoin d'un service. Je voudrais que vous me fassiez une liste de tous les examens de santé annuels que j'ai fait passer depuis un an. Sortez les dossiers et vérifiez leur état de santé. Je veux m'assurer qu'aucun des autres n'a présenté de sérieux problèmes médicaux. Il semble que d'autres médecins aient connu des cas analogues. Je pense qu'il nous faut voir cela.

— La liste va être longue, fit observer Claudia.

Jason en était conscient. Dans son désir de promouvoir ce qu'elle qualifiait de médecine préventive, l'A.S.M. s'était faite le chaud partisan de tels examens et avait rationalisé le système pour en faire bénéficier un maximum d'adhérents. Jason savait qu'en moyenne il faisait passer entre cinq et dix visites par semaine.

Au cours des heures qui suivirent, il se consacra à ses patients qui l'accablèrent d'une suite interminable de problèmes et de doléances. Sally, impitoyable, faisait entrer un patient en salle d'examen à l'instant où un autre en sortait. En sautant le déjeuner, Jason parvint rattraper le temps perdu.

Dans le cours de l'après-midi, à l'instant où il sortait de l'une des salles de traitement où il venait de pratiquer une sigmoïdoscopie sur un patient souffrant fréquemment de colite ulcérative, Claudia lui fit signe de se rendre à l'unité centrale. Elle affichait un sourire suffisant, et Jason se dit qu'il se tramait quelque chose.

— Un honoré visiteur vous attend, annonça Claudia, les lèvres pincées.

— Qui est-ce ? demanda Jason, qui, machinalement, parcourut des yeux la salle d'attente voisine.

— Il est dans votre bureau.

Le regard de Jason se reporta sur la porte fermée de son bureau. Cela ne ressemblait pas à Claudia d'y introduire quelqu'un. Il se tourna vers elle.

— Claudia ? interrogea-t-il, traînant sur le nom comme s'il comportait plus de trois syllabes. Pourquoi avez-vous fait entrer quelqu'un dans mon bureau ?

— Il a insisté. Et qui suis-je pour refuser ?

De toute évidence, le visiteur — qui que ce soit — l'avait offensée. Jason la connaissait assez. Et il s'agissait sans doute de quelqu'un d'important au sein de l'A.S.M. Mais le petit jeu commençait à le lasser.

— Allez-vous me dire qui c'est ou est-ce que je dois avoir la surprise ?

— Le docteur Alvin Hayes, répondit-elle, battant des yeux et ricanant.

Agnes, la secrétaire qui travaillait pour Roger, ricana aussi.

Avec un petit geste leur manifestant sa réprobation, Jason se rendit à son bureau. Une visite du docteur Alvin Hayes constituait un événement exceptionnel, étant donné sa qualité de vedette de la recherche, embauché par l'A.S.M. pour promouvoir son image de marque. Un peu comme la Humane Corporation avec le docteur William De Vries, le champion du cœur artificiel. L'A.S.M., organisme chargé de la couverture de l'assurance maladie, ne faisait pas de la recherche pour l'amour de l'art, mais avait tout de même offert à Hayes un salaire fabuleux pour dorer davantage son blason, notamment auprès de la communauté universitaire bostonienne. Après tout, le docteur Alvin Hayes était un spécialiste de la biologie moléculaire de renommée mondiale. Il avait fait la couverture du magazine *Time* après sa découverte d'une méthode de fabrication d'une hormone de croissance à partir de la technique de recombinaison de l'A.D.N. — l'acide désoxyribonucléique. L'hormone de croissance fabriquée était la copie exacte de sa variété humaine. D'autres tentatives s'étaient traduites par une hormone analogue, mais pas exactement identique, et sa découverte avait été considérée comme exceptionnelle.

Jason arriva à son bureau et ouvrit la porte. Il ne comprenait pas les raisons de la visite de Hayes qui l'avait quasi ignoré dès son arrivée, un an plus tôt, bien qu'ils aient été condisciples à la fac de médecine de Harvard. Une fois diplômés, chacun avait suivi son chemin, mais quand l'A.S.M. avait embauché Hayes, Jason était allé le trouver pour lui souhaiter la bienvenue. Hayes s'était montré distant, manifestement imbu de sa célébrité et ouvertement méprisant pour la décision de Jason de ne pas renoncer à la médecine clinique. À l'exception de quelques rencontres occasionnelles, ils s'ignoraient. En fait, Hayes ignorait tout le monde à l'A.S.M., tournant de plus en plus à ce que l'on appelle d'ordinaire le « savant fou ». Il en était même arrivé à négliger son apparence, portant de vieux vêtements froissés et arborant une chevelure hirsute de hippie des années soixante-dix. Si l'on cancanait et s'il n'avait guère d'amis, on ne l'en respectait pas moins. Hayes travaillait sans relâche et pondait un nombre incroyable de rapports et d'articles scientifiques.

Alvin Hayes était vautré dans l'un des fauteuils devant l'antique bureau de Jason. À peu près de la taille de son confrère, le visage rondelet et enfantin, encadré de ses cheveux fous, Hayes avait le teint plus jaunâtre que jamais. Depuis toujours, son visage avait cette pâleur d'intellectuel qui caractérise les chercheurs passant leur vie dans les laboratoires. Mais l'œil professionnel de Jason remarqua l'aspect plus cireux encore du teint et une mollesse de la peau qui semblaient traduire chez Hayes maladie et épuisement. Jason se demanda s'il ne s'agissait pas d'une visite professionnelle.

— Navré de te déranger, lui dit Hayes, se levant avec peine. Je sais que tu dois être très occupé.

— Pas du tout, prétendit Jason, qui alla s'asseoir et retira le stéthoscope qui pendait à son cou. Que puis-je faire pour toi ?

Hayes paraissait nerveux et fatigué, comme s'il n'avait pas dormi depuis plusieurs jours.

— Il faut que je te parle, dit-il, baissant la voix et se penchant en avant avec une mine de conspirateur.

Jason eut un mouvement de recul sous l'haleine

fétide de Hayes, et son regard vitreux et vide, un peu fou même. Sa blouse blanche était froissée et maculée, les manches remontées au-dessus des coudes, sa montre si lâche autour du poignet que Jason se demanda comment il ne la perdait pas.

— Qu'est-ce qui te tracasse ?

Hayes se pencha davantage encore, les poings posés sur le sous-main de Jason.

— Pas ici, souffla-t-il. Ce soir et en dehors de l'hôpital.

Suivit un pesant silence. Hayes se comportait manifestement de façon anormale, et Jason se demanda s'il ne devait pas tenter de convaincre l'homme de voir Patrick Quillan, se disant qu'un psychiatre pourrait lui être plus utile. Si Hayes voulait l'entretenir en dehors de l'hôpital, ce ne pouvait être à propos de sa santé.

— C'est important, ajouta Hayes, cognant impatiemment sur le bureau de Jason.

— C'est bon, dit vivement Jason, craignant que Hayes ne pique une crise s'il hésitait davantage. Si on dînait ensemble ?

Il préférait rencontrer l'homme dans un lieu public.

— D'accord. Où ?

Jason haussa les épaules.

— Peu importe. Qu'est-ce que tu dirais d'un restaurant italien du North End ?

— D'accord. À quelle heure et où ?

Jacob passa en revue la liste des restaurants qu'il connaissait dans le quartier nord de Boston, dont le dédale de ruelles tortueuses donnaient l'impression que l'on se trouvait magiquement transporté dans le sud de l'Italie.

— Que dirais-tu de Carbonara ? C'est sur Rachel Revel Square, en face de la maison de Paul Revere.

— Je connais. Quelle heure ?

— 20 heures ?

— Parfait, dit Hayes, se dirigeant d'un pas quelque peu hésitant vers la porte. Et n'invite personne d'autre. Je veux te parler seul à seul.

Sans attendre de réponse, il sortit, tirant la porte derrière lui.

Jason eut un hochement de tête incrédule et retourna à ses patients.

Quelques minutes plus tard, de nouveau absorbé par son travail, il oublia tout de la visite de Hayes. L'après-midi s'écoula sans mauvaise surprise. Du moins les patients externes de Jason semblaient-ils bien s'en tirer et réagir normalement à ses diverses prescriptions. Ce qui lui remonta le moral et lui redonna une confiance que le cas Harring avait sapée. Alors qu'il ne lui restait que deux patients à voir, il traversa la salle d'attente après une intervention de petite chirurgie dans l'une des salles de soins. Juste avant de disparaître dans son bureau pour dicter le protocole, il aperçut Shirley Montgomery, qui, penchée sur le bureau de l'unité centrale, bavardait avec les secrétaires. Dans cet univers hospitalier, Shirley apparaissait comme Cendrillon au bal. Contrastant avec les autres femmes, vêtues de jupes et chemisiers blancs ou d'ensembles pantalon et veste blancs, Shirley portait une robe de soie assez stricte qui ne parvenait pas à dissimuler sa séduisante silhouette. On ne pouvait guère deviner, à la voir, qu'elle était directrice de l'ensemble de l'Assurance sécurité maladie. Aussi séduisante qu'un mannequin, elle était titulaire d'un doctorat en administration hospitalière de l'université Columbia et d'un diplôme de commerce de l'université de Harvard.

Compte tenu de ses qualités physiques et intellectuelles, Shirley aurait pu être intimidante, mais ce n'était pas le cas. Ouverte et sensible, elle s'entendait bien avec tout le monde : personnel de service, secrétaires, infirmières, et même avec les médecins. On était sans aucun doute en grande partie redevable à Shirley Montgomery de faire fonctionner efficacement les différentes pièces qui composaient la mécanique que constituait l'A.S.M.

Quand elle aperçut Jason, elle s'excusa auprès des secrétaires et s'approcha de lui avec l'aisance et la grâce d'une danseuse. Son épaisse chevelure châtaine, rejetée pour dégager le front, était nouée en un épais chignon, et sous sa main experte son maquillage paraissait inexistant. Ses grands yeux bleus brillaient d'intelligence.

— Excusez-moi, docteur Howard, lui dit-elle cérémonieusement avec un léger sourire.

Bien que le personnel l'ignorât, Shirley et Jason étaient sortis plusieurs mois ensemble à la suite d'une des réunions semestrielles de l'équipe de l'A.S.M., devant un cocktail. Lorsque Jason avait appris que son mari venait de succomber à un cancer, il s'était immédiatement senti des atomes crochus.

Au cours du dîner qui avait suivi, elle avait confié à Jason que, un matin, il y avait de cela trois ans, son mari s'était réveillé avec une sévère migraine. Quelques mois plus tard, il mourait d'une tumeur cérébrale qu'aucun traitement n'avait pu vaincre. À l'époque, l'un et l'autre travaillaient à la Humane Corporation. Ensuite, tout comme Jason, elle avait cru devoir déménager et était venue à Boston. Quand elle eut raconté son histoire à Jason, il s'en était senti si profondément touché qu'il avait rompu son propre mur de silence. Ce soir-là, il avait partagé avec elle sa douleur provoquée par l'accident et la mort de sa femme.

Nourris par cet extraordinaire partage d'une expérience affective commune, les rapports entre Jason et Shirley oscillèrent entre l'amitié et l'idylle. Chacun savait l'autre trop affecté dans ses sentiments pour précipiter les choses.

Jason se montra surpris. Jamais elle ne s'était adressée ainsi à lui. Comme toujours, il n'était que très vaguement conscient de ce qu'elle pouvait avoir en tête. À bien des égards, Shirley était la femme la plus compliquée qu'il eût jamais rencontrée.

— Que puis-je faire pour vous ? lui demanda-t-il, essayant de déceler quelque indice de ses intentions profondes.

— Je sais que vous devez être très occupé, mais je me demandais si vous seriez libre ce soir.

Elle baissa la voix, tourna le dos à Claudia, qui ne le quittait pas des yeux, et ajouta :

— Je donne un dîner impromptu ce soir, avec des amis de Harvard. J'aimerais que vous vous joigniez à nous. Qu'en dites-vous ?

Jason regretta aussitôt ses projets de dîner avec Alvin Hayes. Si seulement il avait accepté de voir le bonhomme devant un verre.

— Je sais que c'est un peu brusque, ajouta-t-elle, sentant l'hésitation de Jason.

— Là n'est pas le problème. L'ennui, c'est que j'ai promis à Alvin Hayes de dîner avec lui.

— Notre docteur Hayes ? demanda Shirley, manifestement surprise.

— Lui-même. Je sais que cela semble bizarre, mais il m'a paru comme égaré. Et, quoiqu'il ne se soit guère montré particulièrement amical, j'ai compati. C'est moi qui lui ai proposé que nous dînions ensemble.

— Bon sang ! Vous auriez aimé ces gens. Eh bien, une prochaine fois...

Elle allait prendre congé quand Jason se souvint de sa conversation avec Roger Wanamaker.

— Je devrais probablement vous informer que je vais réunir l'équipe. Un certain nombre de nos patients sont morts de troubles coronariens que n'ont pas décelés nos examens médicaux. En tant que chef de service, j'ai pensé que je devais voir cela. Une mort subite un mois après qu'on n'ait rien trouvé à signaler ne constitue pas une bonne publicité.

— Seigneur ! n'allez pas répandre de tels bruits !

— Eh bien, il est quelque peu agaçant qu'un patient que vous avez examiné avec toutes les ressources disponibles et déclaré à peu près en bonne santé revienne à l'hôpital dans un état catastrophique pour y mourir. Nos visites médicales ont pour objet essentiel de prévenir de telles éventualités. Je crois que nous devrions rendre plus pointus nos tests d'effort.

— Objectif admirable. Tout ce que je vous demande, c'est de ne pas ébruiter la chose. Nos examens destinés aux cadres jouent un rôle majeur dans notre campagne destinée à nous amener la clientèle des grosses boîtes de la région. Gardons cela pour nous.

— Absolument. Désolé pour ce soir.

— Moi aussi, dit Shirley, baissant la voix. Je ne pensais pas que le docteur Hayes sortait beaucoup. Qu'est-ce qui lui prend ?

— C'est un mystère pour moi, mais je vous tiendrai au courant.

— S'il vous plaît. C'est surtout moi qui ai insisté pour que nous embauchions le docteur Hayes. Je me sens responsable. À bientôt, dit-elle, s'éloignant avec un sourire à l'adresse des patients qui se trouvaient là.

Jason la suivit des yeux un instant puis croisa le regard de Claudia. L'air coupable, elle baissa les yeux sur son travail. Jason se demanda si le secret n'avait pas percé. Avec un haussement d'épaules, il retourna à ses deux derniers patients.

CHAPITRE II

Pour Jason, l'automne à Boston constituait une saison grisante malgré le triste hiver qu'elle annonçait. Avec son feutre style Indiana Jones et son trenchcoat Burberry, il était convenablement protégé contre la fraîche soirée d'octobre.

Des rafales de vent balayaient contre ses jambes les restes jaunis des feuilles d'orme tandis qu'il remontait péniblement Mount Vernon Street et s'engageait dans le passage bordé des colonnes du capitole. Traversant la promenade du centre administratif, il longea la place du marché de Faneuil Hall avec ses artistes des rues et pénétra dans le North End, la « petite Italie » de Boston. Du monde partout : des hommes au coin des rues, discutant avec de grands gestes ; des femmes penchées à leurs fenêtres, cancanant avec des amies de l'autre côté de la rue. L'air était plein de senteurs de café frais passé et de pâtisseries aux amandes. Tout comme l'Italie, le quartier était un délice pour les sens.

Deux pâtés de maisons plus bas, sur Hanover Street, Jason tourna à droite et se retrouva rapidement tout près de la modeste maison à colombage de Paul Revere, la plus vieille de Boston, d'où partit le 18 avril 1775 la célèbre chevauchée nocturne du héros pour prévenir la garde nationale de l'attaque imminente des Britanniques. Une lourde chaîne de bateau pendant entre des poteaux métalliques délimitait la place pavée. Le restaurant Carbonara, l'un des favoris de Jason, se trouvait juste en face de la maison de Paul Revere. On comptait deux autres restaurants, sur la place, mais pas aussi bons que le Carbonara. Il gravit les escaliers de l'entrée et fut accueilli par le maître d'hôtel qui le conduisit à sa table, près de la devanture, d'où il pouvait voir la curieuse petite place. Tout comme bien d'autres lieux à Boston, la scène apparaissait quelque peu irréelle, comme faisant partie d'une reconstitution historique.

Jason commanda une bouteille de gavi blanc et attaqua une assiette d'antipasti en attendant Hayes. Dix minutes plus tard, un taxi s'arrêta, et Hayes en descendit. Il demeura sur le trottoir quelques instants après le départ du taxi, scrutant North Street d'où il arrivait. Jason l'observait, s'interrogeant sur ce qu'il attendait. Hayes finit par se retourner et entrer dans le restaurant.

Alors que le maître d'hôtel le conduisait à sa table, Jason remarqua combien Hayes semblait déplacé au milieu de l'élégant décor et des dîneurs habillés avec recherche. Il avait remplacé sa blouse de labo maculée par une veste de tweed fatiguée, avec une pièce au coude. Il semblait marcher avec difficulté, et Jason se demanda si l'homme n'avait pas bu.

Sans paraître remarquer la présence de Jason, Hayes se laissa tomber sur un siège et regarda dehors, toujours en direction de North Street. Un couple apparut, flânant bras dessus, bras dessous. Hayes les observa jusqu'à ce qu'ils disparaissent dans Prince Street. Son regard semblait toujours vitreux, et Jason remarqua un nouveau réseau de capillaires s'étendant sur son nez en un éventail rouge ainsi que le ton d'ivoire de sa peau, assez semblable à celle de Harring quand Jason l'avait vu en salle de réanimation. De toute évidence, Hayes n'était pas en bonne santé.

Fouillant dans l'une des poches gonflées de sa veste de tweed, Hayes en tira un paquet de Camel sans filtre, tout écrasé. Il en alluma une, les mains tremblantes et annonça, le regard brillant d'une vive émotion :

— On me suit.

— Tu en es sûr ? questionna Jason, se demandant comment il devait réagir.

— Aucun doute, répondit Hayes, tirant une longue bouffée de sa cigarette, dont une cendre incandescente tomba sur la nappe blanche.

— Un type brun, glabre — bien habillé, un étranger, ajouta Hayes haineusement.

— Ça t'inquiète ?

Jason essayait de jouer les psychiatres. Apparemment, et pour couronner le tout, Hayes se montrait profondément paranoïaque.

— Bon Dieu ! oui ! brailla Hayes, dont l'éclat fit

tourner quelques têtes. Baissant la voix, il ajouta : Ça ne t'inquiéterait pas si on voulait te tuer ?

— Te tuer ? répéta Jason, certain maintenant que Hayes était devenu fou.

— Absolument. Et tuer mon fils, également.

— Je ne savais pas que tu avais un fils.

En fait, Jason ignorait même que Hayes fût marié. Le bruit courait, à l'hôpital, qu'il fréquentait les boîtes discos dans les rares occasions où il voulait se distraire.

Hayes écrasa sa cigarette dans le cendrier, jura dans sa barbe, alluma une autre cigarette, tirant dessus en brèves bouffées nerveuses. Jason se rendit compte que Hayes était au bord de la crise et qu'il lui fallait y aller avec précaution. Le bonhomme allait craquer.

— Excuse-moi si je te parais idiot, dit Jason, mais j'aimerais t'aider. Je présume que c'est pour cela que tu voulais me parler. Et franchement, Alvin, tu ne me sembles pas dans ton assiette.

Hayes posa le coude sur la table, la tête dans le creux de sa main droite, sa cigarette dangereusement proche de ses cheveux fous. Jason fut tenté d'éloigner les cheveux ou la cigarette ; il ne voulait pas que l'homme s'enflamme comme un bûcher funéraire. Mais, inquiet de l'air égaré de Hayes, il n'en fit rien.

— Ces messieurs voudraient-ils commander ? demanda un serveur, apparaissant silencieusement à la table.

— Pour l'amour de Dieu ! gronda Hayes, se redressant brusquement, vous ne voyez pas qu'on parle ?

— Excusez-moi, monsieur, dit le garçon, qui s'inclina et s'éloigna.

Hayes respira profondément et revint à Jason :

— Ainsi, je n'ai pas l'air dans mon assiette ?

— Non. Tu as un sale teint et tu sembles tout aussi épuisé que bouleversé.

— Ah ! le brillant clinicien ! railla Hayes, ajoutant : Excuse-moi, je ne voulais pas être désagréable. Tu as raison. Je ne me sens pas bien. En fait, je me sens horriblement mal.

— Quel est le problème ?

— À peu près tout. Arthrite, ennuis gastro-intestinaux, troubles de la vision. Et même une sécheresse de la peau. J'ai les chevilles qui me démangent à m'en rendre fou. Mon corps tombe littéralement en morceaux.

— Il aurait peut-être été préférable qu'on se voie dans mon cabinet. J'aurais pu t'examiner.

— Plus tard, peut-être. Mais ce n'est pas pour cela que je voulais te voir. Et puis il est peut-être trop tard pour moi, mais si je pouvais sauver mon fils...

Il s'arrêta net, montrant la rue s'écriant :

— *Le voilà !*

Jason se retourna et distingua à peine une silhouette qui disparut dans North Street.

— Comment peux-tu dire que c'était lui ?

— Il me suit depuis que j'ai quitté l'hôpital. Je crois qu'il a l'intention de me tuer.

Sans pouvoir faire la part de la réalité et de l'imagination, Jason observa son confrère. Il se conduisait bizarrement, pour ne pas dire plus, mais Jason se remit en mémoire le vieux cliché : « Même les paranoïaques ont des ennemis. » Peut-être, effectivement, quelqu'un suivait-il Hayes. Tirant la bouteille de gavi du seau à glace, Jason en servit un verre à Hayes et à lui-même.

— Tu ferais sans doute mieux de me dire ce que c'est que toute cette histoire.

Hayes descendit son vin cul sec, comme un verre d'aquavit et s'essuya la bouche d'un revers de main.

— C'est une histoire tellement bizarre... Si tu me reservais de ce vin ?

Jason remplit le verre tandis que Hayes poursuivit :

— Je suppose que tu ne sais pas grand-chose de mes recherches...

— J'en ai une vague idée.

— Croissance et développement. Comment agissent ou n'agissent pas les gènes. Comme pour la puberté, comprendre ce qui déclenche les gènes appropriés. Résoudre le problème constituerait une découverte majeure. Non seulement nous pourrions potentiellement agir sur la croissance et le développement, mais nous pourrions probablement aussi « éteindre » les cancers ou, après une crise cardiaque, « mettre en marche » la division cellulaire pour créer du muscle cardiaque tout neuf. Quoi qu'il en soit et en d'autres termes, l'activation et la désactivation des gènes de la croissance et du développement ont constitué mon intérêt majeur. Mais, cela arrive si souvent en matière de recherche, le hasard a joué son rôle. Il y a quatre mois environ, au cours de mes recherches, je suis tombé sur une découverte inattendue. C'était assez ironique, mais stupéfiant. Il s'agit d'une découverte scientifique majeure. Crois-moi : c'est du bois dont on fait les Nobel.

Jason aurait souhaité ne pas faire montre d'incrédulité, bien que se demandant si Hayes ne manifestait pas des symptômes de folie des grandeurs.

— Qu'est-ce que tu as découvert ?

— Un instant.

Hayes posa sa cigarette dans le cendrier et pressa sa main droite sur sa poitrine.

— Ça va ? demanda Jason, alors que le teint de Hayes semblait se faire plus gris et que la transpiration perlait au sommet de son front.

— Ça va, assura Hayes, reposant la main sur la table. Je n'ai pas parlé de cette découverte parce que j'ai compris qu'il s'agissait du premier pas vers une découverte plus importante encore. Je parle de quelque chose de comparable aux antibiotiques ou à la structure hélicoïdale de l'A.D.N. J'ai été si excité que j'ai travaillé vingt-quatre heures sur vingt-quatre. Et puis je me suis rendu compte que ma découverte originelle n'était plus un secret. Lorsque je m'en suis douté, j'ai...

Hayes s'arrêta au milieu de sa phrase. Il regarda fixement Jason avec une expression qui, révélant d'abord sa confusion, dégénéra rapidement en frayeur.

— Alvin, qu'est-ce qui se passe ?

Hayes ne répondit pas. De nouveau, sa main droite alla presser sa poitrine. Un gémissement s'échappa de ses lèvres puis les deux mains jaillirent, agrippant la nappe, la tirant, renversant les verres de vin. Il commença à se lever mais n'y parvint jamais. Avec une violente toux étouffante, il projeta un jet de sang à travers la table, inondant la nappe et maculant Jason qui se recula vivement, renversant sa chaise. Le sang ne s'arrêta pas, arrivant par vagues successives, éclaboussant tout tandis que les dîneurs des tables voisines se mettaient à crier.

En sa qualité de médecin, Jason savait ce qui se passait. Le sang, de couleur rouge vif, était littéralement pompé de la bouche de Hayes. Ce qui signifiait qu'il provenait directement du cœur. Au cours des secondes qui suivirent, Hayes demeura droit sur son siège, la confusion et la douleur remplaçant la frayeur dans son regard. Jason fit le tour de la table et le saisit par les épaules. Il n'existait malheureusement aucun moyen d'arrêter le flot de sang. Hayes allait soit se vider de son sang, soit se noyer. Il n'y avait rien que Jason pût faire, à part retenir l'homme tandis que sa vie s'écoulait de son corps.

Lorsque le corps de Hayes devint flasque, Jason le laissa glisser sur le sol. Bien que le corps humain contienne quelque six litres de sang, le volume répandu sur la table et le sol semblait considérablement plus important. Jason se tourna vers une table voisine, non occupée, et y prit une serviette pour s'essuyer les mains.

Pour la première fois depuis le début du drame, il prit conscience des présences autour de lui. Les autres clients du restaurant avaient tous bondi de leur table et se trouvaient maintenant regroupés à l'autre extrémité de la salle. Malheureusement, plusieurs personnes avaient eu des nausées.

Le maître d'hôtel, le teint verdâtre, titubait.

— J'ai appelé une ambulance, parvint-il à articuler, derrière la main portée à sa bouche.

Jason regarda Hayes. Sans salle d'opération sous la main, sans un appareil cœur-poumon artificiel et tout prêt, il n'existait pas la moindre chance de le sauver. À ce stade, une ambulance était inutile. Mais du moins pourrait-elle emporter le corps. Regardant de nouveau le corps immobile, Jason conclut que l'homme devait être atteint d'un cancer du poumon. Peut-être, une tumeur avait-elle percé l'aorte, provoquant l'hémorragie. Ironie du sort, la cigarette de Hayes brûlait toujours dans le cendrier, maintenant plein d'écume sanglante. Une volute de fumée s'élevait doucement vers le plafond.

Au loin, Jason entendit la sirène d'une ambulance qui approchait. Mais, avant son arrivée, une voiture de police avec son gyrophare bleu s'arrêta devant la porte et deux policiers en uniforme bondirent dans la salle, s'immobilisant devant le sanglant spectacle. Le plus jeune, Peter Carbo, un garçon blond qui paraissait dix-neuf ans, vira immédiatement au vert. Son collègue, Jeff Mario, l'envoya aussitôt interroger les clients. Jeff Mario avait l'âge de Jason, à deux ans près.

— Qu'est-ce qui s'est passé, bon Dieu ? demanda-t-il, surpris par tout ce sang.

— Je suis médecin, déclara Jason. L'homme est mort. Vidé de son sang. Il n'y a rien qu'on aurait pu faire.

Après s'être penché sur Hayes, Mario chercha délicatement le pouls. Satisfait, il se releva et reporta son attention sur Jason.

— Z'êtes un ami ?

— Un confrère, plutôt. Nous travaillons l'un et l'autre à l'Assurance sécurité maladie.

— L'est médecin, lui aussi ? demanda Jeff Mario, avec un geste du pouce en direction de Hayes.

— Oui, fit Jason.
— Est-ce qu'il était malade ?
— Je n'en suis pas sûr. S'il me fallait préciser, je dirais un cancer. Mais je n'en sais rien.
Jeff Mario sortit un calepin et un crayon.
— Comment s'appelle l'homme ?
— Alvin Hayes.
— Est-ce que M. Hayes a de la famille ?
— J'imagine. À vrai dire, je ne sais pas grand-chose de sa vie privée. Il a parlé d'un fils, donc je présume qu'il a une famille.
— Connaissez-vous son adresse personnelle ?
— Je crains que non.
L'agent Mario regarda Jason un instant puis se baissa et fouilla délicatement les poches de Hayes, en tirant un portefeuille. Il chercha dans les papiers.
— Le type n'a pas de permis de conduire, dit-il, quêtant une confirmation de Jason.
— Je ne saurais le dire.
Jason se sentit trembler. L'horreur de cette aventure commençait à l'affecter.
La sirène de l'ambulance, qui s'était faite progressivement plus forte, s'estompa devant le restaurant. Un gyrophare rouge tournait maintenant à côté du bleu. Un instant plus tard, deux ambulanciers en uniforme pénétraient dans la salle, l'un d'eux portant une boîte métallique ressemblant à un matériel de pêche. Ils allèrent directement se pencher sur Hayes.
— Ce monsieur est médecin, dit Jeff Mario, montrant Jason du bout de son crayon. Il dit qu'il n'y a plus rien à faire. Il dit que le type a été saigné à blanc à la suite d'un cancer.
— Je ne suis pas certain qu'il s'agisse d'un cancer, corrigea Jason d'une voix plus aiguë qu'il ne l'aurait voulu.
Il tremblait visiblement maintenant, et serra donc ses mains l'une dans l'autre.
Les infirmiers examinèrent Hayes brièvement puis se relevèrent. Celui qui portait la boîte dit à l'autre d'aller chercher la civière.

— C'est bon, voilà son adresse, dit Jeff Mario qui avait repris sa fouille du portefeuille de Hayes. Il habite près de l'hôpital municipal de Boston.

Il copia l'adresse sur son calepin. Le jeune policier prenait les noms et les adresses, y compris ceux de Jason.

Quand ils furent sur le point de partir, Jason demanda s'il pouvait accompagner le corps. Il avait des remords à laisser emmener Hayes à la morgue tout seul. Les flics dirent n'y pas voir d'objection. Lorsqu'ils sortirent sur la place, Jason remarqua que toute une foule s'était rassemblée. Les nouvelles de cette nature se propageaient vite dans le North End, mais la foule gardait un silence révérenciel en présence de la mort.

Jason repéra un homme coquettement habillé qui parut se fondre dans la foule. Une allure d'homme d'affaires — davantage latino-américain ou espagnol qu'italien —, et Jason se demanda un instant pour quelle raison il l'avait remarqué.

— Voulez monter avec votre ami ? demanda un des ambulanciers.

— Oui, fit Jason.

Il grimpa à l'arrière de l'ambulance, s'asseyant sur un siège bas en face de Hayes, à côté de ses pieds. L'un des infirmiers prit place sur un autre siège, à côté de la tête de Hayes. L'ambulance démarra avec une secousse. À travers la vitre arrière, Jason vit s'éloigner le restaurant et la foule. Il dut se tenir lorsque le véhicule vira dans Hanover Street. On n'avait pas branché la sirène, mais le gyrophare tournait toujours. Jason pouvait voir son reflet dans les vitrines des magasins.

Le voyage fut bref ; cinq minutes environ. L'ambulancier tenta de bavarder, mais Jason ne cacha pas qu'il pensait à autre chose. Fixant des yeux le corps recouvert de Hayes, il tenta de se faire à l'idée de ce qui s'était passé. Il ne put s'empêcher de penser que la mort rôdait autour de lui. Curieusement, il se sentait responsable, pour Hayes, comme s'il avait été pensable que l'homme soit encore en vie sans leur malheureuse rencontre. Jason savait tout le caractère ridicule d'une telle pensée sur le plan rationnel. Mais les sentiments ne vont pas toujours de pair avec le rationnel.

Après un virage serré sur la gauche, l'ambulance recula puis s'arrêta. Quand on ouvrit la porte arrière, Jason reconnut où il se trouvait. Ils étaient arrivés dans la cour du Massachusetts General Hospital, un endroit bien connu de Jason. Il y avait fait son stage de résident de médecine interne, trois ans plus tôt. Il descendit. Les deux ambulanciers évacuèrent adroitement le corps de Hayes, et les roues sortirent sous la civière. En silence, ils poussèrent le corps dans la salle des urgences où une infirmière les dirigea sur une salle de soins inoccupée.

Bien que médecin, Jason ignorait tout des formalités dans le cas d'un décès comme celui de Hayes. Il fut quelque peu surpris qu'ils pénètrent même dans une salle des urgences alors que l'on ne pouvait plus rien pour Hayes. Mais, en y réfléchissant, il réalisa qu'il convenait de le déclarer officiellement décédé. Il se souvint de l'avoir fait quand il était médecin de garde.

La salle de soins était disposée de façon habituelle, avec tous ses instruments prêts pour une utilisation immédiate et, dans un coin, un lavabo où Jason alla se laver les mains du sang de Hayes. Un coup d'œil dans le petit miroir au-dessus du lavabo révéla également du sang séché qui lui avait éclaboussé le visage. Après s'être lavé, il s'essuya avec des serviettes en papier. Sa veste, le devant de sa chemise et son pantalon étaient également tachés de sang, mais il n'y pouvait pas grand-chose. Il finissait de se laver, quand un médecin de garde entra d'un air dégagé, un bloc-notes à la main. Sans cérémonie, il retira le drap recouvrant Hayes puis ajusta son stéthoscope, qui lui pendait au cou. Le visage de Hayes paraissait d'une pâleur sinistre à la brutale lumière fluorescente.

— Vous êtes parent ? demanda le médecin d'un ton désinvolte, tout en auscultant la poitrine de Hayes.

Lorsque le médecin retira le stéthoscope de ses oreilles, Jason lui répondit :

— Non, je suis un confrère. Nous travaillions ensemble à l'hôpital de l'A.S.M.

— Vous êtes médecin ? demanda l'interne, d'un ton un peu plus déférent.

— Oui, fit Jason.

— Qu'est-ce qui est arrivé à votre ami ? poursuivit l'interne, envoyant le pinceau lumineux d'une petite lampe dans les yeux de Hayes.

— Il s'est vidé de son sang à la table du dîner, répondit Jason, délibérément brutal et quelque peu choqué par l'insensibilité du médecin.

— Pas de doute. Vidé ! Eh bien, pour être mort, il est mort, dit-il en tirant le drap sur le visage de Hayes.

Jason dut se dominer pour ne pas dire à l'homme ce qu'il pensait de son indifférence, mais il savait qu'il perdrait son temps. Il préféra sortir dans le couloir et observer l'agitation qui régnait dans la salle des urgences, ce qui lui rappela son internat. Il y avait bien longtemps, semblait-il, mais rien n'avait vraiment changé.

Trente minutes plus tard, on ramenait le corps de Hayes dans l'ambulance. Jason suivit et regarda les hommes embarquer le cadavre.

— Ça ne vous gêne pas que je vienne encore avec vous ? demanda-t-il, sans bien savoir pour quelle raison, se disant qu'il réagissait sans doute sous le choc.

— Nous allons simplement à la morgue, lui dit le chauffeur, mais si vous voulez.

Lorsqu'ils sortirent de la cour, Jason fut surpris de voir un individu qui ressemblait à l'élégant homme d'affaires remarqué devant le restaurant. Puis il haussa les épaules. La coïncidence serait trop grande. Mais, curieusement, l'homme avait ce même visage d'Hispanique.

Jason n'était jamais venu à la morgue municipale. Tandis qu'ils roulaient le corps de Hayes à travers les couloirs, passant des portes battantes en triste état et à la peinture éraflée pour arriver à la salle où étaient conservés les cadavres, il se prit à souhaiter n'être jamais venu. L'atmosphère du lieu lui apparut tout aussi désagréable qu'il l'avait imaginée. La salle, vaste, comportait de chaque côté des portes carrées analogues à des portes de réfrigérateur et qui, jadis, avaient dû être blanches. Les murs et le sol étaient recouverts d'un vieux carrelage maculé et ébréché. Sur certains des chariots qui se trouvaient là, des corps recouverts de draps parfois sanglants reposaient. La salle empestait l'antiseptique et d'autres odeurs suspectes que Jason respirait à contrecœur. Un homme solide, au visage rougeaud, en tablier et avec des gants de caoutchouc, vint aider à transférer le corps de Hayes sur l'un des vieux chariots maculés de la morgue. Après quoi, tous disparurent pour aller s'occuper des documents nécessaires.

Jason demeura quelques instants dans la pièce, songeant à la fin brutale de Hayes et à sa vie remarquable. Puis, hanté par l'image de son arrivée à l'hôpital après la mort de Danielle, il remonta derrière les hommes chargés des urgences.

À l'époque de la construction de la morgue municipale de Boston, il y avait de cela un demi-siècle, elle était considérée comme le summum de l'art en ce domaine. En grimpant les larges marches conduisant aux bureaux, Jason remarqua quelques détails architecturaux avec leurs motifs évoquant l'ancienne Égypte. Mais la construction avait souffert au cours des années et semblait maintenant sombre, sale et mal adaptée. Les horreurs qu'elle avait connues dépassaient l'imagination de Jason.

Dans un minable petit bureau, il retrouva les deux ambulanciers et l'agent de la morgue. Leur paperasserie terminée, ils riaient, inconscients de l'oppressante atmosphère de mort.

Jason interrompit leur conversation pour leur demander si un médecin de l'état civil se trouvait sur les lieux.

— Ouais, le docteur Danforth termine une urgence en salle d'autopsie.

— Est-ce que je peux l'attendre quelque part ?

Jason ne se sentait pas en état d'aller lui rendre visite dans la salle d'autopsie.

— Il y a une bibliothèque là-haut, indiqua l'agent de la morgue. Juste à côté du bureau du docteur Danforth.

La bibliothèque lui apparut comme une pièce qui sentait le renfermé, avec de gros volumes reliés de rapports d'autopsie remontant au XVIIIe siècle. Au milieu de la pièce, une grande table de chêne avec six sièges à haut dossier. Plus important, il y avait là un téléphone. Après un instant de réflexion, Jason décida d'appeler Shirley. Il savait qu'elle se trouvait en plein dîner, mais il se dit qu'elle souhaiterait savoir.

— Jason ! s'exclama-t-elle. Vous venez ?

— Non, malheureusement. Il y a des ennuis.

— Des ennuis ?

— Cela va vous faire un choc. J'espère que vous êtes assise.

— Cessez de me taquiner, lui dit Shirley, dont le ton trahit un peu plus son inquiétude.

— Alvin Hayes est mort.

Un instant de silence. Des rires inopportuns, en arrière-fond.

— Que s'est-il passé ?

— Je ne peux le dire avec certitude, répondit Jason, souhaitant lui cacher les horribles détails. Quelque catastrophe interne.

— Une crise cardiaque ?

— Quelque chose comme ça.
— Mon Dieu ! Le pauvre homme !
— Savez-vous s'il a de la famille ? On me l'a demandé, mais je ne sais rien.
— Je n'en sais pas grand-chose non plus. Il est divorcé. Il a des enfants, mais je crois que c'est sa femme qui en a la garde. Elle habite quelque part du côté de Manhattan, c'est à peu près tout ce que je sais. L'homme était très discret sur sa vie privée.
— Désolé de vous ennuyer avec cela, maintenant.
— Ne soyez pas stupide. Où êtes-vous ?
— À la morgue.
— Comment y êtes-vous allé ?
— Dans l'ambulance, avec le corps de Hayes.
— Je viens vous chercher.
— Inutile. Je vais prendre un taxi après avoir parlé au médecin de l'état civil.
— Comment vous sentez-vous ? Cela a dû être une affreuse expérience.
— Eh bien, j'ai connu plus agréable.
— Voilà qui règle la question. Je viens vous chercher.
— Et vos invités ? protesta Jason, sans trop de chaleur.
Il se sentait coupable de gâcher le dîner de Shirley, mais pas au point de refuser son offre. Il ne souhaitait pas en réalité demeurer seul avec les souvenirs de cette soirée.
— Ils peuvent se débrouiller seuls, dit Shirley. Où êtes-vous exactement ?
Jason le lui indiqua puis raccrocha. La tête dans les mains, il ferma les yeux.
— Excusez-moi, dit une voix profonde, qu'adoucissait un léger accent irlandais. Êtes-vous le docteur Jason Howard ?
— C'est bien moi, répondit Jason, se redressant brusquement.
Une silhouette solide s'avança dans la pièce. L'homme avait un visage large, des paupières

lourdes, un gros nez, des dents carrées, les cheveux bruns avec des reflets roux.

— Je suis l'inspecteur Michael Curran, de la brigade criminelle, lui dit-il en lui tendant une forte main calleuse.

Jason lui serra la main, rougissant à l'apparition soudaine du policier en civil. Il se rendit compte que l'homme l'examinait, son regard allant de la tête aux pieds et remontant.

— L'agent Mario a indiqué que vous étiez en compagnie de la victime, dit l'inspecteur Curran, après avoir pris une chaise.

— Vous enquêtez sur la mort de Hayes ?

— Simple routine. Un spectacle plutôt sinistre, selon l'agent Mario. Je ne veux pas avoir mon patron sur le dos si des questions se posent, plus tard.

— Oh ! je vois !

En fait, l'arrivée de l'inspecteur Curran lui rappela l'insistance de Hayes à prétendre qu'on voulait le tuer. Encore que le décès de l'homme apparût davantage comme une mort naturelle que comme un meurtre, Jason réalisa que c'était en partie les craintes de Hayes qui l'avaient amené à la morgue pour s'assurer de la cause du décès.

— Quoi qu'il en soit, reprit l'inspecteur Curran, il me faut poser les questions habituelles. Selon vous, est-ce qu'on pouvait s'attendre à la mort du docteur Hayes. Je veux dire, est-ce qu'il était malade ?

— Pas à ma connaissance. Bien que, lorsque je l'ai vu cet après-midi d'abord, puis ce soir, j'ai eu le sentiment qu'il n'était pas bien.

— Que voulez-vous dire ? demanda l'inspecteur, dont les lourdes paupières se soulevèrent légèrement.

— Il avait une sale mine. Et quand je le lui ai dit, il a reconnu qu'il ne se sentait pas bien.

— Quels étaient les symptômes ? demanda le policier qui avait sorti un petit carnet.

— Fatigue, troubles gastriques, douleur aux articulations. J'ai pensé qu'il pouvait faire de la fièvre, mais sans pouvoir en être sûr.

— Qu'avez-vous pensé de ces symptômes ?

— Ils m'ont inquiété, reconnut Jason. Je lui ai dit qu'il aurait été préférable que nous nous rencontrions à mon cabinet où j'aurais pu pratiquer quelques examens. Mais il a insisté pour que nous nous retrouvions en dehors de l'hôpital.

— Et pourquoi cela ?

— Je ne sais pas exactement, dit Jason, qui entreprit de décrire ce qui était probablement chez Hayes de la paranoïa et parlant aussi de sa prétendue découverte.

Après avoir noté tout cela, Curran leva les yeux. Il paraissait plus attentif.

— Qu'est-ce que vous entendez par « paranoïa » ?

— Il disait que quelqu'un le suivait et voulait le tuer, ainsi que son fils.

— A-t-il dit qui ?

— Non. Franchement, j'ai pensé qu'il s'abusait. Il se comportait bizarrement. J'ai pensé qu'il était sur le point de décompenser.

— De décompenser ?

— De faire une dépression nerveuse.

— Je vois, dit Curran, retournant à son calepin.

Jason l'observa tandis qu'il écrivait, remarquant sa curieuse manie d'humecter la pointe de son crayon de temps à autre en la portant à la bouche.

À cet instant, apparut une autre silhouette dans l'encadrement de la porte. Elle fit le tour de la table jusqu'à la droite de Jason. Il se leva, ainsi que l'inspecteur. L'arrivante était une petite bonne femme qui ne faisait guère plus d'un mètre cinquante. Elle se présenta comme le docteur Margaret Danforth. Elle avait une voix sonore, guère en harmonie avec sa taille.

— Asseyez-vous, ordonna-t-elle, souriant à Curran que, manifestement, elle connaissait.

Jason jugea que la femme devait friser la quarantaine. Elle avait des traits délicats, avec des sourcils très arqués qui lui donnaient un air innocent et un certain charme, des cheveux courts et très bouclés. Elle portait une robe stricte de couleur sombre, à col de dentelle. Jason eut du mal à voir sous son apparence un des médecins de l'état civil de la ville de Boston.

— Quel est le problème ? demanda-t-elle, passant aussitôt aux choses sérieuses.

Jason remarqua des cernes sous ses yeux et se dit qu'elle devait être au travail depuis la première heure de la matinée.

L'inspecteur Curran pencha sa chaise en arrière et se balança.

— Mort subite d'un médecin dans un restaurant du North End, dit-il. À première vue, il a vomi une grande quantité de sang...

— Expectoré, plutôt, précisa Jason.

— Comment cela ? demanda l'inspecteur, reprenant bruyamment sa position initiale et humectant son crayon pour apporter une correction.

— Vomir indiquerait que le sang émanait du système digestif, expliqua Jason. Le sang arrivait manifestement des poumons. Il était rouge et écumeux.

— Écumeux ! J'aime bien le mot, dit Curran, qui se pencha sur son carnet, corrigeant à nouveau.

— Je présume qu'il s'agissait de sang artériel, dit le docteur Danforth.

— C'est ce que je pense, dit Jason.

— Ce qui signifie... ? demanda Curran.

— Probablement une rupture de l'aorte, indiqua Danforth, les mains croisées sur les genoux, comme assise devant une tasse de thé.

— L'aorte est le principal vaisseau qui part du cœur, ajouta-t-elle pour éclairer Curran. Il amène au corps le sang oxygéné.

— Je vous remercie, dit Curran.

— Cela me paraît être un cancer ou un anévrisme, ajouta Danforth. Un anévrisme est une poche résultant de l'altération de la paroi d'une artère.

— Merci encore, répéta Curran. C'est si pratique quand on sait que je suis un ignorant.

Jason songea un instant à Peter Falk jouant le rôle de l'inspecteur Colombo. Il était tout à fait convaincu que Curran était loin d'être un ignorant.

— Vous êtes d'accord, docteur ? demanda Danforth, regardant Jason.

— Je parierais pour un cancer du poumon. Hayes était un très gros fumeur.

— Ce qui rend le diagnostic plus vraisemblable.

— Peut-on envisager une entourloupette ? demanda Curran, regardant le médecin de l'état civil sous ses lourdes paupières.

Le docteur Danforth fit entendre un rire bref.

— Si le diagnostic est bien ce que je crois, la seule entourloupette serait l'œuvre du Créateur — ou de l'industrie du tabac.

— C'est bien ce que je pensais, dit Curran, refermant son calepin et remettant son crayon dans sa poche.

— Allez-vous pratiquer l'autopsie maintenant ? s'enquit Jason.

— Seigneur ! non ! Je le ferais s'il existait quelque raison pressante. Mais ce n'est pas le cas. Nous ferons cela demain à la première heure. Nous devrions avoir certaines réponses vers 10 h 30, si vous voulez bien appeler vers cette heure.

Curran posa les mains sur la table comme s'il allait se lever. Il n'en fit rien et demanda :

— Le docteur Howard a laissé entendre que quelqu'un tentait de le tuer. Est-ce exact, docteur ?

Signe de tête affirmatif de Jason.

— Eh bien..., pourriez-vous y penser en pratiquant l'autopsie ?

— Tout à fait, dit le docteur Danforth. Dans tous les cas, nous demeurons vigilants. C'est là notre métier. Je n'ai même pas eu l'occasion de dîner.

Jason se sentit vaguement pris de nausées. Il se demanda comment Margaret Danforth pouvait avoir faim après avoir passé sa journée à découper des cadavres. Ce fut d'ailleurs ce que dit Curran à Jason alors qu'ils regagnaient le rez-de-chaussée. Il offrit à Jason alors de le déposer, mais celui-ci lui dit qu'il attendait une amie. Au même moment, la porte de la rue s'ouvrait, et Shirley entrait.

— Et quelle amie ! souffla Curran avec un clin d'œil en se retirant.

Comme toujours, Shirley avait tout du mirage dans sa robe rouge et ajustée, et sa large ceinture de cuir noir. Son aspect témoignait d'une telle vie, d'une telle vitalité que sa présence dans cette morgue crasseuse constituait un saisissant contraste. Jason se sentit pris de la bizarre et pressante envie de la sortir de là, aussitôt que possible, de crainte que quelque force malveillante ne la touche. Mais elle ne semblait pas pressée. Elle lui passa les bras autour des épaules et appuya sa tête contre celle de Jason, dans un geste sincère de sympathie. Il refoula ses larmes, comme un adolescent. La situation était embarrassante.

Elle se détacha de lui, le regardant dans les yeux.

— Quelle journée ! dit-il, parvenant à arborer un petit sourire.

— Quelle journée ! convint-elle. Vous avez quelque raison de rester là ?

Non, fit Jason de la tête.

— Venez, je vous ramène chez moi, dit-elle, l'entraînant vivement vers sa BMW, garée en stationnement interdit.

Ils y grimpèrent, et elle démarra.

— Ça va ? demanda Shirley alors qu'ils descendaient Massachusetts Avenue.

— Beaucoup mieux, répondit Jason, contemplant le profil de la jeune femme que les lampadaires éclairaient par à-coups. Je suis seulement accablé par toutes ces morts. Comme si j'aurais dû mieux faire.

— Vous êtes trop sévère avec vous-même. Vous ne

pouvez vous tenir pour responsable de tout cela. En outre, Hayes n'était pas votre malade.

— Je le sais.

Ils roulèrent un instant en silence, puis Shirley ajouta :

— C'est une tragédie, pour Hayes. Ce n'était pas loin d'être un génie, et il ne devait pas avoir plus de quarante-cinq ans.

— Il avait mon âge. Nous étions ensemble à la fac de médecine.

— Je l'ignorais. Il paraissait beaucoup plus vieux.

— Surtout ces derniers temps.

Ils passèrent devant Symphony Hall. Un spectacle se terminait, et des hommes en smoking apparurent sur les marches.

— Qu'en a dit le médecin de l'état civil ? demanda Shirley.

— Probablement un cancer. Mais ils ne vont pas pratiquer l'autopsie avant demain matin.

— Une autopsie ? Qui a donné l'autorisation ?

— C'est inutile si le médecin de l'état civil juge qu'on peut se poser des questions quant à la cause du décès.

— Mais quelles questions ? Vous avez dit que l'homme avait eu une crise cardiaque.

— Je n'ai pas dit qu'il s'agissait d'une crise cardiaque. J'ai dit que c'était quelque chose comme ça. Quoi qu'il en soit, il est apparemment normal qu'ils pratiquent une autopsie pour tout décès insolite. En fait, un inspecteur m'a interrogé.

— Il me semble qu'on gaspille l'argent du contribuable, observa Shirley alors qu'ils tournaient dans Beacon Street.

— Où allez-vous ? demanda soudain Jason.

— Je vous ramène à la maison avec moi. Mes invités y seront encore. Cela vous fera du bien.

— Rien à faire. Je ne m'en ressens pas pour les mondanités.

— Vous êtes sûr ? Je ne voudrais pas que vous broyiez du noir. Mes amis comprendront.

— Je vous en prie. Je n'ai pas la force de discuter. J'ai seulement besoin de dormir. En outre, regardez-moi. Je suis une véritable loque.

— D'accord, si vous le prenez comme ça.

Elle tourna dans la rue suivante, puis de nouveau à gauche dans Commonwealth Avenue, revenant vers Beacon Hill.

— Je crains que la mort de Hayes ne soit un coup dur pour l'A.S.M., observa-t-elle, après un instant de silence. Nous comptions sur lui pour nous sortir quelque merveilleuse découverte. Les retombées vont être particulièrement sévères pour moi car je suis responsable de son arrivée chez nous.

— Eh bien, suivez votre propre conseil. Ne vous tenez pas pour responsable de son état de santé.

— Je le sais. Mais essayez de dire cela au conseil d'administration.

— Dans ce cas, j'imagine que je devrais vous en dire davantage. J'ai d'autres mauvaises nouvelles. Apparemment, Hayes pensait avoir fait une véritable découverte scientifique. Quelque chose d'extraordinaire. Vous êtes au courant ?

— De rien du tout, dit Shirley, inquiète. Vous a-t-il dit de quoi il s'agissait ?

— Malheureusement non. Et je ne savais pas bien si je devais le croire ou pas. Il se conduisait plutôt bizarrement, pour ne pas dire plus, prétendant que quelqu'un voulait le tuer.

— Pensez-vous qu'il faisait une dépression nerveuse ?

— J'y ai pensé.

— Le pauvre homme ! Si, effectivement, il a fait une découverte, ce sera une double perte pour l'A.S.M.

— Mais s'il avait réalisé quelque spectaculaire découverte, ne pourriez-vous trouver de quoi il s'agit ?

— De toute évidence, vous ne connaissiez pas le docteur Hayes. C'était un homme extraordinairement secret, à la fois sur le plan personnel et professionnel. Il gardait pour lui la moitié de ce qu'il avait.

Ils dépassèrent le Boston Garden puis firent un détour pour gagner Boston Hill, une enclave résidentielle au milieu des imposantes maisons à façade de brique du centre-ville, où les rues à sens unique étaient un cauchemar pour les automobilistes.

Après avoir coupé Charles Street, Shirley remonta Mount Vernon Street et tourna sur la place pavée de Louisburg Square. Lorsqu'il avait décidé de quitter la banlieue, Jason avait eu la chance de trouver un deux-pièces donnant sur la place. L'appartement faisait partie d'une maison où le propriétaire avait conservé un logement, mais il était rarement là. Un endroit parfait pour Jason du fait de cette rareté sans prix attachée à l'appartement : un parking.

Jason descendit de la voiture et se pencha vers la vitre baissée.

— Merci pour être passée me prendre. Cela m'a fait beaucoup de bien, dit-il en se penchant et en serrant l'épaule de Shirley.

Celle-ci saisit soudain Jason par la cravate, lui tirant la tête vers elle. Elle lui donna un baiser profond, démarra et disparut.

Jason, debout sur le trottoir dans la flaque de lumière d'un réverbère, la regarda s'évanouir dans Pinckney Street. Il se dirigea vers sa porte, fouillant sa poche à la recherche de ses clefs. Il se sentit heureux de l'arrivée de Shirley dans sa vie, et pour la première fois, envisagea la possibilité de rapports suivis.

CHAPITRE III

Il n'avait pas passé une bonne nuit. Chaque fois qu'il avait fermé les yeux, il avait revu l'expression bizarre de Hayes avant le drame et ressenti son horrible sentiment d'impuissance au spectacle de la vie de l'homme qui le fuyait en se vidant de son sang par la bouche.

La scène le hantait encore quand il se rendit à son travail, et il se souvint de quelque chose qu'il avait oublié de dire à Curran ou à Shirley. Hayes avait prétendu que sa découverte n'était plus un secret et qu'on l'utilisait. Qu'est-ce que cela signifiait ? Jason projeta d'appeler l'inspecteur en arrivant à l'hôpital, mais à peine y pénétrait-il qu'on lui téléphonait pour lui demander de se rendre directement en réanimation.

Brian Lennox était au plus mal. Après un rapide examen, Jason comprit qu'il n'y avait pas grand-chose à faire. Même le rapport du cardiologue, demandé la veille, n'était pas optimiste, encore que Harry Sarnoff eût prévu une coronarographie en urgence pour le matin même. Le seul espoir consistait en une intervention chirurgicale immédiate qui puisse être d'un quelconque secours.

Devant le box où se trouvait Brian, l'infirmière demanda :

— S'il fait un arrêt cardiaque, voulez-vous qu'on le branche ? Même ses reins semblent ne plus répondre.

Jason détestait prendre de telles décisions, mais il déclara fermement qu'il voulait que l'on maintienne l'homme en survie jusqu'aux résultats de la coronarographie.

La visite à ses autres malades se révéla tout aussi déprimante. Ses diabétiques, dont tous présentaient des complications, n'allaient pas très bien. Deux d'entre eux faisaient de l'insuffisance rénale, et le troisième menaçait. Le plus déprimant, c'est qu'on ne les avait pas hospitalisés pour cette raison. L'insuffisance rénale était apparue alors qu'on les traitait pour d'autres troubles.

Ses deux leucémiques ne réagissaient pas davantage au traitement comme il l'espérait. L'un et l'autre faisaient des complications cardiaques, on les avait pourtant admis pour des symptômes respiratoires. Et l'état de ses deux malades atteints du sida avait empiré de façon évidente. Les seules à présenter des signes d'amélioration étaient les deux jeunes filles souffrant d'hépatite. Le dernier malade était un homme de trente-cinq ans entré à l'hôpital pour un examen de ses valvules cardiaques du fait qu'il avait souffert, enfant, de rhumatisme articulaire aigu. Fort heureusement, son état demeurait stationnaire.

Arrivé à son bureau, Jason dut se montrer ferme avec Claudia. La nouvelle de la mort de Hayes avait déjà filtré dans tout le complexe hospitalier, et Claudia brûlait de curiosité. Jason lui dit qu'il n'en parlerait pas. Elle insista. Il lui ordonna de quitter son bureau. Plus tard, il s'excusa et lui donna une version édulcorée de l'événement. Vers 10 h 30 arriva un coup de fil de Harry Sarnoff avec de mauvaises nouvelles. Les coronaires de Brian Lennox étaient en plus piteux état encore, mais sans foyer de blocage. En d'autres termes, elles se trouvaient uniformément envahies par l'athérosclérose, et il n'était pas question d'opérer. Sarnoff lui avoua n'avoir jamais vu cela et lui demanda l'autorisation de faire un rapport. Jason n'y vit pas d'objection.

Après le coup de fil de Sarnoff, Jason demeura bouclé dix minutes dans son bureau. Lorsqu'il se sentit moralement prêt, il appela l'unité de soins intensifs et demanda l'infirmière qui s'occupait de Brian Lennox. Quand elle fut au bout du fil, il discuta avec elle des résultats de la coronarographie. Puis il lui dit qu'il ne conviendrait pas de maintenir Brian Lennox en survie artificielle. Puisque son cas était sans espoir, il convenait de ne pas prolonger ses souffrances. Elle en convint. Après avoir raccroché, il demeura à fixer des yeux le téléphone. C'était en ces moments qu'il se demandait pourquoi il avait choisi la médecine.

Quand arriva l'heure de la pause du déjeuner,

Jason décida d'aller voir par lui-même les résultats de l'autopsie de Hayes. Le jour, la morgue ne paraissait pas aussi sinistre — ce n'était qu'un bâtiment vieillissant, en assez triste état et pas très propre. Même les détails architecturaux égyptiens lui semblèrent plus comiques qu'imposants. Jason évita cependant la salle où étaient conservés les cadavres pour aller directement retrouver Margaret Danforth dans son bureau étriqué à côté de la bibliothèque. Assise à sa table, elle dévorait ce qui parut être un « Big Mac ».

— Soyez le bienvenu, lui dit elle avec un sourire, lui faisant signe d'entrer.

— Excusez-moi de vous déranger, lui dit Jason, qui s'assit. De nouveau, il s'étonna de la petite taille et de la féminité de Margaret par rapport à l'emploi occupé.

— Vous ne me dérangez pas. J'ai autopsié le docteur Hayes, ce matin. J'ai été quelque peu surprise. Ce n'était pas un cancer.

— Qu'est-ce que c'était ?

— Un anévrisme. Un anévrisme de l'aorte qui s'est rompu dans l'arbre trachéo-bronchique. L'homme n'a jamais été syphilitique, non ?

— Pas à ma connaissance. Et j'en doute.

— Eh bien, cela m'a paru étrange. Vous permettez que je continue mon repas ? J'ai une autre autopsie dans quelques instants.

— Je vous en prie, dit Jason, se demandant comment elle pouvait manger alors que son estomac, à lui, faisait une espèce de flip-flop ; et que régnait une odeur douteuse dans tout le bâtiment. Qu'est-ce qui vous a paru étrange ?

Margaret mastiqua sa bouchée, déglutit et répondit :

— L'aorte paraissait friable, comme du fromage mou. La trachée aussi, d'ailleurs. Je n'ai jamais rien vu de tout à fait semblable, sauf sur ce type que j'ai autopsié après sa mort à cent quatorze ans. Vous imaginez ça ? On en a parlé dans *The Globe*. Il avait quarante-quatre ans quand a éclaté la Première Guerre mondiale. Stupéfiant !

— Quand aurez-vous le rapport des examens de laboratoire ?

— Dans deux semaines, dit Margaret avec un geste signifiant sa gêne. Nous n'avons pas les moyens de nous payer le personnel nécessaire. Il faut un certain temps, pour les lames.

— Si vous pouviez me confier quelques prélèvements, je pourrais les faire examiner par notre labo de pathologie.

— Nous devons le faire nous-mêmes. Je suis certaine que vous comprendrez.

— Je ne vous demande pas de ne pas le faire. Je voulais seulement dire que nous pourrions le faire nous aussi. Cela ferait gagner du temps.

— Je ne vois pas pourquoi je refuserais.

Margaret se leva, mordit une grosse bouchée de son hamburger et fit signe à Jason de la suivre. Passant par les escaliers, ils montèrent un étage jusqu'à la salle d'autopsie, une grande pièce rectangulaire avec quatre tables de métal inoxydable disposées perpendiculairement à la longueur. Il y régnait une suffocante odeur de formaldéhyde et autres liquides moins avouables. Deux tables étaient occupées, les deux autres en cours de nettoyage. Margaret, parfaitement à l'aise dans les lieux, mastiquait toujours la dernière bouchée de son repas tout en conduisant Jason jusqu'à la paillasse. Après avoir cherché au milieu de toute une série de flacons de prélèvements aux bouchons de plastique, elle en prit quelques-uns. Puis elle en extirpa tour à tour le contenu qu'elle plaça sur une planche à découper, en taillant un morceau de chacun avec une lame qui ressemblait fort à un banal couteau de cuisine. Ensuite, elle prit d'autres flacons à échantillon, les étiqueta, y versa du formaldéhyde et y laissa tomber les échantillons correspondants. Cela fait, elle les emballa dans un sac de papier marron qu'elle remit à Jason. Le tout avec une remarquable efficacité.

De retour à l'A.S.M., Jason se rendit en pathologie où il trouva le docteur Jackson Masden à son microscope. Le docteur Masden, grand et émacié, participait toujours fièrement aux marathons, malgré ses soixante ans. Dès qu'il vit Jason, il compatit au drame qu'il avait connu avec Hayes.

— Il n'y a pas grand-chose de secret, par ici, constata Jason, un peu amer.

— Évidemment. Le centre médical, comme une petite ville, fourmille de potins, lui dit Jackson, qui ajouta, en voyant le sac de papier marron : Vous avez quelque chose pour moi ?

— Si l'on peut dire.

Jason lui expliqua la nature des prélèvements, ajoutant que, puisqu'il allait falloir deux semaines au labo municipal pour préparer et traiter les lames, il se demandait si Jackson ne voudrait pas s'en occuper au labo de l'A.S.M.

— J'en serai heureux, dit Jackson, prenant le sac. Au fait, cela vous intéresserait-il de connaître les résultats du cas Harring maintenant ?

Jason déglutit.

— Bien sûr.

— Rupture cardiaque. Le premier cas que je vois depuis des années. Le ventricule gauche s'est littéralement ouvert. Il semble que l'infarctus ait affecté la plus grande partie du muscle cardiaque, et, quand j'ai sectionné le cœur, j'ai eu l'impression que toutes les coronaires étaient touchées. Cet homme avait la pire affection coronarienne que j'aie vue depuis des années.

Au temps pour nos merveilleux examens de dépistage, songea Jason. Il se sentit suffisamment obligé de se défendre pour expliquer à Jackson qu'il était allé revoir le dossier de Harring sans pouvoir trouver d'autre signe de ce qui menaçait sur un E.C.G. effectué moins d'un mois avant le décès de l'intéressé.

— Vous feriez peut-être mieux de vérifier vos appareils, suggéra Jackson. Je vous le dis, le cœur de cet homme était dans un triste état. Les examens microscopiques devraient être prêts demain matin, si cela vous intéresse.

Quittant le service de pathologie, Jason songea à ce que lui avait dit Jackson. Il n'avait pas pensé à un électrocardiographe défectueux. Mais, le temps qu'il arrive à son bureau, il en avait rejeté l'éventualité. Il existait bien des moyens de se rendre compte d'un mauvais fonctionnement de l'appareil. En outre, on avait utilisé deux appareils différents pour l'E.C.G. au repos et l'E.C.G. d'effort. Pourtant, en y songeant, il se souvint d'un détail. Tout comme Jason lui-même à son arrivée dans l'équipe de l'hôpital, Hayes avait dû passer une visite médicale.

Après que Claudia lui eut communiqué les messages téléphoniques, il demanda que l'on recherche si le docteur Alvin Hayes avait un dossier médical et, dans l'affirmative, de le sortir. En attendant, il évita Sally et se rendit en radiologie. Avec l'aide d'une des secrétaires du service, il mit la main sur le dossier concernant Hayes. Comme il s'y attendait, il y trouva une radio de routine passée six mois plus tôt. Il y jeta un rapide coup d'œil. Puis, muni du cliché, il partit à la recherche de l'un des quatre radiologues du service. Le docteur Milton Perlman sortait de la salle de radioscopie quand Jason l'arrêta, lui raconta la mort de Hayes et lui donna les résultats de l'autopsie. Puis il lui tendit le cliché thoracique. Milton retourna à son bureau, glissa le cliché dans le négatoscope et l'éclaira. Il scruta le cliché pendant une bonne minute avant de se tourner vers Jason.

— Y a pas d'anévrisme, lui dit-il avec un accent laissant supposer qu'il avait quitté sa Virginie natale la veille. L'aorte paraît normale, sans trace de calcification.

— C'est possible ? demanda Jason.

— Il faut bien, dit Milton, regardant le nom et la

référence du service sur le cliché. J'imagine qu'il existe toujours un risque de confusion des noms, mais j'en doute. Si l'homme est décédé d'un anévrisme, celui-ci s'est révélé il y a un mois.

— Jamais je n'ai entendu dire une chose pareille.

— Que veux-tu que je te réponde ?

Jason regagna son bureau, ruminant la question. Un anévrisme pouvait gonfler rapidement, notamment si le sujet combinait des troubles vasculaires et une tension élevée. Mais, en examinant le dossier médical de Hayes, il constata que, comme il s'y attendait, la tension et les bruits du cœur étaient normaux. Sans indice de troubles vasculaires, Jason comprit qu'arrivé à ce stade il n'y avait pas grand-chose à faire, sinon attendre les résultats des examens des lames. Peut-être Hayes avait-il attrapé quelque étrange affection virale ayant attaqué son système vasculaire, y compris l'aorte. Pour la première fois, Jason se demanda si l'on n'avait pas là les prémisses d'une nouvelle et terrible maladie.

Retirant sa veste pour passer une blouse blanche, il quitta son bureau, tombant pratiquement sur Sally.

— Vous avez pris du retard ! lui dit-elle d'un ton de réprimande.

— Et à part ça, quoi de neuf ? demanda Jason, qui se dirigea vers la salle d'examen A.

En travaillant sans désemparer et avec de la chance, il parvint à rattraper son retard. Il réussit à ne pas tomber sur de nouveaux patients dont l'état exigeait un examen intensif, ni sur d'anciens patients avec de nouveaux problèmes. À 15 heures, il connut même une pause. Un malade avait annulé son rendez-vous.

Pendant tout l'après-midi, Jason ne put se sortir l'affaire Hayes de l'esprit. Et, profitant de ce bref répit, il grimpa au cinquième étage où se trouvait le labo de Hayes. Son assistante pourrait peut-être dire si la grande découverte dont avait parlé le médecin avait quelque réalité.

Dès qu'il sortit de l'ascenseur, il eut l'impression de se trouver dans un autre monde. Pour inciter davantage Hayes à venir travailler pour l'A.S.M., le conseil d'administration lui avait fait construire un labo flambant neuf qui occupait une bonne partie du cinquième étage.

L'aire au voisinage de l'ascenseur était dotée de confortables fauteuils de cuir, d'une moquette épaisse et même d'une grande bibliothèque vitrée pleine des dernières publications concernant la biologie moléculaire. Au-delà de la réception, une pièce stérile où les visiteurs devaient passer de longues blouses blanches et des bottes de tissu par-dessus leurs chaussures. Jason tourna la poignée de la porte qui s'ouvrit. Il entra.

Il enfila blouse et bottes, et essaya la porte intérieure. Comme il s'y attendait, elle était verrouillée. À côté de la porte, une sonnette. Il appuya et attendit. Au-dessus du linteau, une lumière rouge se mit à clignoter à côté d'une caméra de télé en circuit fermé. La porte s'ouvrit avec un bruit de crécelle, et Jason entra.

Le labo était divisé en deux parties principales. La première, en Formica et carreaux blancs, comprenait une grande pièce centrale et plusieurs bureaux sur l'un des côtés. Sous l'éclairage fluorescent du plafond, l'endroit resplendissait. La pièce était bourrée d'un matériel sophistiqué que Jason fut en grande partie incapable d'identifier. Une porte d'acier verrouillée séparait la première partie du labo de la seconde. À côté de la porte, une plaque annonçait : ANIMALERIE ET INCUBATEURS BACTÉRIENS — DÉFENSE D'ENTRER.

Et, assise à l'une des paillasses de la première section, une femme très blonde que Jason avait aperçue plusieurs fois à la cafétéria de l'hôpital, avec ses traits anguleux, un nez légèrement aquilin et ses cheveux tirés en chignon. Jason remarqua ses yeux rouges, comme si elle avait pleuré.

— Excusez-moi, je suis le docteur Jason Howard, dit-il, lui tendant une main qu'elle serra d'une main froide.

— Helene Brennquivist, dit-elle avec un léger accent scandinave.

— Vous avez un instant ?

Helene ne répondit pas. Elle referma son carnet et repoussa une pile de boîtes de Pétri.

— J'aimerais vous poser quelques questions, poursuivit Jason, remarquant son étrange aptitude à conserver un visage impassible. C'est, ou c'était, bien là le laboratoire du docteur Hayes ? interrogea-t-il en embrassant les lieux d'un geste de la main.

Elle acquiesça d'un signe de tête.

— Et je présume que vous travailliez avec le docteur Hayes ?

Nouveau signe de tête, moins perceptible que le premier.

Jason eut le sentiment qu'il provoquait déjà une réaction de défense chez la jeune femme.

— Je présume que vous connaissez la mauvaise nouvelle en ce qui concerne le docteur Hayes ?

Cette fois, elle battit des paupières, et Jason vit les larmes perler.

— J'étais avec le docteur Hayes lorsqu'il est décédé, expliqua-t-il, l'observant avec attention.

Elle paraissait curieusement dénuée de toute émotion, et il se demanda s'il ne s'agissait pas là d'une forme de chagrin.

— Un peu avant sa mort, le docteur Hayes m'a confié qu'il venait de faire une importante découverte scientifique...

Jason ne poursuivit pas, espérant quelque réaction sur le sujet. Il n'y en eut pas. Helene se contenta de lui renvoyer son regard.

— Eh bien, était-ce le cas ?

— J'ignorais que vous aviez terminé votre phrase. Ce n'était pas une question, savez-vous ?

— Certes. J'espérais simplement une réaction.

J'espère aussi que vous savez de quoi le docteur Hayes voulait parler.

— Je crains que non. D'autres personnes de l'administration de l'hôpital m'ont déjà posé la question. Malheureusement, je n'ai pas la moindre idée de ce que voulait dire le docteur Hayes.

Jason se dit que Shirley avait dû passer voir Helene à la première heure.

— Êtes-vous la seule, outre le docteur Hayes, à travailler dans ce labo ?

— Oui. Nous avions une secrétaire, mais le docteur Hayes l'a congédiée, il y a trois mois. Il pensait qu'elle parlait trop.

— Que craignait-il qu'elle raconte ?

— Tout et n'importe quoi. Le docteur Hayes était un homme particulièrement discret. Surtout en ce qui concernait son travail.

— Je m'en rends compte, dit Jason, dont se confirmait l'impression que Hayes tournait à la paranoïa. Il insista cependant : Que savez-vous exactement, miss Brennquivist ?

— Je suis une spécialiste de la biologie moléculaire. Tout comme le docteur Hayes, mais bien loin d'avoir ses capacités. J'utilise les techniques de recombinaison de l'A.D.N. pour altérer les colibacilles afin de produire diverses protéines auxquelles le docteur Hayes s'intéressait.

Jason hocha la tête comme s'il avait compris. Il avait entendu parler de recombinaison de l'A.D.N., cependant il n'avait qu'une très vague notion de ce que cela signifiait vraiment. Depuis ses études de médecine, la connaissance virtuelle en ce domaine avait explosé. Il avait toutefois conservé le souvenir d'une chose : la crainte que les études sur la recombinaison de l'A.D.N. puissent déboucher sur des bactéries susceptibles de provoquer de nouvelles maladies inconnues. Songeant à la mort brutale de Hayes, il demanda :

— Aviez-vous débouché sur certaines espèces ?

— Non, répondit Helene sans hésitation.

— Comment pouvez-vous en être sûre ?

— Pour deux raisons. La première est que c'est moi qui ai fait tous les travaux de recombinaison bactérielle, pas le docteur Hayes. La seconde, c'est que nous utilisons une souche de colibacilles qui ne peut se développer en dehors du labo.

— Oh ! fit Jason avec un hochement de tête encourageant.

— Le docteur Hayes s'intéressait à la croissance et au développement. Il passait la majeure partie de son temps à isoler les facteurs de croissance de l'axe hypothalamopituitaire responsables de la puberté et du développement sexuel. Les facteurs de croissance sont des protéines. Vous savez cela, j'en suis sûre.

— Certes, dit Jason, songeant : *Quelle curieuse bonne femme !*

Le début de la conversation avait été aussi aisé que l'extraction d'une dent, et voilà que maintenant que l'on abordait le domaine scientifique, elle se montrait intarissable.

— Le docteur Hayes me donnait une protéine, et je m'employais à la produire par les techniques de recombinaison de l'A.D.N. Voilà ce que je fais ici.

Elle se tourna vers la pile de boîtes de Pétri, en souleva une et retira le couvercle. Elle la tendit à Jason qui vit, à la surface, des amas blanchâtres de colonies bactérielles.

Helene replaça la boîte sur la pile ad hoc.

— Le docteur Hayes était fasciné par le déclenchement et l'arrêt de l'action des gènes, l'équilibre entre répression et expression, et le rôle des protéines répresseurs et l'endroit où elles se lient à l'A.D.N. Il utilisait l'hormone de croissance comme prototype. Aimeriez-vous voir sa dernière carte du chromosome 17 ?

— Bien sûr, dit Jason avec un sourire contraint.

Une sonnerie retentit dans le labo, couvrant un instant le bourdonnement des appareils électroniques. Un écran s'alluma devant Helene, révélant quatre personnes et un chien dans le couloir. Jason reconnut immédiatement deux d'entre elles : Shirley Montgomery et l'inspecteur Michael Curran. Les deux autres étaient des inconnus.

— Oh ! mon Dieu ! dit Helene, en appuyant sur le bouton d'ouverture de la porte.

Jason se leva tandis que les arrivants entraient dans la pièce. Shirley marqua un instant de surprise en voyant Jason, mais elle présenta calmement l'inspecteur Curran à Helene. Il commença à lui poser des questions alors que Shirley, prenant Jason par le bras, l'entraîna dans un bureau voisin dont Jason pensa qu'il devait s'agir de celui de Hayes. Sur les murs, des agrandissements encadrés d'acier de l'appareil génital humain aux différents stades de l'évolution anatomique de la puberté.

— Décor intéressant, observa Jason avec une ironie désabusée.

Shirley fit comme si elle n'avait même pas vu les photos. Son visage habituellement calme exprimait l'inquiétude de l'irritation.

— Cette affaire est en train de nous dépasser.

— Que voulez-vous dire ? demanda Jason.

— Il semble que la nuit dernière quelqu'un ait anonymement informé la police que le docteur Alvin Hayes faisait le trafic de drogue. Ils ont fouillé son appartement et découvert une quantité importante de cocaïne. Ils ont maintenant un mandat pour fouiller le labo.

— Mon Dieu ! s'exclama Jason, comprenant soudain la présence du chien.

— Et, comme si cela ne suffisait pas, ils ont découvert qu'il vivait avec une femme du nom de Carol Donner.

— Ce nom me dit quelque chose.

— Ce ne devrait pas être le cas, dit Shirley sèchement. Carol Donner est danseuse exotique au Club Cabaret dans la Combat Zone.

— Ça alors ! je veux bien être pendu ! gloussa Jason.

— Jason ! Il n'y a là rien de risible.

— Je ne ris pas. Je suis simplement stupéfait.

— Si *vous* pensez qu'il y a de quoi être stupéfait, que va en dire le conseil d'administration ? Quand je pense que j'ai insisté pour que l'on embauche Hayes. C'était déjà bien suffisant avec sa mort. Cela tourne rapidement au cauchemar pour ce qui est de l'image de marque.

— Qu'allez-vous faire ?

— Je n'en ai pas la moindre idée. Pour l'instant, mon intuition me souffle que moins nous en ferons, mieux cela vaudra.

— Que pensez-vous de la prétendue découverte de Hayes ?

— Je crois que l'homme fantasmait, dit Shirley. Je veux dire qu'il était plongé dans la drogue et vivait avec une danseuse exotique, pour l'amour de Dieu !

Furieuse, elle repassa dans la partie principale du labo où l'inspecteur Curran était toujours en grande conversation avec Helene. Les deux autres hommes et le chien fouillaient méthodiquement le laboratoire. Jason les regarda un instant puis s'excusa pour aller terminer son travail. Il lui restait encore quelques patients à voir et ses visites à faire.

En rentrant chez lui, et bien que plus convaincu que jamais des symptômes de dépression nerveuse de Hayes plutôt que de l'hypothèse d'une découverte, Jason s'arrêta à la bibliothèque où il prit un mince volume intitulé : *Recombinaison de l'A.D.N. : introduction à l'usage du profane*.

L'heure de pointe, dans la circulation, tenait toujours de la corrida, à Boston. Et, quand Jason s'arrêta à son parking devant chez lui, il ressentit l'habituel soulagement de s'en être tiré indemne. Il monta sa serviette dans son appartement et la posa sur la table du petit bureau qui donnait sur la place. Les ormes dépouillés de leurs feuilles se dressaient maintenant comme des squelettes sur fond de ciel nocturne. On en était toujours aux économies d'énergie, et il faisait déjà nuit dehors, quoiqu'il fût à peine 18 h 45. Passant ses vêtements de sport, Jason descendit Mount Vernon Street en courant, traversa Storrow Drive par le pont Arthur-Fiedler et continua son jogging le long du fleuve. Il poursuivit jusqu'au pont de l'université de Boston avant de faire demi-tour. À la différence de l'été, il ne rencontra que quelques rares coureurs. Sur le chemin du retour, il s'arrêta au marché De Luca et acheta quelques maquereaux, de quoi faire une salade, et une bouteille de chardonay de Californie frais.

Jason aimait cuisiner. Après avoir pris une douche, il prépara le poisson en le faisant cuire sur le gril avec un peu d'ail et de l'huile d'olive vierge. Il secoua la salade et alla tirer le vin du freezer où il l'avait mis pour le frapper un peu. Il s'en servit un verre. Quand son repas fut prêt, il l'emporta dans le bureau sur un plateau. Puis il ouvrit le petit ouvrage sur la recombinaison de l'A.D.N. et s'installa pour la soirée.

La première partie du bouquin était consacrée à un exposé de la question. Jason savait parfaitement que l'acide désoxyribonucléique, ou A.D.N., était une molécule en forme de double hélice, constituée de sous-éléments qui se répétaient, appelés bases, et ayant la propriété de s'apparier de façons très spécifiques. Certaines zones particulières de l'A.D.N. étaient appelées « gènes », et chaque gène était associé à la production d'une protéine particulière.

Jason se sentit davantage encouragé à poursuivre. Il avala une gorgée de vin. Le livre était bien écrit, dans un style qui rendait le sujet assez clair. Jason apprécia certains petits détails, comme le fait que chaque cellule humaine comprenait quatre milliards de paires de bases. La partie suivante de l'ouvrage traitait des bactéries et de leur reproduction facile et rapide. En quelques jours, on pouvait obtenir des trillions de cellules identiques à partir d'une unique cellule initiale. Détail important car, dans le domaine du génie génétique, les bactéries servaient de réceptacles à de petits fragments d'A.D.N. Cet A.D.N. « étranger » était incorporé à la propre bactérie de l'A.D.N. Ensuite, tandis que la cellule se divisait, elle fabriquait les fragments originels. La bactérie comportant le nouvel A.D.N. était appelée « souche de recombinaison », et la nouvelle molécule d'A.D.N. « A.D.N. recombinant ». Parfait jusque-là.

Jason avala un peu de poisson et de salade qu'il fit glisser avec une gorgée de vin. Cela se compliqua un peu au chapitre suivant qui décrivait comment les gènes, dans la molécule d'A.D.N., produisaient leurs protéines respectives. Il s'agissait tout d'abord de fabriquer une copie du segment d'A.D.N. avec une molécule appelée « A.R.N. messager », qui gouvernait ensuite la production de la protéine au cours d'un processus appelé « transcription ». Jason avala une nouvelle gorgée de vin. La dernière partie du chapitre devint particulièrement intéressante du fait qu'elle expliquait les mécanismes complexes qui activaient et désactivaient les gènes.

Jason se leva, traversa sa salle de séjour, passa dans la cuisine. Il ouvrit le freezer et se servit un autre verre de vin. De retour dans son bureau, il regarda par la fenêtre les lumières du couvent Sainte-Marguerite, de l'autre côté de la place. Il jugeait toujours amusant qu'il y eût un couvent sur cette place du quartier résidentiel le plus prisé de Boston : Renoncez au monde matériel, faites-vous religieuse et venez habiter Louisburg ! Jason sourit puis revint à son ouvrage sur la recombinaison de l'A.D.N. Il se rassit et lut de nouveau le passage consacré au timing de la manifestation du gène. Complexe et fascinant. Apparemment, on avait découvert une foule de protéines qui fonctionnaient comme répresseurs de la fonction génétique. Ces protéines se fixaient à l'A.D.N. ou provoquaient l'enroulement de l'A.D.N. pour recouvrir les gènes en cause.

Jason referma le bouquin. Cela suffisait pour un soir. En outre, c'était bien le chapitre relatif au contrôle de la fonction génétique qu'il avait inconsciemment recherché. En lisant ce chapitre, il se remémora ce que lui avait dit Hayes à propos de son intérêt majeur : l'activation et la désactivation des gènes. Helene avait dit la même chose, mais en utilisant d'autres termes.

Jason prit son vin et alla traîner dans la salle de séjour. Caressant distraitement les arêtes du verre devant la cheminée, il se laissa aller à envisager les diverses hypothèses. Qu'avait pu vouloir dire Hayes en parlant d'une découverte scientifique majeure ? Pour l'instant, Jason repoussa l'idée d'une folie des grandeurs. Après tout, c'était un chercheur de renommée mondiale, et il consacrait à son travail un temps considérable. Il existait donc une chance qu'il eût dit la vérité. S'il avait fait une découverte, elle se situait dans le domaine de l'activation et de la désactivation des gènes, et avait probablement quelque rapport avec la croissance et le développement. Pendant un instant, l'image des photos des organes génitaux s'imposa à l'esprit de Jason.

La sonnerie du téléphone le tira de sa rêverie. C'était l'infirmière-chef du service de réanimation.

— Brian Lennox vient de mourir. Il a fait un accès de fibrillation ventriculaire aboutissant à une asystolie.

— J'arrive, dit Jason, qui raccrocha, songeant que le jargon scientifique de l'infirmière constituait une défense émotionnelle.

Une fois encore, l'ombre de la mort s'étendit au-dessus de lui comme un nuage toxique.

CHAPITRE IV

Le déclenchement du radioréveil fit bondir Jason de son lit. Il avait monté le volume sonore de crainte de ne pas se réveiller après avoir passé une partie de la nuit à consoler la femme de Brian Lennox. Il alla récupérer son journal sur les escaliers avant de se raser et de se doucher tandis que M. Café réalisait son miracle matinal coutumier. Le temps qu'il s'habille, l'odeur du café fraîchement passé embaumait l'appartement. Sa tasse à la main, il se retira dans son bureau, sortant *The Globe* de son enveloppe protectrice de plastique.

Il voulait aller directement à la rubrique sportive, mais tomba sur un titre en première page : « Docteur, Drogue et Danseuse », au-dessus d'un article guère flatteur sur le docteur Alvin Hayes. Le journaliste montait en épingle la mort affreuse du médecin, l'associant injustement à la drogue découverte dans son appartement et rapprochant même son idylle avec la danseuse du cas de ce professeur de l'école de médecine Tufts condamné pour avoir assassiné une prostituée. Deux photos accompagnaient l'article : celle de la couverture de *Time* représentant Hayes et un autre cliché d'une femme pénétrant dans le Club Cabaret, et dont la légende disait : « Carol Donner gagnant son lieu de travail. » Jason tenta de voir à quoi ressemblait Carol Donner, mais n'y parvint pas du fait qu'elle dissimulait son visage derrière une de ses mains. En arrière-plan, une enseigne qui disait : ÉTUDIANTES EN TOPLESS. *Tu parles*, se dit Jason en souriant.

Il parcourut le reste de l'article, désolé pour Shirley. La police annonçait que l'on avait découvert une importante quantité d'héroïne et de cocaïne dans l'appartement du South End que Hayes partageait avec Carol Donner.

Jason arriva à l'hôpital pour trouver ses malades plutôt dans un triste état. Matthew Cowen, qui avait subi un cathétérisme la veille, présentait des symptômes ressemblant de façon alarmante à ceux du défunt Cedric Harring : arthrite, constipation, sécheresse de la peau. En temps normal, aucun de ces symptômes n'aurait beaucoup inquiété Jason. Mais, compte tenu des récents événements, ils le mirent mal à l'aise. De nouveau, ils brandissaient le spectre de quelque maladie infectieuse inconnue qu'il ne pouvait maîtriser. Il eut le sentiment que l'état de Matthew allait empirer.

Après avoir demandé une consultation de dermatologie pour Cowen, Jason, l'humeur sombre, descendit à son bureau, où Claudia l'accueillit en lui disant qu'elle avait préparé les dossiers des examens médicaux. Elle avait appelé les patients et découvert que deux d'entre eux seulement se plaignaient d'ennuis de santé.

Jason prit les dossiers et les ouvrit. Le premier était celui de Holly Jennings, le second celui de Paul Klingler. L'un et l'autre avaient passé leur visite un mois plus tôt.

— Rappelez-les, demanda Jason, et demandez-leur de passer aussitôt que possible, sans les alarmer.

— Ce ne sera pas facile de ne pas les inquiéter. Que dois-je leur dire ?

— Dites-leur que nous souhaitons recommencer certains examens. Faites jouer votre imagination.

Un peu plus tard dans la journée, il décida d'aller faire du charme à Helene pour tenter d'obtenir d'elle d'autres renseignements concernant Hayes. Mais dès qu'il la vit il lui apparut manifeste qu'elle n'allait pas se laisser charmer.

— Est-ce que la police a trouvé quelque chose ? demanda-t-il, sachant déjà que la réponse serait négative, Shirley l'ayant appelé après le départ des flics pour lui dire : « Le Seigneur soit loué pour les petites bontés qu'Il nous accorde. » Je sais que vous êtes occupée, poursuivit Jason, mais pourriez-vous me consacrer un instant ? J'aimerais vous poser encore quelques questions.

Elle s'arrêta finalement de travailler et se tourna vers lui.

— Merci, lui dit-il en souriant.

Le visage d'Helene ne changea pas d'expression : pas désagréable, simplement indifférent.

— Navré de revenir sur le sujet, expliqua Jason, mais je ne peux cesser de penser à ce que m'a dit le docteur Hayes à propos d'une importante découverte. Êtes-vous certaine de ne pas avoir une idée sur la question ? Ce serait tragique qu'une découverte médicale soit perdue.

— Je vous ai dit ce que je savais. Je pourrais vous montrer la dernière carte qu'il a dressée du chromosome 17. Cela vous aiderait-il ?

— Essayons.

Helene passa dans le bureau de Hayes, sans un regard pour les photos sur les murs. Jason, qui ne put s'empêcher de les voir, se demanda quel genre d'homme pouvait travailler dans un tel décor. Helene tira une grande feuille de papier couverte d'une écriture minuscule, donnant la séquence de paires de bases de la molécule d'A.D.N. comportant une partie du chromosome 17. On y trouvait un nombre impressionnant de paires de bases : des centaines et des centaines de milliers.

— La zone intéressant le docteur Hayes se trouve ici, dit-elle, montrant une vaste surface où les paires apparaissaient en rouge. Ce sont là les gènes associés à l'hormone de croissance. C'est très complexe.

— Sans aucun doute, dit Jason, conscient qu'il lui faudrait encore beaucoup lire pour y comprendre quelque chose. Y a-t-il une chance que cette carte ait pu conduire à une découverte scientifique majeure ?

Helene réfléchit un instant puis secoua la tête.

— Cela fait un moment que la technique est connue.

— Et le cancer ? demanda Jason. Est-ce que le docteur Hayes aurait pu découvrir quelque chose sur le cancer ?

— Nous ne travaillions pas du tout sur le cancer.

— Mais s'il s'intéressait à la division et à la maturation cellulaires, peut-être a-t-il découvert quelque chose sur le cancer. Notamment, du fait qu'il portait attention à l'activation et à la désactivation des gènes.

— Je suppose que c'est possible, dit Helene, sans conviction.

Jason était convaincu qu'elle ne se montrait pas aussi coopérante qu'elle l'aurait pu. En sa qualité d'assistante de Hayes, elle aurait dû avoir une idée plus précise de ce que faisait son patron. Mais il n'avait aucun moyen de la contraindre.

— Et ses registres de laboratoire ?

Helene retourna à sa place, à la paillasse, ouvrit le deuxième tiroir de la table et en tira un grand registre.

— Voilà tout ce que j'ai, dit-elle en le tendant à Jason.

Le registre était aux trois quarts rempli. Jason put voir qu'il s'agissait d'un recueil de données sans les protocoles des expériences. Et, sans ces derniers, les renseignements n'avaient pas de sens.

— N'y a-t-il pas d'autres registres de labo ?

— Il y en avait, reconnut Helene, mais le docteur Hayes les conservait avec lui, surtout depuis trois mois. Mais, surtout, il gardait tout en mémoire. Une mémoire fabuleuse, notamment pour les chiffres...

Pendant un bref instant, Jason décela une étincelle dans le regard de Helene et il pensa qu'elle allait se confier, mais cela ne dura pas.

Elle laissa sa phrase en suspens, reprenant le registre des mains de Jason pour le replacer dans son tiroir.

— Je voudrais vous poser une autre question, dit Jason, cherchant comment il allait la formuler. Pour autant que vous puissiez le dire, est-ce que le docteur Hayes se comportait normalement depuis quelques semaines ? Il m'a paru anxieux et très fatigué quand je l'ai vu.

Jason minimisa délibérément l'état de Hayes.

— Il m'a paru normal, déclara Helene d'un ton neutre.

Et comment, se dit Jason, certain maintenant qu'Helene ne se montrait pas franche avec lui. Malheureusement, il n'y pouvait rien. Il la remercia, s'excusa et sortit du labo de Hayes. Il prit l'ascenseur, évita de se faire voir de Sally, traversa l'aile principale et monta au service de pathologie.

Il trouva Jackson Masden au labo de chimie où l'on avait des ennuis avec l'un des appareils automatiques. Deux représentants de la société se trouvaient là, et Jackson fut heureux de revenir à son bureau avec Jason pour lui montrer les lames du cœur de Harring.

— Attendez de voir ça, dit-il, glissant une lame sous le microscope. Il regarda dans l'oculaire, positionnant adroitement la lame avec le pouce et l'index avant de se reculer pour laisser la place à Jason. Vous voyez ce vaisseau ? demanda-t-il. Vous remarquerez que la lumière est quasi obstruée. C'est l'une des pires athéroscléroses que j'aie jamais vues. Ce truc rose ressemble à de l'amyloïde. C'est surprenant, surtout quand vous dites que son électro était bon. Et laissez-moi vous montrer autre chose.

Jackson changea la lame pour une autre.

— Regardez, maintenant.

— Qu'est-ce que je suis censé y voir ? demanda Jason, l'œil au microscope.

— Vous remarquez comme les noyaux sont gonflés ? Et le truc rose. C'est de l'amyloïde, à coup sûr.

— Qu'est-ce que cela veut dire ?

— C'est comme si le cœur du type était assiégé. Regardez les cellules inflammatoires.

Peu accoutumé à observer des lames au microscope, Jason ne les avait pas remarquées, tout d'abord, mais maintenant elles lui sautèrent aux yeux.

— Qu'est-ce que vous en déduisez ? demanda-t-il.

— Je ne peux le dire avec certitude. Quel âge avait ce type, dites-vous ?

— Cinquante-six ans, répondit Jason en se redressant. Est-ce que, selon vous, il pourrait s'agir de quelque nouvelle maladie infectieuse ?

Jackson réfléchit un instant puis secoua la tête.

— Je ne pense pas qu'on observe une inflammation suffisante pour que ce soit ça. Ça me paraît davantage d'origine métabolique, mais c'est tout ce que je peux dire. Oh ! encore une chose ! ajouta-t-il, glissant une nouvelle lame. Ça, c'est une partie du nucléus rouge du cerveau. Dites-moi ce que vous voyez.

Il recula pour laisser la place à Jason, qui se pencha pour regarder. Il vit un neurone. Et, au sein du neurone, un important noyau ainsi qu'une zone granuleuse sombre. Ce qu'il annonça à Jackson.

— Lipofuscine, dit Jackson, retirant la lame.

— Qu'est-ce que cela veut dire ?

— Je voudrais bien le savoir. Rien de spécifique, mais tout cela laisse présumer que votre M. Harring était un pauvre diable bien touché. Ces lames pourraient être celles de mon grand-père.

— C'est la deuxième fois que j'entends ça, dit doucement Jason. Vous ne pouvez m'indiquer quelque chose de plus spécifique ?

— Désolé. Je voudrais vous être plus utile. Je vais faire quelques analyses pour m'assurer que ces dépôts, dans le cœur et ailleurs, sont bien de l'amyloïde. Je vous le dirai.

— Merci. Et les lames concernant Hayes ?

— Pas encore prêtes.

Jason redescendit au premier étage et traversa la zone des patients externes. En tant que médecin, il se posait toujours des questions sur l'efficacité de certains examens, traitements ou médicaments. Mais jamais il n'avait eu la moindre occasion de remettre en question sa compétence générale. En réalité, dans la plupart des cas, il avait tout lieu de se situer bien au-dessus de la moyenne. Là, il n'en était plus aussi sûr. C'était troublant, ces doutes, notamment du fait que, depuis la mort de Danielle, son travail avait constitué l'essentiel de sa vie.

— Où étiez-vous ? lui demanda Sally, le rattrapant alors qu'il essayait de se glisser dans son bureau.

En quelques instants, elle le noya sous une avalanche de problèmes mineurs qui, heureusement, lui prirent toute son attention. Le temps qu'il reprenne son souffle, il était midi passé. Il vit son dernier patient, qui souhaitait des conseils et vaccins pour un voyage en Inde, après quoi il fut libre.

Claudia tenta de le persuader de se joindre à elle et à d'autres secrétaires pour le déjeuner, pourtant il refusa. Il regagna son bureau pour réfléchir. Le pire, pour lui, c'était cette frustration. Quelque chose allait terriblement mal, mais il ne savait pas quoi, ni ce qu'il convenait de faire. Il se sentit envahi par un sentiment de solitude.

— Nom de Dieu ! dit-il, frappant le dessus de son bureau de sa main ouverte, avec assez de vigueur pour envoyer voler quelques papiers.

Il lui fallait éviter de tomber dans la dépression. Il retira sa blouse blanche, enfila sa veste, y glissa son *beeper*, cet appareil chargé de retransmettre tous les appels, et gagna sa voiture. Il fit le tour du Fenway — la route longeant la limite ouest de la petite baie marécageuse —, passant devant le musée Gardner et laissant sur sa droite le musée des Beaux-Arts. Prenant vers le sud, sur Storrow Drive, il sortit à Arlington. Il se rendait à l'hôtel de police.

Là, un agent le dirigea vers le quatrième étage. Dès qu'il sortit de l'ascenseur, il vit l'inspecteur arriver dans le couloir, une grosse tasse de café à la main. Curran était en bras de chemise, le bouton de col dégrafé, la cravate desserrée. Sous son bras gauche, dansait un étui de cuir râpé. Quand il aperçut Jason, il parut perplexe. Jason lui rappela qu'ils s'étaient rencontrés à la morgue et à l'hôpital.

— Ah oui ! l'affaire Alvin Hayes, dit Curran avec son léger accent irlandais.

Il invita Jason à entrer dans son bureau, d'une austérité toute pratique avec sa table métallique et son classeur également métallique. Sur le mur, un calendrier avec le programme des matches de l'équipe de base-ball des Celtics.

— Un café ? proposa Curran, posant sa tasse.

— Non, merci.

— Voilà qui est sage. Je sais que tout le monde se plaint du café de l'administration, mais ce truc est mortel.

Il tira une chaise métallique qui se trouvait contre le mur et fit signe à Jason de s'y installer.

— Et que puis-je faire pour vous, docteur ?

— Je ne sais pas exactement. Cette histoire Hayes me perturbe. Vous vous souvenez que je vous ai dit que le docteur Hayes m'avait confié avoir fait une découverte majeure ? Eh bien, je crois maintenant qu'il y a de grandes chances pour que ce soit exact. Après tout, l'homme était un chercheur de réputation mondiale et il travaillait sur un domaine plein de possibilités.

— Un instant. Vous ne m'avez pas dit, également, que Hayes faisait une dépression nerveuse ?

— Sur le moment, j'ai cru qu'il avait un comportement bizarre. Je l'ai cru paranoïaque et en proie à des fantasmes. Maintenant, je n'en suis plus certain. Et s'il avait fait une découverte majeure qu'il n'avait pas révélée parce qu'il la perfectionnait ? Supposez que quelqu'un l'ait su et ait voulu qu'elle disparaisse, pour quelque raison ?

— Et l'ait fait tuer ? Docteur, vous oubliez un fait essentiel : Hayes est mort de mort naturelle. Pas d'entourloupette, pas de blessures à la tête par arme à feu, pas de couteau dans le dos. Et, pour couronner le tout, il jouait les dealers. Nous avons trouvé de l'héroïne, de la coke et du fric dans sa piaule du South End. Rien d'étonnant qu'il se comporte en paranoïaque. C'est sérieux, le monde de la drogue.

— Ce tuyau anonyme n'était-il pas un peu bizarre ? demanda Jason, soudain curieux.

— C'est courant. Un type a les glandes à propos de quelque chose, et on nous appelle pour régler ça.

Jason regarda l'inspecteur. Pour lui, le personnage de Hayes ne cadrait pas, sans qu'il pût dire pourquoi, avec les filières de la drogue. Puis il se souvint que Hayes vivait avec une danseuse exotique. Peut-être le personnage cadrait-il, après tout.

Comme s'il pouvait lire les pensées de Jason, Curran lui dit :

— Écoutez, docteur, je vous suis reconnaissant d'avoir pris sur votre temps pour passer, mais les faits sont les faits. Je ne sais si ce type avait fait une découverte ou pas, mais laissez-moi vous dire une bonne chose. Il faisait du trafic de drogue, et il se droguait. Voilà le tableau. J'ai demandé à voir si son nom ne figurait pas dans les fichiers informatiques. Ça n'a rien donné, mais cela signifie seulement qu'on ne l'avait pas encore coincé. Il a eu de la veine de mourir de mort naturelle. Quoi qu'il en soit, ça ne justifie pas que la criminelle consacre du temps à sa mort.

— Je demeure persuadé qu'il y a autre chose.

Curran hocha la tête, signifiant son désaccord.

— Le docteur Hayes essayait de me dire quelque chose, insista Jason. Je pense qu'il voulait qu'on vienne à son secours.

— Bien sûr. Il voulait sans doute vous entraîner dans son réseau de drogue. Écoutez, docteur, croyez-moi. Oubliez cette affaire, dit Curran qui se leva, indiquant que l'entretien était terminé.

Jason regagna la rue et retira de dessous son essuie-glace la contravention pour stationnement interdit. Il se glissa derrière le volant et songea à sa conversation avec l'inspecteur Curran. L'homme s'était montré cordial, mais il n'accordait manifestement que peu de crédit aux intuitions de Jason. En mettant son moteur en marche, Jason se souvint que Hayes lui avait dit autre chose. Il avait dit que c'était « ironique », ce qui constituait un qualificatif curieux pour une découverte scientifique majeure, notamment si l'histoire était pure imagination.

De retour à l'hôpital, Jason revint à ses malades, passant de salle en salle, écoutant, touchant, réconfortant, conseillant. C'était cela qu'il aimait dans la médecine. Les malades s'ouvraient à lui, au sens propre et au sens figuré. Il se sentait privilégié, on avait besoin de lui. Il retrouva une partie de sa confiance.

Il n'était pas loin de 16 heures quand il gagna la salle d'examen C et prit le dossier du malade. Il se souvint du nom : Paul Klinger, l'homme auquel il avait fait passer un examen médical. Avant d'entrer dans la salle, Jason jeta de nouveau un coup d'œil rapide sur ses conclusions. L'homme paraissait en bonne santé, avec un taux de cholestérol et de triglycérides correct, et un électrocardiogramme normal. Jason pénétra dans la salle.

Mince, les cheveux d'un blond roux, Klinger faisait montre de cette confiance tranquille qui caractérise les vieux Yankees nantis.

— Qu'est-ce qui clochait dans mes examens ? demanda-t-il, inquiet.

— Rien, vraiment.

— Mais votre secrétaire m'a dit que vous souhaitiez en reprendre certains, que je devais passer aujourd'hui.

— Désolé. Il était inutile de vous inquiéter. Quand elle a entendu dire que vous ne vous sentiez pas bien, elle a pensé qu'il nous faudrait voir cela.

— Je sors simplement d'une grippe. Les gosses ont ramené cela de l'école. Je vais beaucoup mieux. Le seul ennui, c'est que cela m'a empêché de travailler pendant une semaine.

La grippe n'inquiétait guère Jason. On n'en mourait pas quand on était en bonne santé. Mais il examina tout de même Paul Klinger avec un grand soin et lui fit repasser les divers examens cardiovasculaires. Il lui dit enfin qu'il l'appellerait si les examens de sang révélaient quelque anomalie.

Après deux autres malades, Jason reçut Holly Jennings, un cadre de cinquante-quatre ans de l'une des plus importantes boîtes de publicité de Boston. Elle n'était pas contente et n'hésita pas à le faire savoir. Et, malgré la pancarte d'interdiction, elle avait fumé dans la salle d'examen en l'attendant.

— Qu'est-ce qui se passe, bon Dieu ? demanda-t-elle quand Jason entra.

Son examen du mois précédent était apparu satisfaisant, encore que Jason lui eût conseillé de s'arrêter de fumer et de perdre les quelque vingt livres prises au cours des cinq dernières années.

— J'ai appris que vous ne vous sentiez pas bien, dit Jason gentiment, remarquant son air fatigué et les cernes sous ses yeux.

— C'est tout ? La secrétaire m'a dit que vous vouliez recommencer certains examens. Qu'est-ce qui cloche avec les précédents ?

— Rien. Nous voulions seulement vous suivre. Parlez-moi de votre santé.

— Seigneur ! Vous me traînez ici, vous me fichez la trouille, vous me faites rater deux présentations importantes, et tout ça pour me faire la conversation. Est-ce que cela n'aurait pu se faire par téléphone ?

— Eh bien, puisque vous êtes ici, pourquoi ne pas me dire comment vous vous sentez ?

— Fatiguée.

— Rien d'autre ?

— Mal fichue, c'est tout. Je ne peux pas fermer l'œil. Je n'ai pas d'appétit. Rien de particulier... Ma foi, ce n'est pas tout à fait exact. Ma vue m'inquiète. Je dois sans cesse porter des lunettes de soleil, même au bureau.

— Autre chose ? demanda Jason, sentant une désagréable pointe d'inquiétude le tenailler.

Holly haussa les épaules.

— Pour quelque foutue raison, je perds mes cheveux, ajouta-t-elle.

Aussi soigneusement que possible, Jason l'examina. Pouls et tension élevés, encore que cela fût peut-être imputable au stress. Et une peau sèche, notamment aux extrémités. En lui faisant passer un nouvel E.C.G., il remarqua de légères altérations systoliques laissant présumer un apport réduit d'oxygène au cœur. Lorsqu'il proposa un nouveau test d'effort, elle refusa.

— Est-ce que je pourrais revenir, pour cela ?

— Je préférerais le faire maintenant. En fait, accepteriez-vous de demeurer deux ou trois jours à l'hôpital ?

— Vous plaisantez ? Je n'ai pas le temps. En outre, je ne me sens pas mal à ce point. Pourquoi me proposer cela ?

— Pour que tout soit fait. J'aimerais que vous voyiez un cardiologue, et également un ophtalmo.

— La semaine prochaine. Lundi ou mardi. Mais j'ai des dates impératives à respecter.

Jason la laissa partir à regret, après un prélèvement sanguin. Il ne pouvait la contraindre à rester et il n'avait rien de suffisamment révélateur pour la convaincre qu'elle avait des ennuis de santé. Ce n'était qu'une impression : une mauvaise impression.

Selon son habitude, Jason alla faire son jogging, une fois de retour chez lui. Il s'arrêta au marché De Luca pour acheter un poulet, mit son repas au four, prit une douche et s'installa confortablement dans son bureau avec une bière glacée pour poursuivre sa lecture sur l'A.D.N. Il commençait à comprendre comment Hayes parvenait à isoler des gènes spécifiques. C'était probablement ce qu'était en train de faire Helene Brennquivist le matin même. Une fois trouvée une colonie bactérielle convenable, on la cultivait pour obtenir des milliers de milliards de bactéries. Après quoi, utilisant les enzymes, on séparait les bactéries A.D.N., on les fragmentait, et on isolait et purifiait le gène désiré. Plus tard, on pouvait le réinsérer dans des bactéries différentes, dans des régions de l'A.D.N. que le chercheur pouvait activer. Sous cette forme, la souche de recombinaison des bactéries agissait comme une usine en miniature pour produire la protéine pour laquelle le gène avait été codé. C'est cette méthode qu'avait utilisée Hayes pour produire son hormone de croissance humaine. Il était parti d'un fragment d'A.D.N. humain, du gène qui fabriquait l'hormone de croissance qu'il clonait à l'aide des bactéries. Puis il la glissait dans les bactéries A.D.N., dans une région contrôlée par un gène responsable de la digestion du lactose. En ajoutant du lactose à la culture, la souche de recombinaison des bactéries de Hayes était activée pour produire l'hormone de croissance humaine.

Jason vida sa bière et alla à la cuisine en ouvrir une autre, confondu par ce qu'il venait d'apprendre. Rien d'étonnant que des chercheurs comme Hayes fussent bizarres. Ils savaient disposer du pouvoir de manipuler la vie humaine. Ce qui enivra Jason et le perturba tout à la fois. La technologie de l'A.D.N. offrait un terrifiant potentiel de bien et de mal. C'était pile ou face.

Maintenant qu'il disposait de ces renseignements, Jason se sentait de plus en plus enclin à croire que Hayes, bien que dans un état de stress, lui avait dit la vérité — du moins pour ce qui était de sa découverte scientifique. Quant à la déclaration de Hayes, selon laquelle quelqu'un voulait le tuer, il en était moins sûr. Il aurait souhaité avoir passé davantage de temps avec l'homme au cours de ces derniers mois. Et en savoir plus en ce qui le concernait.

Jason ouvrit le four pour voir où en était son poulet. Il dorait gentiment et paraissait délicieux. Il mit de l'eau à bouillir, pour le riz, puis retourna dans son bureau. Les pieds sur la table et la chaise en arrière, il attaqua le chapitre suivant sur les techniques de laboratoire et le génie génétique. La première partie traitait des méthodes de fragmentation des molécules d'A.D.N. par des enzymes appelées endonucléases de restriction. Jason dut lire plusieurs fois le passage. Le sujet était aride.

La plainte aiguë du détecteur de fumée le fit sursauter, et il bondit du bureau où il s'était endormi profondément pour se précipiter dans la cuisine. L'eau du riz, épuisée par l'ébullition, avait laissé le revêtement de Téflon en train de fumer, emplissant la cuisine d'émanations âcres. Il fourra la casserole sous l'eau du robinet, où elle crachota et siffla. Il mit en marche le ventilateur de la hotte et ouvrit l'une des fenêtres de la salle de séjour, ce qui débarrassa lentement la cuisine de la fumée et finit par calmer le détecteur de fumée qui retomba dans le silence. Jason fut heureux de l'absence habituelle du propriétaire.

Quand le dîner fut finalement prêt, sans le riz, Jason l'emporta à sa table dans son bureau où il repoussa papiers et livres. Tandis qu'il commençait à manger, son regard tomba sur l'article du *Globe* intitulé : « Docteur, Drogue et Danseuse ». Il prit le journal dans sa main gauche et regarda de nouveau Carol Donner. Il ne pouvait se faire à l'idée que Hayes avait vécu avec cette femme. Et il se demanda si l'homme n'avait pas été la proie du vieux fantasme masculin poussant chacun à voler au secours de la prostituée, qui, malgré son métier, a un cœur d'or. En songeant à Hayes comme à un confrère ayant fréquenté de surcroît la même fac de médecine que lui, Jason se dit que l'idée d'un tel cliché en ce qui le concernait paraissait tirée par les cheveux. Mais, ainsi que l'avait fait observer Curran, les faits étaient les faits. De toute évidence, Hayes avait vécu avec la fille. Jason rejeta le journal.

Après avoir lu ce qu'il put trouver sur la sécheresse de la peau, c'est-à-dire pas grand-chose, Jason alla faire sa vaisselle à la cuisine. L'image de Carol Donner, la main dissimulant son visage, continuait à le hanter. Il consulta sa montre : 22 h 30.

— Pourquoi pas, dit-il à haute voix.

Après tout, si Hayes avait vécu avec la femme, peut-être avait-elle un renseignement qui pourrait fournir à Jason un indice quant à la découverte de Hayes. De toute façon il n'avait rien à perdre. Il passa un pull et une veste de tweed, et quitta son appartement.

La Combat Zone ne se trouvait qu'à quinze minutes à pied de Beacon Hill. Mais ces quinze minutes le transportèrent dans un autre monde. Beacon Hill symbolisait l'opulence confortable et la prospérité, avec ses rues pavées et ses réverbères à gaz. La Combat Zone représentait l'envers sordide du décor. Pour y arriver, Jason longea le Boston Common, le plus ancien parc public des États-Unis, pour atteindre Washington Street avec ses rangées de bars à l'infini vers Boylston Street. Et des tas de gens qui flânaient dans ces rues, sans parvenir à se fondre vraiment aux groupes d'étudiants bruyants et aux travailleurs en blouson de cuir venus de Dorchester. Le Club Cabaret se trouvait au milieu du pâté de maisons, niché entre un cinéma porno et une librairie de livres « pour adultes » avec, en vitrine, toute une gamme de produits et gadgets censés être aphrodisiaques ou pallier des défaillances sexuelles. En lettres fluorescentes, une enseigne annonçait : ÉTUDIANTES EN TOPLESS.

Jason pénétra dans l'établissement, se retrouvant dans le bar, une longue salle dont un projecteur, au centre, éclairait une piste de bois. Le bar lui-même, en forme de « U », entourait la piste. De petits boxes s'alignaient derrière, et une musique rock assourdissait la salle depuis d'énormes enceintes qui flanquaient les escaliers descendant de l'étage sur la piste.

L'air empestait la fumée de cigarettes, et cette odeur chimique particulière qui caractérise le déodorant à bon marché. L'endroit était presque saturé d'hommes penchés sur leur verre au bar. Il était difficile de distinguer ce qui se passait à l'intérieur des boxes, mais Jason put voir un grand nombre de femmes en robe courte à franges. Il trouva un tabouret au bar. Une serveuse en chemisier blanc et short noir moulant vint presque aussitôt prendre sa commande.

Tandis qu'elle lui apportait sa bière et un verre, une danseuse à demi nue descendit les escaliers et alla s'agiter sur la piste. Jason la regarda, croisant un bref instant son regard. Elle paraissait s'ennuyer ferme, avec son visage lourdement maquillé et ses cheveux décolorés au point de ressembler à de la paille. Jason pensa qu'elle devait avoir la trentaine bien sonnée et n'était certainement pas étudiante.

En regardant autour de lui, il remarqua la même expression d'ennui sur les visages des hommes dont le regard suivait machinalement les évolutions de la danseuse sur la piste. Il but la bière à la bouteille, ne souhaitant pas poser ses lèvres sur un verre en cet endroit.

Quand s'acheva le morceau de rock and roll, la danseuse eut tout l'air d'avoir été abandonnée à son sort, passant le poids de son corps d'un talon de dix centimètres sur l'autre, attendant le morceau suivant. Jason remarqua, sur sa cuisse droite, un tatouage représentant un cœur.

Annoncé par un sonore roulement de batterie, le morceau suivant commença, et la blonde reprit aussitôt ses évolutions, laissant glisser son court bustier pour ne conserver qu'un string et ses chaussures. Les hommes, au bar, n'en gardèrent pas moins leur impassibilité de statues, se bornant à porter verres ou cigarettes à leurs lèvres. Du moins jusqu'à ce que la danseuse se mette à s'agiter le long de la piste, où quelques clients lui tendirent des billets de 1 dollar.

Jason la suivit un instant des yeux puis se remit à fouiller la salle du regard. À cinq ou six mètres de lui, dans un des boxes, un homme en costume sombre, un cigare à la bouche, étudiait un registre à travers ses lunettes noires. Jason se demanda comment le bonhomme pouvait y voir quoi que ce soit, mais il conclut qu'il devait faire partie de la direction. Plusieurs autres hommes, au gabarit de culturistes et au cou de taureau, vêtus de tee-shirts, se tenaient de part et d'autre du box, leurs énormes bras croisés, scrutant sans cesse la salle.

Quand la musique s'arrêta, la blonde stripteaseuse ramassa ses affaires et fila dans les escaliers, suivie par quelques maigres applaudissements. La musique reprenant, une autre danseuse descendit les escaliers et alla évoluer sur la piste. Vêtue d'une robe de gitane ample et tapageuse, elle aurait pu être la sœur de la première danseuse — sa sœur aînée.

Jason ne tarda pas à piger le déroulement du programme. Une fille apparaissait en quelque costume exotique et se mettait à danser, se dévêtant de plus en plus au cours du numéro. Quarante-cinq minutes s'écoulèrent, et il se demanda si Carol Donner devait se produire ce soir-là. Il posa la question à l'une des serveuses.

— Le prochain numéro. Je vous sers autre chose, monsieur ?

— Non, fit Jason, se contentant de sa première bouteille de bière.

En regardant autour de lui, il remarqua que plusieurs danseuses étaient redescendues. Elles s'arrêtaient, échangeaient quelques mots avec l'homme aux lunettes noires puis allaient flâner dans la salle et bavarder avec les clients. Il essaya d'imaginer Hayes, le célèbre biologiste, là au bar, il n'y parvint pas.

La musique s'arrêta un instant, et les lumières de la piste baissèrent. Pour la première fois, un micro se fit entendre, annonçant le numéro suivant : la célèbre Carol Donner. L'annonce fut suivie de quelques sifflets tenant lieu d'applaudissements.

Le rythme du rock se fit plus doux, et une silhouette apparut sur la piste. Quand les lumières revinrent, Jason fut frappé de surprise. À son grand étonnement, Carol Donner était une fille jeune et belle, avec un joli teint et des yeux étincelants. Elle était vêtue d'un collant et de jambières, et portait un serre-tête autour du front, comme pour une séance d'aérobic. Les pieds nus, elle avança sur la piste avec une grâce aérienne, et Jason remarqua un authentique plaisir dans son sourire.

Dans le courant du morceau, elle retira ses chausses, une large ceinture de soie nouée à sa taille, puis le bustier. Les spectateurs, ahuris et conquis, applaudirent tandis que, les seins nus, elle remontait les escaliers en dansant. Dès qu'elle eut disparu, les clients retombèrent dans leur torpeur. Jason attendit que Carol reparaisse dans le bar, comme les autres filles, mais, après vingt minutes, il se dit qu'elle pourrait bien ne pas revenir. Il repoussa son tabouret et se dirigea vers l'homme aux lunettes noires. L'un des culturistes le vit approcher et décroisa les bras.

— Excusez-moi, dit Jason à l'homme au registre. Est-ce qu'il serait possible de parler à Carol Donner ?

L'homme retira son cigare de la bouche et demanda :

— Qui vous êtes, nom de Dieu ?

Jason rechignait à donner son nom, et, tandis qu'il hésitait, l'homme aux lunettes noires fit un signe à l'un des costauds. Jason sentit de grosses pattes lui saisir le bras et le pousser fermement vers la porte.

— Je voudrais seulement..., commença-t-il.

Mais il ne put finir sa phrase. Empoigné par la veste, on lui fit traverser le bar, passer le rideau sombre, ses pieds touchant à peine le sol. Avec une certaine humiliation, il se trouva jeté dehors, dans la rue.

CHAPITRE V

Tiré de son sommeil par le radioréveil, Jason dut rester plusieurs minutes sous la douche pour se sentir capable d'affronter la journée qui s'annonçait. La veille, à son retour de sa visite au Club Cabaret — peu agréable — on l'avait rappelé à l'hôpital. Un de ses malades atteints du sida, Harvey Rachman, avait fait un arrêt cardiaque. Quand Jason arriva, l'équipe tentait depuis quinze minutes de le ramener à la vie. Ils avaient continué pendant deux heures avant de s'avouer battus. Le commentaire de l'infirmière-chef, disant que du moins l'homme n'aurait plus à souffrir, ne fut qu'une maigre consolation pour un Jason atterré. Il lui parut que la mort remportait la compétition.

Le seul aspect positif de sa visite à ses malades hospitalisés, plus tard dans la matinée, fut la sortie de l'une de ses patientes atteinte d'hépatite. Jason fut désolé de voir partir la fille. Il ne lui restait plus maintenant qu'un seul malade dont l'état était satisfaisant.

Matthew Cowen, en salle de réanimation, n'allait pas mieux. Outre ses différents maux, il souffrait maintenant de troubles de la vue. Le symptôme inquiéta Jason, Harring et Lennox s'étaient également plaints de troubles de la vision au cours des semaines précédant leur décès. De nouveau l'idée qu'il pouvait s'agir de quelque nouvelle maladie complexe lui traversa l'esprit. Il demanda une consultation d'ophtalmologie. Après avoir terminé ses visites, il se rendit au service de pathologie pour voir si l'on avait terminé les lames de l'autopsie de Hayes. Peut-être contribueraient-elles à expliquer les raisons pour lesquelles tant de personnes apparemment en bonne santé étaient victimes d'accidents cardio-vasculaires catastrophiques.

Il dut attendre quelques instants que Jackson demande un rapport sur un prélèvement demeuré en salle d'opération.

— Ça me bousille toujours le moral, dit Jackson en raccrochant, ajoutant d'une voix plus gaie : Je parie que vous voulez voir les lames de Hayes.

Il fouilla sur son bureau pour retrouver le bon

dossier, l'ouvrit, en sortit une lame qu'il mit au point pour Jason sous le microscope.

— C'est l'aorte d'Alvin Hayes, expliqua-t-il, tandis que Jason regardait les évidentes nécrose et perturbation cellulaire, évidentes même pour des yeux peu exercés. Rien d'étonnant qu'elle se soit rompue. Je n'ai jamais vu une telle détérioration chez quelqu'un de moins de soixante-dix ans, sauf avec une affection aortique bien établie. Et je vais vous montrer autre chose, ajouta-t-il en remplaçant la première lame par une autre. Ça, c'est le cœur de Hayes. Regardez les coronaires. On dirait celles de Cedric Harring. Elles sont presque obstruées. Si son aorte ne s'était pas rompue, Hayes serait mort d'une crise cardiaque. L'homme était une bombe à retardement ambulante. Et, en outre, il faisait une inflammation de la thyroïde, comme Harring là encore. En fait, il existe tellement de points communs que j'ai jeté un nouveau coup d'œil sur l'aorte de Harring. Et devinez ? Son aorte était sur le point de se rompre, également.

— Qu'est-ce que vous racontez exactement ?

— Je ne sais pas. Il existe de fortes analogies entre les deux cas. L'inflammation particulièrement répandue — je ne pense pas que ce soit d'origine infectieuse. Ça ressemble davantage à une histoire d'auto-immunité, comme si leur système immunitaire s'était mis à attaquer ses propres organes.

— Vous voulez dire comme un lupus ?

— Ouais. Quelque chose comme ça. Quoi qu'il en soit, Alvin Hayes était dans un triste état. À peu près tous ses organes étaient en cours de détérioration. Il pétait aux coutures de tous les côtés.

— Il disait qu'il ne se sentait pas tellement bien.

— Et comment ! C'est l'euphémisme de l'année !

Jason quitta le service de pathologie, essayant de comprendre ce que lui avait dit Jackson. De nouveau, il envisagea l'éventualité de quelque maladie infectieuse inconnue, malgré l'opinion de Jackson.

Après tout, quelle affection auto-immune évoluerait-elle aussi rapidement ? aucune, se dit Jason, répondant à sa propre question.

Avant de commencer les visites de ses malades externes, Jason décida de s'arrêter au labo de Hayes. Non pas qu'il s'attendît qu'Helene se montre particulièrement coopérative, mais il pensa qu'elle pourrait être intéressée par le fait que Hayes avait été si malade au cours des dernières semaines de son existence. À sa surprise, il vit qu'Helene avait pleuré.

— Que se passe-t-il ?

— Rien, répondit-elle, secouant la tête.

— Vous ne travaillez pas ?

— J'ai fini.

Jason réalisa soudain que, sans Hayes pour lui donner ses instructions, elle était perdue. Apparemment, elle n'était pas au courant du plus important, ce qui rendit Jason pessimiste quant au fait qu'elle pourrait avoir connaissance de la découverte de Hayes, si découverte il y avait. Le penchant de l'homme pour le secret allait se traduire par une perte pour la société.

— Cela ne vous gêne pas que je bavarde avec vous quelques instants ?

— Non, fit Helene, toujours aussi laconique, lui faisant signe de passer dans le bureau de Hayes.

Jason suivit, agressé de nouveau par la vue des photos des organes génitaux.

— Je reviens du service de pathologie, commença Jason quand ils furent assis. Le docteur Hayes était apparemment un homme très malade. Vous êtes certaine qu'il ne s'est plaint de rien ?

— Si, reconnut Helene, revenant sur ses déclarations initiales. Il disait sans cesse qu'il se sentait faible.

Jason la regarda. Elle paraissait radoucie, plus ouverte. Il réalisa que, contrairement aux fois précédentes, ses cheveux tombaient librement sur ses épaules au lieu d'être sévèrement tirés en arrière.

— Vous m'avez dit la dernière fois que son comportement n'avait pas changé.

— C'est exact. Mais il disait qu'il se sentait très mal.

Frustré par ces subtilités de langage, Jason sentit une fois de plus qu'elle cachait quelque chose. Il se demanda pourquoi, mais il eut le sentiment que l'attaquer de front ne le mènerait nulle part.

— Miss Brennquivist, lui dit-il patiemment, il faut que je vous repose la question. Êtes-vous absolument certaine de n'avoir aucune idée de ce que voulait dire le docteur Hayes en m'annonçant qu'il venait de faire une découverte scientifique majeure ?

— Je ne sais vraiment pas. En fait, les choses ne tournaient pas très bien dans le labo. Il y a trois mois environ, les rats auxquels on administrait les facteurs de libération de l'hormone de croissance ont mystérieusement commencé à mourir.

— D'où provenaient ces facteurs ?

— Le docteur Hayes les extrayait lui-même du cerveau des rats. Surtout de l'hypothalamus. Après quoi, je les produisais au moyen des techniques de recombinaison de l'A.D.N.

— Les expériences étaient donc un échec ?

— Complètement. Mais, comme tous les grands chercheurs, le docteur Hayes ne s'est pas laissé décourager. Malheureusement, au cours de ces dernières semaines, il semblait que tous les animaux mouraient.

— Pensez-vous que le docteur Hayes mentait en me disant qu'il avait fait une découverte ?

— Le docteur Hayes ne mentait jamais, dit Helene, indignée.

— Eh bien, comment expliquez-vous cela ? J'ai d'abord pensé que Hayes faisait une dépression nerveuse. Maintenant, je n'en suis plus aussi sûr.

— Le docteur Hayes ne faisait pas de dépression nerveuse, affirma Helene en se levant pour signifier que l'entretien était terminé.

Déçu, Jason descendit à son bureau où Sally avait déjà préparé deux patients pour la visite. Entre ces deux malades, Jason échappa assez longtemps à Sally pour aller consulter les résultats des examens de laboratoire concernant Holly Jennings. La seule modification significative par rapport aux examens précédents était un taux plus élevé de gammaglobulines. Là encore, Jason envisagea de nouveau quelque épidémie sans rapport avec le sida mettant en cause le système immunitaire. Au lieu de désactiver le système immunitaire, comme dans le cas du sida, cette affection semblait au contraire l'activer dans la voie de la destruction.

Dans le courant de la matinée, Jason reçut un coup de fil de Margaret Danforth qui lui annonça sans préambule :

— J'ai pensé qu'on devait vous informer que l'on a trouvé des traces de cocaïne dans l'urine du docteur Hayes.

Curran avait donc raison, se dit Jason en raccrochant. Hayes se droguait. Mais était-ce lié à sa prétendue découverte, à sa crainte d'être agressé ou même à sa mort ? Jason n'en savait rien.

Il fut contraint de renoncer à ses spéculations, l'arrivée de nombreux patients le mettant de plus en plus en retard. La pression se fit plus intense encore à la suite d'un coup de fil de Shirley, qui avait apparemment appris sa visite à Helene.

— Jason, lui dit-elle d'un ton légèrement acide, je vous prie de ne pas remuer cette affaire. Laissez l'histoire Hayes se tasser.

— Je crois qu'Helene en sait davantage qu'elle veut bien nous le dire.

— De quel côté êtes-vous ?

— C'est bon, c'est bon, coupa-t-il, pour s'occuper de Madaline Krammer, une malade âgée admise en urgence.

Jusque-là, son état cardiaque était demeuré stable, mais voilà que soudain elle présentait un œdème des chevilles et des râles pulmonaires. Malgré une thérapeutique intensive, sa congestion cardiaque s'était aggravée au point que Jason insista pour qu'on l'hospitalise.

— Pas ce week-end, protesta Madaline. Mon fils arrive de Californie avec son dernier-né. Je n'ai pas encore vu ma petite-fille. Je vous en prie !

Madaline était une vieille dame de quelque soixante-quinze ans, pleine d'entrain, avec des cheveux couleur argent. Depuis toujours, Jason l'aimait bien car elle se plaignait rarement et lui témoignait une extraordinaire gratitude pour ses bons soins.

— Madaline, je suis désolé. Je ne le ferais pas si je ne jugeais cette hospitalisation indispensable. Mais ce n'est que sous monitoring constant que nous pourrons déterminer le traitement exact.

Grommelante mais résignée, Madaline consentit. À 16 heures, Jason terminait à peine ses rendez-vous. En sortant de son bureau, il tomba sur Roger Wanamaker dont la stature impressionnante obstruait complètement l'étroit passage.

— À mon tour, lui dit Roger. Tu as un instant pour bavarder ?

— Bien sûr, répondit Jason, qui ne disait jamais non à un confrère.

Il retourna dans son bureau, suivi de Roger qui laissa cérémonieusement tomber un dossier sur la table.

— Pour que tu n'aies pas l'impression d'être tout seul. C'est là le dossier d'un cadre de cinquante-trois ans de la Data General qu'on vient d'admettre en urgence, plus mort qu'une poignée de porte. Je lui avais fait passer, il y a moins de trois semaines, un de nos examens complets réservés aux cadres.

Jason ouvrit le dossier et le parcourut, regardant l'électrocardiogramme et les résultats des examens de laboratoire. Le taux de cholestérol était élevé mais pas exorbitant.

— Encore une crise cardiaque ? demanda-t-il,

passant au rapport de la radiographie qui lui parut normal.

— Non. Attaque cérébrale brutale. Le type a fait sa crise en pleine réunion d'un conseil d'administration. Sa femme, elle, est en pleine hystérie. Et, moi, je suis effondré. Elle a déclaré qu'il était mal fichu depuis qu'il nous a vus.

— Quels symptômes ?

— Rien de spécifique. Insomnie et tension nerveuse, surtout. Le genre de trucs dont se plaignent à peu près tous les cadres.

— Qu'est-ce qui se passe, bon Dieu ? demanda Jason pour la forme.

— Ça me dépasse. Mais j'ai une sale impression — comme si on se trouvait au début d'une espèce d'épidémie ou Dieu sait quoi !

— J'en ai parlé avec Masden, en patho. Je lui ai demandé ce qu'il pensait d'une affection infectieuse inconnue. Il m'a dit non, que c'était métabolique, peut-être auto-immune.

— Je crois qu'il nous faut faire quelque chose. Et la réunion dont tu as parlé ?

— Je ne l'ai pas encore convoquée, avoua Jason. J'ai demandé à Claudia de me sortir tous mes examens de l'année écoulée et de voir comment se portent les patients. Tu devrais peut-être en faire autant.

— Bonne idée.

— Et l'autopsie de ce cas ? demanda Jason, rendant le dossier à Roger.

— Le médecin de l'état civil s'en occupe.

— Fais-moi savoir ce qu'on aura trouvé.

Quand Roger le quitta, Jason prit note de réunir les autres médecins au début de la semaine suivante. Même s'il ne brûlait pas de connaître l'étendue du problème, il savait ne pas pouvoir demeurer assis là à attendre que d'autres patients dont les examens médicaux ne révélaient rien de particulier finissent à la morgue.

En allant voir son dernier malade, Jason se surprit à penser encore à Carol Donner. Soudain, pris d'une idée, il fit un détour par l'unité centrale et demanda à Claudia de descendre au service du personnel pour voir si elle pourrait trouver l'adresse de Hayes. Il savait que si quelqu'un pouvait obtenir le renseignement, c'était bien Claudia.

Il alla retrouver son dernier patient, se demandant pourquoi il n'avait pas songé plus tôt à s'enquérir de l'adresse de Hayes. Si Carol Donner avait vécu avec lui, il serait beaucoup plus facile de lui parler chez elle qu'au Club Cabaret où on avait tendance — et c'était peu dire — à veiller à sa protection. Peut-être aurait-elle quelque idée sur la découverte de Hayes, ou tout au moins sur son état de santé. Le temps qu'il en termine avec son dernier patient, Claudia avait obtenu l'adresse. L'appartement se trouvait dans le South End.

Après en avoir fini avec ses consultations et dicté la correspondance utile, Jason se dirigea vers l'ascenseur central pour commencer ses visites. Il vit d'abord Madaline Krammer.

Elle paraissait déjà mieux. Un puissant diurétique avait réduit considérablement l'œdème de ses chevilles et de ses mains, mais quand il se repencha sur elle il constata qu'elle avait les pupilles extrêmement dilatées et ne réagissant pas à la lumière. Il en prit note sur son dossier.

Avant de passer voir Matthew Cowen, Jason tira sa fiche pour voir ce qu'avait trouvé l'ophtalmo en ce qui concernait sa vue. Stupéfait, il lut : « Début de cataracte des deux yeux. » C'était incroyable. Une cataracte à trente-cinq ans ? Il se souvint que le rapport d'autopsie avait fait état d'une cataracte chez Connoly, et également des pupilles dilatées de Madaline Krammer. De quoi diable s'agissait-il ? Il se sentit davantage confus encore en descendant le couloir pour aller voir Matthew.

— Est-ce que vous me donnez quelque drogue bizarre ? demanda celui-ci dès qu'il aperçut Jason.

— Non. Pourquoi cette question ?

— Parce que je perds mes cheveux, dit l'homme, qui, pour le lui prouver, tira quelques touffes qui cédèrent et qu'il éparpilla sur l'oreiller.

Jason en ramassa une et la roula lentement entre ses doigts. À part le gris de la racine, elle paraissait normale. Puis il examina le cuir chevelu de Matthew, qui lui parut également normal, sans inflammation ni excoriation.

— Depuis combien de temps ? demanda-t-il, revoyant clairement Brian Lennox et se souvenant également de ce qu'avait dit Mme Harring à propos de son mari, qui commençait à perdre ses cheveux.

— Cela a empiré aujourd'hui, lui répondit Matthew. Je ne voudrais pas vous paraître paranoïaque, mais il me semble que tout me tombe dessus à la fois.

— Simple coïncidence, dit Jason, essayant de regonfler sa confiance tout autant que celle de Matthew. Je vais demander au dermato de revoir ça. C'est peut-être lié à votre sécheresse de la peau. Est-ce que ça va mieux ?

— C'est encore pire, si l'on peut dire. Je n'aurais pas dû me faire hospitaliser ici.

Jason avait tendance à penser de même, notamment depuis qu'un si grand nombre de ses patients s'en tiraient plutôt mal. Le temps de finir ses visites, il était épuisé. Il en oublia presque que des amis bien intentionnés avaient insisté pour qu'il participe à un dîner ce soir-là, pour lui faire connaître une mignonne avocate de trente-quatre ans appelée Penny Lambert. Avec une heure à tuer, il décida que ça ne valait pas la peine de rentrer chez lui. Il préféra tirer un plan de Boston qu'il conservait dans sa voiture et y localisa Springfield Street, où se trouvait l'appartement de Hayes, près de Washington Street. Il se dit que ce serait la bonne heure pour tomber sur Carol Donner et décida donc de s'y rendre. Mais ce fut plus facile à dire qu'à faire. Descendant vers le sud, il se trouva coincé dans un embouteillage de voitures pare-chocs contre pare-chocs sur Massachusetts Avenue. Avec beaucoup de constance, il finit par atteindre Washington Street et tourna à gauche, puis de nouveau à gauche dans Springfield. Il repéra l'immeuble de Hayes et trouva une place où se garer.

Dans le quartier, se mêlaient immeubles rénovés et non rénovés. Celui de Hayes faisait partie des non rénovés, avec ses graffiti peints à la bombe sur les marches de l'entrée. Jason pénétra dans l'entrée et remarqua plusieurs boîtes à lettres brisées et la porte intérieure sans serrure. En fait, on l'avait fracturée il y avait bien longtemps et jamais remplacée. Il grimpa les escaliers chichement éclairés. Ça sentait le moisi et l'humidité.

L'immeuble était assez grand, avec un seul appartement par étage. Au deuxième, Jason butta dans plusieurs numéros du *Globe* encore sous plastique. Pas de sonnette. Jason frappa. Sans réponse, il frappa de nouveau, plus fort. La porte céda de quelques centimètres en grinçant. Jason se baissa et vit qu'on l'avait forcée, et qu'une partie du jambage manquait. Poussant la porte de l'index, il l'ouvrit. Elle grinça encore, comme sous la douleur.

— Quelqu'un ? appela-t-il.

Pas de réponse. Il avança dans l'appartement et répéta son appel :

— Quelqu'un ?

Pas un bruit, à part une chasse qui coulait. Il referma la porte derrière lui et avança dans un couloir sombre vers une autre porte entrebâillée.

Il jeta un coup d'œil et faillit filer en courant. On aurait dit une poubelle. La salle de séjour, naguère décorée de beaux meubles anciens et de reproductions, était une ruine. On avait tiré et vidé tous les tiroirs du bureau et du buffet, lacéré les coussins d'un canapé et jeté sur le sol le contenu d'une grande bibliothèque.

Avançant avec précaution à travers tout ce fouillis,

Jason jeta un coup d'œil dans la petite chambre, qu'il trouva dans le même état que le séjour, puis enfila le couloir vers ce qui lui parut être la chambre principale. Saccagée également. On avait renversé tous les tiroirs et arraché de leur cintre, dans le placard, tous les vêtements qu'on avait jetés sur le sol. Uniquement des vêtements d'homme, vit-il, en en ramassant quelques-uns.

Soudain, la porte d'entrée grinça, faisant frissonner Jason. Il laissa tomber les vêtements et voulut appeler de nouveau, espérant que c'était Carol Donner, mais il demeura un instant trop paralysé par la peur pour articuler un son. Il se figea, écoutant. Peut-être un courant d'air avait-il poussé la porte... Et puis il entendit un bruit sourd, comme celui d'une chaussure heurtant un livre ou un tiroir renversé. Aucun doute, quelqu'un se trouvait dans l'appartement. Et Jason eut le sentiment que ce quelqu'un savait qu'il était là. La sueur perla sur son front, lui dégoulina le long du nez. Fugitivement, il se souvint de la mise en garde de Curran : « Le monde de la drogue est dangereux. » Il se demanda s'il existait une possibilité de filer. Puis il réalisa qu'il se trouvait tout au bout d'un long couloir.

Et tout à coup une énorme silhouette se trouva encadrée dans la porte. Même dans l'obscurité, Jason put dire que l'individu tenait une arme.

Il se sentit pris de panique, son cœur battant la chamade. Il n'en demeura pas moins immobile. Une seconde silhouette plus petite rejoignit la première, et l'une et l'autre pénétrèrent dans la pièce. Puis avancèrent vers Jason, inexorablement, pas à pas. Cela parut durer une éternité. Jason eut envie de crier ou de fuir.

CHAPITRE VI

L'instant suivant, Jason se crut mort. Un éclair. Puis il réalisa que ce n'était pas un coup de feu mais une ampoule au-dessus de sa tête. Il vivait toujours.

Deux policiers en uniforme se tenaient devant lui. Jason eut envie de les serrer dans ses bras, de soulagement.

— Ce que je suis content de vous voir, leur dit-il.

— Tournez-vous, aboya le plus grand des deux flics, ignorant le commentaire de Jason.

— Je peux vous expliquer..., commença-t-il.

Mais on lui dit de la fermer et de se mettre en appui avant, les mains contre le mur, jambes écartées.

Le deuxième flic le fouilla, lui retirant son portefeuille. Quand ils se furent assurés que Jason n'était pas armé, ils lui ôtèrent les bras du mur et lui passèrent les menottes. Et lui firent retraverser l'appartement, redescendre les escaliers, gagner la rue où quelques passants s'arrêtèrent pour le voir fourrer à l'arrière d'une voiture banalisée.

Les policiers gardèrent le silence pendant le trajet jusqu'au poste, et Jason décida qu'il était inutile de tenter de s'expliquer avant d'arriver sur place. Maintenant qu'il s'était calmé, il se mit à réfléchir à ce qu'il convenait de faire. On lui permettrait sans doute de passer un coup de fil, et il se demanda s'il allait appeler Shirley ou l'avocat qu'il avait consulté pour la vente de sa maison et de sa clientèle.

Mais, lorsqu'ils arrivèrent, les agents se bornèrent à le conduire dans une petite pièce nue où ils le laissèrent. La porte se referma avec un bruit de serrure, et Jason comprit qu'il était bouclé. Jamais encore il ne s'était trouvé en prison, et cela n'était guère plaisant.

Les minutes passant, il réalisa la gravité de sa situation. Il se souvint de la requête de Shirley de ne pas remuer cette affaire. Dieu savait l'effet que produirait la nouvelle de son arrestation sur la clinique si on venait à l'apprendre.

La porte finit par s'ouvrir sur l'inspecteur Michael Curran et le plus petit des deux agents. Jason fut heureux de voir Curran, mais se rendit aussitôt compte que ce n'était pas réciproque. Le visage de l'inspecteur paraissait plus fermé que jamais.

— Enlevez-lui les menottes, ordonna Curran, sans un sourire.

Jason se leva tandis que l'agent en uniforme lui libérait les mains. Il observa le visage de Curran, tentant de sonder ses pensées, mais l'homme demeura impassible.

— Je veux lui parler seul à seul, dit-il à l'agent, qui acquiesça d'un signe de tête et sortit de la pièce.

— Voilà votre foutu portefeuille, dit-il à Jason en le lui fourrant dans la main. Vous ne suivez pas volontiers les conseils, hein ? Qu'est-ce que je dois faire pour vous convaincre que c'est sérieux, ces histoires de drogue ?

— Je voulais seulement parler à Carol Donner.

— Merveilleux ! Donc vous entrez par effraction et vous foutez le bordel.

— Pardon ? demanda Jason, qui commençait à sentir l'irritation le gagner.

— Les stups surveillent l'appartement de Hayes depuis que nous avons appris qu'on l'avait fouillé. Nous espérions coincer un gibier plus intéressant que vous.

— Désolé.

Curran secoua la tête de frustration.

— Ma foi, cela aurait pu être pire. Vous auriez pu être blessé. Je vous en prie, docteur — voulez-vous vous en tenir à la médecine ?

— Est-ce que je suis libre de partir ? demanda Jason, incrédule.

— Ouais, dit Curran, gagnant la porte. Je ne vais pas vous boucler. Inutile de perdre notre temps.

Jason quitta le poste de police et prit un taxi jusqu'à Springfield Street où il récupéra sa voiture. Il leva les yeux sur l'immeuble de Hayes et frissonna. Quelle expérience agaçante.

Avec assez d'adrénaline dans le sang pour abattre le mile en quatre minutes, Jason fut heureux d'avoir des projets pour la soirée. Ses amis, les Alic, avaient invité des gens pleins d'entrain, et la table était vraiment bonne. La fille que l'on souhaitait lui faire rencontrer, Penny Lambert, lui parut faire très *yuppie* — « jeune cadre dynamique » — vêtue d'un tailleur bleu strict avec un volumineux nœud papillon de soie. Fort heureusement, elle se montra gaie et communicative, comblant de bon gré le vide laissé par l'incapacité de Jason à cesser de penser à l'appartement de Hayes et à son envie de parler à Carol Donner.

Quand on eut desservi le café et le brandy, Jason eut une idée. Peut-être que, s'il proposait de raccompagner Penny, il pourrait la persuader de s'arrêter au club de Carol. De toute évidence, Carol ne vivait plus dans l'appartement de Hayes, et Jason se dit qu'il aurait peut-être plus de chance de lui parler s'il était en compagnie d'une autre femme. Penny, ravie, accepta qu'il la déposât, et, quand ils furent dans la voiture, Jason lui demanda si elle se sentait l'humeur aventureuse.

— Que voulez-vous dire ? s'enquit-elle prudemment.

— Je pensais que vous aimeriez un autre aspect de Boston.

— Une boîte disco ?

— Quelque chose comme ça, répondit Jason, qui, avec une certaine perversité, se dit que l'expérience pourrait être profitable à Penny, tout à fait gentille, mais un peu trop sans surprise.

Détendue, elle sourit et bavarda jusqu'à ce qu'ils arrivent devant le Club Cabaret.

— Êtes-vous sûr que ce soit une bonne idée ? demanda-t-elle.

— Allons, venez, la pressa Jason.

Il lui avait vaguement expliqué, en chemin, qu'il voulait voir la fille qui se trouvait impliquée dans l'affaire Hayes. Penny se souvint d'avoir lu cela dans les journaux, ce qui ne l'avait pas totalement rassérénée, mais, à force de cajoleries, il la persuada de la laisser se garer et d'entrer dans l'établissement.

Le vendredi était manifestement un jour faste. Prenant la main de Penny, Jason se fraya un passage dans la salle, espérant éviter l'homme aux lunettes noires et ses deux chiens de garde. Il glissa un billet de cinq dollars à l'une des serveuses et obtint qu'elle les place dans un box contre le mur latéral, à quelques mètres de la piste qu'ils pouvaient voir tout en demeurant dissimulés aux yeux des danseuses par les silhouettes des hommes assis au bar.

Arrivés entre deux numéros, ils avaient à peine passé leur commande que les enceintes se mirent à tonner. Dans la pénombre, Jason pouvait à peine distinguer le visage de Penny. Il voyait mieux le blanc de ses yeux. Elle ne cillait guère.

Une stripteaseuse apparut dans un tourbillon de crêpe diaphane, accompagnée de quelques sifflets. Penny demeurait plongée dans son mutisme. En réglant leurs consommations à la serveuse, Jason lui demanda si Carol Donner dansait ce soir. Son premier passage était prévu pour 23 heures, lui indiqua la serveuse. Jason fut soulagé : au moins on ne l'avait pas agressée comme on avait saccagé l'appartement de Hayes.

Quand la serveuse se retira, il vit que la danseuse en était à son string et que Penny pinçait sévèrement les lèvres.

— C'est écœurant, cracha-t-elle.

— Ce n'est certes pas l'orchestre symphonique de Boston, convint Jason.

— Elle a même de la cellulite.

Jason regarda plus attentivement quand la danseuse remonta les escaliers. Effectivement, le dos de ses cuisses était plus que potelé. Il sourit. Curieux qu'une femme remarque ces choses-là.

— Est-ce que ces hommes s'amusent vraiment ? demanda Penny avec répugnance.

— Bonne question. Je n'en sais rien. La plupart ont l'air de s'ennuyer.

Mais plus personne ne parut ennuyé quand Carol apparut. Tout comme l'autre soir, la foule s'anima quand elle commença son numéro.

— Qu'en pensez-vous ? demanda Jason.

— C'est une bonne danseuse, mais je ne peux croire que votre ami avait quelque chose à voir avec elle.

— C'est exactement ce que j'ai pensé.

Mais Jason n'en était plus tellement persuadé. Carol Donner révélait une personnalité très différente de ce à quoi il s'attendait.

Quand elle eut terminé son numéro, Jason en avait assez vu. Penny brûlait de partir, et il remarqua qu'elle ne se montra guère bavarde sur le chemin du retour. Le Club Cabaret ne lui avait pas fait grande impression, se dit-il. Quand il la laissa à sa porte, il ne se soucia même pas de lui dire qu'il la rappellerait. Il savait que les Alic seraient déçus, mais ils auraient dû se montrer plus avisés que de le brancher sur un nœud papillon.

De retour chez lui, Jason se déshabilla et alla prendre le bouquin sur l'A.D.N. dans son bureau. Il se coucha et se mit à lire. Songeant à son état d'épuisement de l'après-midi, il pensa qu'il allait rapidement s'endormir. Il découvrit les bactériophages, ces particules virales qui infectaient les bactéries, et la façon dont on les utilisait en génie génétique. Après quoi, il lut un chapitre consacré aux plasmides, dont il n'avait jamais entendu parler avant de commencer sa lecture sur l'A.D.N. Il s'étonna en découvrant que les plasmides étaient de petites molécules circulaires d'A.D.N., qui existaient dans les bactéries et se reproduisaient fidèlement quand les bactéries se reproduisaient. Elles aussi accomplissaient une fonction extrêmement importante, servant de vecteurs pour introduire des fragments d'A.D.N. au sein des bactéries.

Toujours tout à fait éveillé, Jason regarda l'heure. 2 heures du matin et pas question de dormir. Il se leva, passa dans la salle de séjour et regarda Louisburg Square. Une voiture s'arrêta. C'était le locataire qui occupait l'appartement du rez-de-jardin, un médecin également. Bien qu'entretenant avec lui des rapports de bon voisinage, Jason ne savait pas grand-chose de l'homme, sinon qu'il sortait avec nombre de très jolies femmes. Il se demanda où il les trouvait. De fait, l'homme descendit de sa voiture avec une séduisante blonde et, au milieu de rires étouffés, disparut au-dessous de Jason, qui entendit la porte de l'immeuble se refermer. La nuit retomba dans le silence. Il ne pouvait se sortir Carol Donner de l'esprit, souhaitant lui parler. En consultant la pendulette, sur la cheminée, il eut une idée. Vivement, il retourna dans sa chambre, se rhabilla et descendit à sa voiture.

Avec quelque appréhension quant aux éventuelles conséquences, Jason regagna la Combat Zone, qui, à la différence du reste de la ville, demeurait très animée. Il passa une fois devant le Club Cabaret, fit un tour et alla se garer dans une rue latérale, coupant le moteur. Il ne se sentit pas très à l'aise en apercevant quelques individus équivoques traînant dans les entrées d'immeuble de la ruelle. Il s'assura que toutes ses portières étaient fermées.

Un quart d'heure après son arrivée, un nombre important de spectateurs sortirent du Club Cabaret et s'égaillèrent dans des directions diverses. Quelques minutes plus tard, apparut un groupe de danseuses qui bavardèrent devant le Club Cabaret avant de se séparer. Carol n'était pas parmi elles. A l'instant où Jason commençait à s'inquiéter de l'avoir ratée, Carol sortit avec l'un des culturistes qui avait passé, sans le fermer, un blouson de cuir par-dessus son tee-shirt. Ils tournèrent à droite, remontant Washington Street vers Filene.

Jason mit sa voiture en marche, ne sachant trop quoi faire. Heureusement, il y avait beaucoup de véhicules et de piétons. Pour ne pas perdre Carol, il se glissa dans la rue, rasant le trottoir. Un policier lui fit signe de circuler. Carol et son ami tournèrent dans Boylston Street, pénétrèrent dans un parking et montèrent dans une grosse Cadillac noire.

Eh bien, du moins seront-ils faciles à suivre, se dit Jason. Mais n'ayant jamais suivi personne, il découvrit que c'était moins facile qu'il ne l'avait imaginé, notamment s'il ne voulait pas se faire repérer. La Cadillac longea le Common, fila vers le nord par Charles Street puis tourna à gauche dans Beacon, passant devant la Hampshire House. Plusieurs rues plus loin, la voiture s'arrêta à gauche, en double file. Ce quartier de la ville, appelé Back Bay, se composait de grandes maisons de grès de la fin du siècle dernier, dont la plupart avaient été converties en logements locatifs ou en copropriétés. Jason dépassa la Cadillac au moment où Carol en descendait. Lentement, par le rétroviseur, il la regarda gravir les marches de l'entrée d'un immeuble avec une grande fenêtre en saillie. Il tourna à gauche dans Exeter et de nouveau à gauche dans Marlborough. Après avoir attendu quelque cinq minutes, il fit le tour du pâté de maisons. Revenu dans Beacon Street, il chercha la Cadillac noire. Elle avait disparu.

Jason se gara devant une bouche d'incendie à un demi-pâté de l'immeuble de Carol. À 3 heures du matin, Back Bay était paisible — pas de piétons et quelques rares voitures. Tournant dans l'allée menant à l'immeuble de Carol, Jason observa cinq étages de la façade et ne vit aucune lumière aux fenêtres. Il pénétra dans le hall et examina les noms à côté des sonnettes. Il y en avait quatorze. Mais, à sa déception, pas de Donner.

Il ressortit, se demandant ce qu'il convenait de faire. Se souvenant qu'une ruelle courait entre Beacon et Marlborough, il fit le tour du pâté, comptant les immeubles jusqu'à repérer celui de Carol. Une lumière à la fenêtre du troisième. Ce devait être celle de Carol car il était peu probable que quelqu'un d'autre soit debout.

Décidé à retourner dans le hall et à sonner à la bonne sonnette, Jason fit demi-tour et remonta la ruelle. Il vit aussitôt la silhouette solitaire mais continua, espérant que l'homme se bornerait à le croiser. La distance entre l'homme et lui se réduisant, Jason ralentit, s'arrêta. Consterné, il réalisa que c'était le culturiste, son blouson de cuir de motard ouvert, révélant un tee-shirt blanc qui moulait ses muscles puissants. C'était l'individu qui l'avait jeté hors du Club Cabaret la veille.

L'homme continua d'avancer vers Jason, crispant et décrispant les doigts en un mouvement d'anticipation. Selon Jason, il devait avoir dans les vingt-cinq ans, et son visage trahissait l'utilisation d'hormones stéroïdes. Sans aucun doute, cela annonçait des ennuis. Et l'espoir de Jason que l'homme ne l'eût pas reconnu s'évanouit quand il grommela :

— Qu'est-ce que tu fous là, connard ?

Il n'en fallut pas plus à Jason. Il fit demi-tour et fila vers l'autre extrémité de la ruelle. Malheureusement, ses mocassins de cuir ne pouvaient rivaliser avec les Nike du culturiste.

— Putain d'obsédé ! cria celui-ci, arrêtant Jason.

Jason esquiva un solide gauche et saisit le garde du corps par la cuisse, espérant le déséquilibrer. Autant empoigner la jambe d'un piano. Il fut brutalement relevé. Déjà, il devenait évident pour Jason que le combat était inégal. Il préféra opter pour le dialogue.

— Pourquoi ne pas affronter quelqu'un de votre catégorie ? lança-t-il, exaspéré.

— Parce que j'aime pas les obsédés, répondit le culturiste, soulevant pratiquement Jason de terre.

En se tortillant d'un côté puis de l'autre, Jason parvint à sortir de sa veste et fila dans la ruelle, renversant une poubelle au passage.

— Je vais t'apprendre à venir renifler autour de Carol ! lui lança le costaud avec un coup de pied dans la poubelle en se précipitant derrière Jason.

Mais les années de jogging de celui-ci se révélèrent payantes. Bien que le culturiste fût rapide malgré son gabarit, Jason pouvait entendre son souffle de plus en plus haletant. Il arrivait au bout de la ruelle quand il glissa sur des graviers, perdant un instant son équilibre, se rattrapant à l'instant où une main pesante s'abattait sur son épaule et le faisait pirouetter.

CHAPITRE VII

— Arrêtez ! Police !

La voix claqua dans le silence de la nuit bostonienne. Jason se figea, tout comme le culturiste. Les portières d'une voiture de police banalisée, garée près de la sortie de la ruelle, s'ouvrirent soudain, et trois flics en civil sautèrent sur la chaussée.

— Mains au mur. Jambes écartées, s'entendit commander Jason pour la seconde fois.

Il obéit, mais le culturiste hésita un instant, grommelant enfin à l'adresse de Jason avant de s'exécuter :

— Tu as de la veine ! foutu fils de pute !

— La ferme ! brailla un policier.

Jason et son poursuivant furent vivement fouillés puis retournés, et on leur commanda de mettre les mains sur la tête. Un des flics sortit une torche électrique et vérifia leur identité.

— Bruno De Marco ? demanda l'homme à la lampe au culturiste.

— Oui, fit celui-ci.

La lampe alla éclairer Jason.

— Docteur Jason Howard ?

— C'est exact.

— Qu'est-ce qui se passe ici ? demanda le policier.

— Ce petit emmerdeur essayait d'ennuyer ma copine. Il m'a suivi, lui dit Bruno, outré.

Le policier regarda tour à tour Jason et Bruno puis se rendit à la voiture, ouvrit la portière et prit quelque chose sur le siège arrière. Quand il revint, il tendit à Bruno son portefeuille et lui conseilla de rentrer se coucher. Bruno fit d'abord comme s'il n'avait pas compris, puis il prit le portefeuille.

— On se reverra, connard ! lança-t-il à Jason en disparaissant en direction de Beacon Street.

— Vous, dit le policier, montrant Jason. Dans la voiture.

Jason en fut stupéfié, incapable de croire qu'ils laissaient filer le videur et pas lui. Il allait faire part de ses doléances quand le policier l'empoigna par le bras et le fourra sur le siège arrière.

— Vous êtes devenu un véritable emmerdeur, lui dit l'inspecteur Curran, assis impassible, en train de fumer. J'aurais dû laisser ce costaud vous arranger.

Jason ne sut que répondre.

— J'espère que vous vous rendez compte, continua Curran, que vous bordélisez cette affaire. D'abord, on fait surveiller l'appartement de Hayes, et vous foutez cela en l'air. Ensuite, on surveille Carol Donner, et ça recommence. On pourrait tout aussi bien laisser tomber toute l'opération. Maintenant, nous n'allons certainement pas apprendre grand-chose d'elle. Où est votre foutue bagnole ? Je présume que vous êtes venu en voiture ?

— Juste au coin, dit Jason d'une voix humble.

— Je vous suggère d'y grimper et de rentrer chez vous. Je vous suggère de retourner à la médecine et de nous laisser mener cette enquête. Vous rendez notre boulot impossible.

— Je suis désolé, commença Jason. Je ne pensais pas...

— Foutez le camp ! se borna à dire Curran avec un geste de la main.

Jason descendit de la voiture de police, se sentant parfaitement idiot. Évidemment qu'ils surveillaient Carol. Si elle avait vécu avec Hayes, elle était probablement dans le coup pour la drogue également. En fait, compte tenu de ce qu'elle faisait, c'était quasi certain. Jason repensa à sa veste. Au diable, se dit-il, démarrant pour rentrer chez lui.

Il était 3 h 30 quand il remonta les escaliers en se traînant. Une fois entré, il appela son service, comme il se doit. Il n'avait pas emporté son *beeper* quand il était sorti pour suivre Carol Donner et espérait qu'on ne l'avait pas appelé, se sentant trop las pour faire face à une urgence. Il n'y avait rien de l'hôpital, mais Shirley avait laissé un message lui demandant de la rappeler lorsqu'il rentrerait, quelle que soit l'heure. La standardiste lui dit que c'était urgent

Perplexe, Jason appela. Shirley répondit à la première sonnerie.

— *Où diable étiez-vous ?*

— C'est toute une histoire.

— Rendez-moi un service. Venez immédiatement.

— Il est 3 h 30.

— Je ne vous le demanderais pas si ce n'était important.

Jason passa une autre veste, retourna à sa voiture, et fila vers Brookline, se demandant ce qu'il y avait de si urgent qui ne pût attendre un peu plus. Une seule certitude : il s'agissait de Hayes.

Shirley habitait Lee Street, une artère qui longeait Brookline Reservoir et grimpait en serpentant à travers un quartier résidentiel d'élégantes vieilles demeures. Sa maison, d'assez confortables proportions, était une construction de pierre avec un toit à pentes inégales et des pignons jumeaux. En pénétrant dans l'allée dallée, il vit que la maison était tout éclairée. Il s'arrêta devant l'entrée, et, le temps de descendre, Shirley avait ouvert la porte.

— Merci d'être venu, lui dit-elle, le serrant contre elle.

Vêtue d'un pull de cachemire et d'un jean fané, elle lui parut, pour la première fois depuis qu'il la connaissait, totalement désemparée.

Elle le conduisit dans une vaste salle de séjour et le présenta à deux cadres de l'A.S.M. paraissant, eux aussi, bouleversés. Jason serra d'abord la main de Bob Walthow, un petit homme au crâne qui se dégarnissait, puis de Fred Ingelnook, un sosie de Robert Redford.

— Que diriez-vous d'un cocktail ? proposa Shirley. Vous avez l'air d'en avoir besoin.

— Soda, simplement. Je ne tiens plus debout. Qu'est-ce qui se passe ?

— Encore des ennuis. J'ai eu un appel du service de sécurité. On a pénétré par effraction dans le labo de Hayes qu'on a pratiquement mis à sac.

— Un acte de vandalisme ?

— Nous n'en sommes pas sûrs.

— Peu probable, dit Bob Walthow.

— On a pris quelque chose ? demanda Jason.

— Nous ne savons pas encore, lui répondit Shirley. Mais là n'est pas le problème. Nous ne pouvons le cacher aux journaux, et l'A.S.M. ne peut se permettre encore ce genre de publicité. Nous avons deux grosses boîtes sur le point de donner leur adhésion. Elles vont battre en retraite si elles entendent dire qu'on a fouillé le labo de Hayes pour y trouver de la drogue.

— Possible, dit Jason. Le médecin de l'état civil m'a dit qu'on avait trouvé de la cocaïne dans ses urines.

— Merde, dit Bob Walthow.

— Il nous faut limiter les dégâts ! décida Shirley.

— Et qu'est-ce que vous proposez ? s'enquit Jason, se demandant pourquoi on l'avait appelé.

— Le conseil d'administration insiste pour que ce dernier incident ne s'ébruite pas.

— Ce sera peut-être difficile, commenta Jason, avalant une gorgée de son soda. Les journaux en auront probablement vent par le registre de la police.

— C'est exactement le problème, dit Shirley. Nous

avons décidé de n'en rien dire à la police. Mais nous voulions votre avis.

— Mon avis ? demanda Jason, surpris.

— Eh bien, nous voulons l'avis de l'équipe médicale, précisa Shirley. C'est vous le chef de service, en ce moment.

— C'est bon. Si vous voulez mon opinion personnelle, je pense que ce n'est pas du tout une bonne idée. En outre, vous ne pourrez obtenir de remboursement de l'assurance que si vous en informez la police.

— Très juste, dit Fred Ingelnook.

— D'accord, fit observer Shirley, mais c'est un moidre mal comparé au problème de la publicité.

La conversation s'essouffla, et Shirley renvoya les deux cadres chez eux, retenant Jason, qui allait suivre, le priant de la retrouver à 8 heures ce matin-là.

— J'ai demandé à Helene d'arriver tôt. Peut-être comprendrons-nous un peu ce qui se passe.

— Oui, fit Jason, se demandant toujours pourquoi Shirley n'avait pu lui dire tout cela au téléphone. Mais il se sentait trop fatigué pour s'en soucier et, après un baiser léger sur la joue de Shirley, il regagna péniblement sa voiture, espérant pouvoir dormir deux ou trois heures.

CHAPITRE VIII

Il était à peine plus de 8 heures quand Jason, les yeux chassieux, pénétra dans le bureau de Shirley, lambrissé d'acajou foncé et avec sa moquette verte fixée par des barres de cuivre. La pièce ressemblait davantage au bureau d'un banquier qu'à celui d'un cadre supérieur d'un organisme d'assurance maladie. Shirley, au téléphone, discutait avec un assureur. Jason s'assit et attendit.

— Vous aviez raison pour l'assurance, lui dit-elle après avoir raccroché. Ils n'ont pas l'intention de payer quoi que ce soit tant que l'effraction n'a pas été déclarée.

— Eh bien, déclarez-la.

— Voyons d'abord l'étendue des dégâts et ce qui a disparu.

Ils passèrent dans le bâtiment des visites externes et prirent l'ascenseur jusqu'au cinquième. Un préposé à la sécurité les attendait et ouvrit la porte intérieure. Ils passèrent les bottes de tissu et les blouses blanches.

Tout comme l'appartement de Hayes, son labo était un vrai foutoir. On avait vidé sur le sol tous les tiroirs et armoires, mais apparemment on n'avait pas touché au matériel de haute technologie. Il leur sembla donc manifeste, à l'un et l'autre, qu'il s'était agi d'une fouille et non d'une visite de vandales. Jason jeta un coup d'œil dans le bureau de Hayes également jonché du contenu du tiroir et de celui de plusieurs classeurs.

Helene Brennquivist se présenta sur le seuil de l'animalerie, le visage pâle, les cheveux de nouveau sévèrement tirés, mais sans son habituelle blouse blanche informe. Jason remarqua sa séduisante silhouette.

— Pouvez-vous dire s'il manque quelque chose ? lui demanda Shirley.

— Eh bien, je ne vois pas mon carnet de notes, répondit Helene. Et une partie des cultures de colibacilles a disparu. Mais le pire, c'est ce qui est arrivé aux animaux.

— Quoi donc ? demanda Jason, remarquant que son visage habituellement impassible était agité de tremblements de peur.

— Vous devriez peut-être venir voir. On les a tous tués !

Jason ouvrit la porte d'acier donnant dans l'animalerie et fut immédiatement assailli par une odeur âcre de zoo. Il alluma, éclairant une pièce plus vaste, de quelque quinze mètres de long sur dix de large. Les cages des animaux, disposées en rangées, étaient empilées les unes sur les autres, sur une hauteur de six, parfois.

Jason commença par la rangée la plus proche, regardant dans chaque cage. Derrière lui, la porte se referma avec un claquement définitif. Helene n'avait pas exagéré : tous les animaux que vit Jason étaient morts, hideusement figés dans des positions bizarres, la langue souvent sanglante comme s'ils l'avaient mâchée dans leur agonie terminale.

Soudain, Jason s'immobilisa. En regardant un groupe de cages plus grandes, il découvrit quelque chose qui lui retourna l'estomac : des rats comme il n'en avait jamais vus. Énormes, presque de la taille de cochons, leur queue en forme de fouet aussi épaisse que ses poignets. Et arborant des dents de dix centimètres. Jason, avançant, en arriva à des lapins de la même taille puis à des souris aussi grosses que des petits chiens. Il fut horrifié par cet aspect du génie génétique. Bien qu'effrayé de ce qu'il pourrait découvrir, il continua, poussé par quelque curiosité morbide. Lentement, il regarda dans les autres cages, découvrant des altérations de créatures familières qui lui donnèrent envie de vomir. C'était la science en folie : lapins à plusieurs têtes, souris aux pattes surnuméraires et paires d'yeux multiples. Pour lui, la manipulation génétique de bactéries primitives était une chose ; l'altération de mammifères, une tout autre affaire.

Il battit en retraite vers la partie centrale du labo où Shirley et Helene s'étaient livrées à la vérification des cultures de scintillation.

— Vous avez vu les animaux ? demanda Jason, écœuré, à Shirley.

— Malheureusement. Lorsque Curran était ici. Ne m'en parlez pas.

— Est-ce que l'A.S.M. autorise de telles expériences ?

— Non. Nous n'avons jamais posé de questions à Hayes. Jamais nous n'avons pensé que nous le devions.

— La puissance de la célébrité, commenta Jason, sarcastique.

— Les animaux faisaient partie du travail de recherche du docteur Hayes sur l'hormone de croissance, dit Helene pour sa défense.

— N'importe, dit Jason qui ne tenait pas à se livrer à une discussion sur l'éthique avec Helene pour l'instant. En tout cas, ils sont tous morts.

— Tous ? demanda Shirley. Comme c'est bizarre. Que s'est-il passé, d'après vous ?

— Empoisonnés, gronda Jason. Encore que je ne vois pas pourquoi quelqu'un qui cherchait de la drogue se serait soucié de tuer des animaux de laboratoire.

— Avez-vous quelque explication à tout cela ? demanda Shirley, furieuse, en se tournant vers Helene.

Non, fit la jeune femme de la tête, fouillant nerveusement la pièce du regard.

Shirley continua à fixer des yeux Helene, qui dansait maintenant d'un pied sur l'autre, mal à l'aise. Jason observait, intrigué par le comportement subitement agressif de Shirley.

— Vous feriez mieux de collaborer, disait-elle à Helene, ou vous allez avoir des tas d'ennuis. Le docteur Howard est convaincu que vous nous cachez quelque chose. Si c'est exact, et si nous découvrons quoi, j'espère que vous réalisez les répercussions que cela aura sur votre carrière.

Helene finit par laisser percer son anxiété.

— Je n'ai fait que suivre les ordres du docteur Hayes, dit-elle d'une voix qui se brisa.

— Quels ordres ? insista Shirley, baissant la voix, menaçante.

— Nous avons un peu travaillé en indépendants, ici...

— *Quelle sorte de travail ?*

— Le docteur Hayes travaillait au noir pour une société appelée Gene Inc. Nous avons développé une souche de recombinaison de colibacilles pour produire une hormone pour eux.

— Vous saviez que le contrat du docteur Hayes interdisait expressément tous travaux pour l'extérieur ?

— C'est ce qu'il m'a dit, reconnut Helene.

Shirley la regarda fixement encore longtemps et lui dit finalement :

— Je veux que vous ne parliez de cela à personne. Je veux que vous me dressiez une liste détaillée de tous les animaux morts, de tout ce qui a disparu ou de ce qui a été endommagé dans le laboratoire et que vous me la remettiez directement. Vous avez compris ?

— Oui, fit Helene.

Shirley et Jason sortirent du labo. Elle avait de toute évidence réussi là où il avait échoué, parvenant à forcer la façade d'Helene. Mais elle n'avait pas posé les bonnes questions.

— Pourquoi ne l'avez-vous pas pressée quant à la découverte de Hayes ? demanda-t-il alors qu'ils arrivaient à l'ascenseur.

Shirley appuya plusieurs fois sur le bouton, manifestement furieuse.

— Je n'y ai pas pensé. Chaque fois que je crois que nous maîtrisons l'affaire Hayes, quelque chose de nouveau surgit. J'avais expressément fait mentionner la clause d'exclusivité dans son contrat.

— Ça n'a plus grande importance maintenant, dit Jason en pénétrant dans l'ascenseur après Shirley. Le bonhomme est mort.

— Vous avez raison, soupira-t-elle. Je réagis peut-être trop violemment. Je voudrais seulement que toute cette affaire soit terminée.

— Je persiste à penser qu'Helene en sait davantage qu'elle veut bien le dire.

— Je retournerai lui parler.

— Après avoir vu ces animaux, vous ne pensez pas qu'on devrait appeler la police ?

— Avec la police, nous aurons les journaux, lui rappela Shirley. Et avec les journaux les ennuis. Les animaux mis à part, il ne semble pas qu'on ait endommagé quoi que ce soit de précieux.

Jason se garda de tout commentaire. La déclaration de l'effraction était évidemment du domaine de l'administratif. Il s'intéressait davantage à ce qu'avait découvert Hayes, et savait que la police et les journaux ne seraient d'aucune aide en la matière. Il se demanda si la découverte ne concernait pas les animaux monstrueux. Cette pensée le fit frissonner.

Il commença ses visites par Matthew Cowen. Malheureusement, son état avait empiré. Outre ses autres ennuis, Matthew se comportait bizarrement, maintenant. Quelques instants plus tôt, les infirmières l'avaient trouvé dans le couloir, marmonnant des mots incohérents. Quand Jason pénétra dans la salle, il le vit entravé sur son lit, le regardant comme un étranger. L'homme était tout à fait perdu quant au lieu où il se trouvait, à l'heure, aux personnes. Pour Jason, cela ne pouvait signifier qu'une seule chose. Des embols, probablement des caillots de sang, avaient essaimé de ses valvules cardiaques endommagées jusqu'au cerveau. En d'autres termes, il avait fait une attaque cérébrale, ou même plusieurs.

Aussitôt, Jason demanda une consultation du neurologue. Et également celle du chirurgien cardiologue qui s'en était occupé. Il envisagea de le placer aussitôt sous anticoagulants, mais décida de prendre l'avis du neurologue. En attendant, il fit administrer de l'aspirine et de la Persantine au patient pour réduire les risques d'agrégation plaquettaire. Ces attaques constituaient une évolution inquiétante et de mauvais augure.

Il termina ses visites rapidement et allait rentrer

chez lui pour rattraper un peu du sommeil dont il avait grand besoin quand on l'appela à la salle des urgences. Jurant dans sa barbe, il descendit vivement, espérant que le problème, quel qu'il soit, pourrait être facilement résolu. Malheureusement, ce ne devait pas être le cas.

Arrivant tout essoufflé dans la salle de soins principale, il y trouva un groupe de médecins en train de tenter de réanimer une patiente dans le coma. Un rapide coup d'œil sur l'écran du moniteur lui indiqua une activité cardiaque nulle.

Judith Reinhart lui apprit que la patiente avait été découverte inconsciente par son mari quand il avait tenté de la réveiller, le matin.

— Est-ce que les ambulanciers ont constaté une activité cardiaque ou respiratoire ?

— Aucune. En fait, elle me paraît froide.

Jason toucha la jambe de la femme et opina. Il ne voyait pas son visage, tourné de l'autre côté.

— Comment s'appelle la patiente ? demanda Jason, s'apprêtant intuitivement à recevoir un choc.

— Holly Jennings.

— Mon Dieu ! murmura Jason, avec l'impression d'avoir été frappé à l'estomac.

— Ça va ? lui demanda Judith.

— Oui, fit Jason, mais il insista pour que l'équipe de réanimation continue le monitorage au-delà des limites du raisonnable. Il avait soupçonné des ennuis quand il avait vu Holly le jeudi précédent, mais pas cela. Il ne pouvait tout simplement pas admettre le fait que, tout comme Cedric Harring, Holly devait mourir moins d'un mois après que la visite élaborée qu'elle avait passée l'eût trouvée en bonne santé.

Secoué, Jason décrocha le téléphone et appela Margaret Danforth.

— Encore une fois, pas d'affection cardiaque ? lui demanda Margaret.

— Exact.

— Mais qu'est-ce que vous faites donc, là-bas ?

Jason ne répondit pas. Il souhaitait que Margaret leur laisse pratiquer l'autopsie à l'A.S.M., mais Margaret hésita.

— Nous ferons cela aujourd'hui même, lui dit Jason. Vous aurez un rapport au début de la semaine prochaine.

— Navrée, dit Margaret, prenant sa décision. Je me pose des questions et je me sens obligée, de par la loi, de pratiquer l'autopsie.

— Je comprends, mais je suppose que vous voudrez bien nous adresser des prélèvements que nous pourrons également traiter.

— Je le suppose, répondit Margaret, sans enthousiasme. À vrai dire, je ne sais même pas si c'est légal. Mais je vais voir.

Jason rentra chez lui et tomba sur son lit. Il dormit quatre heures, coupées une fois par un coup de fil du neurologue concernant Matthew, qui souhaitait mettre le patient sous anticoagulants et lui faire passer une scannographie. Jason le pria de faire ce qu'il jugeait le plus utile.

Il essaya de se rendormir, mais n'y parvint pas tant il était choqué et anxieux. Il se leva par une triste journée de fin d'automne avec une légère bruine qui rendait Boston sinistre. Luttant contre la déprime, il arpenta son appartement, cherchant de quoi s'occuper l'esprit. Comprenant qu'il ne pouvait demeurer là, il passa des vêtements sport et descendit à sa voiture. Bien que conscient d'aller probablement au devant d'ennuis, il roula jusqu'à Boston Street et se gara devant chez Carol.

Dix minutes plus tard, comme si Dieu avait enfin décidé de lui accorder une trêve, Carol apparut. Vêtue d'un jean et d'un pull à col roulé, avec son épaisse chevelure châtaine tirée en queue de cheval, elle ressemblait à la jeune étudiante qu'annonçait le Club Cabaret. Sous la légère bruine, elle ouvrit un parapluie à fleurs et remonta la rue, passant à quelques mètres de Jason, qui, tassé sur le siège de sa voiture, craignit contre toute vraisemblance qu'elle le reconnaisse.

Jason lui laissa prendre une bonne avance puis descendit pour la suivre à pied. Il la perdit sur Dartmouth Street, mais l'aperçut de nouveau sur Commonwealth Avenue. Tout en continuant à la suivre, il ouvrait l'œil sur d'éventuels Bruno ou Curran. À l'angle de Dartmouth et de Boylston, il s'arrêta à un kiosque à journaux et se mit à feuilleter un périodique. Carol passa devant lui, attendit le feu vert puis se hâta de traverser Boylston Street. Jason scruta le visage des automobilistes, guettant quelque chose de suspect. Mais rien ne lui laissa supposer que Carol n'était pas seule.

Elle passait maintenant devant la bibliothèque publique de Boston, et Jason se dit qu'elle devait se rendre au centre commercial de Copley Plaza. Après avoir acheté la revue qu'il feuilletait — *The New Yorker* —, Jason continua à la suivre. Quand elle replia son parapluie et entra dans Copley Plaza, il pressa le pas. Dans ce vaste complexe marchand et hôtelier, il savait qu'il pouvait facilement la perdre.

Pendant les trois quarts d'heure qui suivirent, il feignit de lécher les vitrines, de lire son *New Yorker*, et de s'intéresser à la foule. Carol passa joyeusement de Louis Vuitton à Ralph Lauren et Victoria's Secret. Un instant, Jason crut qu'on la suivait, mais le type devait simplement essayer de la draguer. Apparemment, elle l'envoya promener quand il l'aborda finalement car il disparut sans demander son reste.

Un peu après 15 h 30, Carol prit ses paquets et son parapluie et se réfugia à la cafétéria Au bon pain. Jason suivit, se tenant derrière elle tandis qu'ils attendaient de passer leur commande et en profita pour s'attarder sur son joli visage ovale, sa peau mate et lisse et ses grands yeux sombres. C'était une jeune femme vraiment séduisante. Dans les vingt-quatre ans, se dit Jason.

— Belle journée pour un café, lança-t-il, espérant entamer une conversation.

— Je préfère le thé.

Jason eut un sourire timide. Il n'était pas très brillant pour la drague ou le baratin.

— Le thé aussi, ce n'est pas mauvais, dit-il, persuadé qu'il était en train de se rendre ridicule.

Carol commanda un potage, du thé et un croissant tout simple puis emporta son plateau à l'une des grandes tables.

Jason prit un capucino et, hésitant comme s'il ne trouvait pas de place où s'asseoir, s'approcha de la table.

— Vous permettez ? demanda-t-il, tirant une chaise.

Plusieurs personnes, à la table, levèrent les yeux, y compris Carol. Un homme repoussa ses achats. Jason s'assit, adressant à la ronde un sourire un peu contraint.

— Quelle coïncidence, dit-il à Carol. Voilà qu'on se retrouve.

Carol lui lança un regard par-dessus sa tasse de thé. Elle ne dit pas un mot, mais c'était superflu. Son expression témoignait de son irritation.

Jason comprit aussitôt que tout son manège ressemblait fort à une tentative de « lever » la fille et qu'on allait l'envoyer promener.

— Je vous prie de m'excuser, ajouta-t-il. Je ne voulais pas être importun. Je suis le docteur Jason Howard. Un confrère du docteur Alvin Hayes. Vous êtes Carol Donner, et j'aimerais beaucoup bavarder avec vous.

— Vous travaillez à l'A.S.M. ? demanda Carol, méfiante.

— J'en suis actuellement le chef de service, précisa Jason, faisant pour la première fois état d'un titre qui, dans un hôpital normal, représentait beaucoup, mais, à l'A.S.M., ne faisait que prétentieux.

— Qu'est-ce qui me le prouve ?

— Je peux vous montrer ma carte.

— D'accord.

Jason mit la main à son portefeuille, mais Carol lui arrêta le bras.

— C'est bon, dit-elle. Je vous crois. Alvin m'a parlé de vous. Il disait que vous étiez le meilleur médecin de la boîte.

— J'en suis flatté, dit Jason, surpris, étant donné ses brefs contacts avec Hayes.

— Désolée de me montrer méfiante, mais on m'importune beaucoup, surtout depuis quelques jours. Que vouliez-vous me dire ?

— Vous parler du docteur Hayes. D'abord, je voudrais vous dire que sa mort a été une véritable perte pour moi. Vous avez toute ma sympathie.

Carol haussa les épaules, et Jason ne sut pas très bien comment interpréter cette réaction.

— J'ai toujours du mal à croire que le docteur Hayes avait quelque chose à voir avec la drogue. Étiez-vous au courant ? demanda-t-il.

— Oui. Mais les journaux n'ont rien compris. Alvin en prenait très peu. De la marihuana, d'ordinaire, mais aussi de la cocaïne, à l'occasion.

— Ce n'était pas un dealer ?

— Absolument pas. Vous pouvez me croire, je l'aurais su.

— Mais on a trouvé chez lui pas mal de drogue et d'argent liquide.

— La seule explication que je puisse donner, c'est que la police a mis la drogue et l'argent dans l'appartement. Alvin en était toujours à court — de l'une et de l'autre. Quand, par hasard, il avait un peu d'argent, il l'envoyait à sa famille.

— Vous voulez dire à son ex-femme ?

— Oui. Elle a la garde de ses enfants.

— Pourquoi la police ferait-elle une chose pareille ? demanda Jason, se disant que la réflexion de Carol faisait écho à la paranoïa de Hayes.

— Je ne sais pas, en fait. Mais je ne vois pas comment la drogue serait arrivée là, sans cela. Je peux vous assurer qu'elle n'y était pas quand j'en suis partie à 21 heures, ce soir-là.

Jason se pencha, baissant la voix.

— Le soir où le docteur Hayes est mort, il m'a dit avoir fait une importante découverte. Est-ce qu'il vous en a parlé ?

— Il m'en a vaguement parlé. Mais il y a des mois de cela.

Jason se permit un instant d'optimisme. Mais Carol expliqua ensuite qu'elle ne savait pas de quoi il s'agissait.

— Il ne se confiait pas à vous ?

— Pas ces derniers temps. Nous nous étions séparés, en quelque sorte.

— Mais vous viviez ensemble — ou est-ce que les journaux se sont également trompés sur ce point ?

— Nous vivions ensemble, reconnut Carol, mais à la fin nous partagions simplement l'appartement. Nos rapports s'étaient détériorés. Il avait beaucoup changé. Et pas seulement parce qu'il était physiquement malade ; c'est toute sa personnalité qui avait changé. Il paraissait renfermé, presque paranoïaque. Il parlait sans cesse d'aller vous voir, et j'ai essayé de le persuader de le faire.

— Vous n'avez vraiment aucune idée de la nature de sa découverte ? insista Jason.

— Désolée, confirma Carol, avec un geste d'excuse. La seule chose dont je me souvienne, c'est qu'il a dit que sa découverte constituait une ironie. Je m'en souviens parce que cela m'a paru une curieuse façon de parler d'un succès.

— Il m'a dit la même chose.

— Du moins était-il logique. Son seul autre commentaire a été que, si tout se passait bien, j'allais apprécier parce que j'étais belle. Ce sont ses paroles exactes.

— Il ne s'est pas expliqué ?

— C'est tout ce qu'il a dit.

Jason avala une gorgée de son capucino et regarda le visage de Carol. Comment une découverte ironique pourrait-elle apporter quelque chose à sa beauté ? Il essaya de faire un rapport entre cette déclaration et l'éventualité que la découverte de Hayes pût être un remède contre le cancer. Ça ne collait pas.

Carol finit son thé et se leva.

— Heureuse d'avoir fait votre connaissance, dit-elle, lui tendant la main.

Jason se leva également, rattrapant maladroitement sa chaise pour l'empêcher de se renverser, déconcerté par le soudain départ de Carol.

— Je ne voudrais pas me montrer impolie, dit-elle, mais j'ai un rendez-vous. J'espère que vous résoudrez le mystère. Alvin travaillait très dur. Ce serait tragique qu'il ait découvert quelque chose d'important qui se soit perdu.

— C'est exactement ce que je pense, dit Jason, souhaitant désespérément ne pas la voir disparaître. Est-ce que nous pourrons nous revoir ? Il y a tant de choses dont je souhaiterais m'entretenir avec vous.

— Je le suppose. Mais je suis très prise. Quand désirez-vous qu'on se revoie ?

— Que diriez-vous de demain ? proposa Jason avec empressement. Le brunch du dimanche.

— Tard, dans ce cas. Je travaille la nuit et particulièrement le samedi.

Évidemment, se dit Jason.

— Je vous en prie, insista-t-il. Cela pourrait être important.

— D'accord. Disons 14 heures. Où cela ?

— Que diriez-vous de Hampshire House ?

— D'accord, dit Carol, ramassant ses paquets et son parapluie, et quittant le café avec un dernier sourire.

Carol consulta sa montre et hâta le pas. Sa rencontre inattendue avec Jason n'était pas prévue dans un emploi du temps chargé, et elle ne voulait pas être en retard à son rendez-vous avec le prof qui la conseillait pour son mémoire. Elle avait passé toute la fin de la soirée et le début de l'après-midi à polir le troisième chapitre de son mémoire, et il lui tardait d'entendre les commentaires du prof. Elle descendit dans la rue par l'escalier roulant, songeant à sa conversation avec le docteur Howard.

Sa rencontre avec cet homme avait constitué une surprise après avoir pendant si longtemps entendu parler de lui. Alvin lui avait dit que Jason avait perdu sa femme et qu'il avait réagi à cette tragédie en changeant complètement ses habitudes et en se plongeant dans le travail. Carol avait jugé cette histoire fascinante car il était question, dans sa thèse, de la psychologie du chagrin. Le docteur Jason Howard paraissait constituer un parfait sujet d'étude.

Le portier du Weston Hotel appela un taxi d'un coup de sifflet dont la stridence vrilla les oreilles de Carol, la faisant grimacer. Tandis que le taxi s'approchait, elle reconnut que sa réaction à l'égard du docteur Jason Howard dépassait le cadre d'un intérêt purement professionnel. Elle trouvait à l'homme un charme insolite et réalisa que le fait qu'elle connût ses points sensibles contribuait à ce charme. Même sa gaucherie était attachante.

— Harvard Square, dit-elle en montant dans le taxi.

Et elle se prit à songer avec une certaine impatience au brunch du lendemain matin.

Toujours assis devant son café qui refroidissait, Jason s'avoua avoir été tout à fait sidéré par l'intelligence et le charme surprenants de Carol. Il s'était attendu à une fille un peu simplette, débarquée de sa province et poussée à abandonner le lycée par les charmes de l'argent ou de la drogue. Et voilà qu'il était tombé sur une femme charmante, épanouie, tout à fait capable de tenir sa place dans n'importe quelle conversation. Quelle tragédie qu'une fille dotée manifestement de telles qualités se soit trouvée mêlée au monde sordide dans lequel elle évoluait...

Le bruit persistant et discordant de son *beeper* le ramena à la réalité. Il arrêta l'appareil et consulta son affichage digital. Le mot « Urgent » clignota deux fois, suivi d'un numéro de téléphone qui ne rappela rien à Jason. Après avoir vu sa carte professionnelle, le directeur de la cafétéria Au bon pain lui permit d'utiliser le téléphone qui se trouvait derrière la caisse enregistreuse.

— Merci d'avoir appelé, docteur Howard. Ici Mme Farr. Mon mari, Gerald Farr, souffre de terribles douleurs thoraciques et a du mal à respirer.

— Appelez une ambulance. Faites-le conduire aux urgences de l'A.S.M. M. Farr est-il un de mes patients ?

Le nom lui disait quelque chose, mais il ne parvenait pas à le situer.

— Oui. Vous lui avez fait passer un examen médical, il y a deux semaines. Il est premier vice-président de la Boston Banking Company.

Oh, non, se dit Jason en raccrochant. *Voilà que ça recommence.* Il décida de laisser sa voiture sur Beacon Street jusqu'à ce qu'il ait réglé cette urgence et fila du café par le passage piétonnier qui donnait sur le côté hôtel du complexe de Copley Plaza. Il sauta dans un taxi.

Il arriva à la salle des urgences avant les Farr, annonça à Judith la nature de l'urgence attendue et appela même les anesthésistes, heureux d'entendre que c'était Philip Barnes qui se trouvait de garde.

En voyant Gerald Farr, Jason sut aussitôt que ses pires craintes étaient fondées. L'homme souffrait atrocement, le teint d'une pâleur de craie, des gouttes cristallines de transpiration perlant à son front.

Le premier électrocardiogramme révéla qu'une importante zone du cœur de l'homme avait été lésée. Le cas ne s'annonçait pas facile. Morphine et oxygène aidèrent à calmer le malade, et on lui administra de la lidocaïne, destinée à réduire les troubles du rythme. Mais, malgré toute cette thérapeutique, Farr ne réagissait pas. En examinant l'E.C.G., Jason eut le sentiment que la zone touchée par l'infarctus s'étendait.

En désespoir de cause, il tenta tout ce qui était possible. En vain. A 15 h 55, les yeux de Gerald Farr se révulsèrent, et son cœur s'arrêta.

Refusant de renoncer, comme à son habitude, Jason ordonna que l'on tente une réanimation. Plusieurs fois, on réussit à faire repartir le cœur, mais chaque fois il s'arrêta.

Farr ne reprit jamais connaissance. À 18 h 15, Jason déclara finalement que le patient était décédé.

— Merde ! dit-il, dégoûté de lui et de la vie en général.

Il n'était pas dans ses habitudes de jurer, et cela n'échappa pas à Judith Reinhart. Elle posa son front sur l'épaule de Jason et lui passa le bras autour du cou.

— Jason, vous avez fait de votre mieux, lui dit-elle. Mieux que quiconque aurait pu faire. Mais nos possibilités sont limitées.

— Il n'a que cinquante-huit ans, dit Jason, refoulant des larmes de frustration.

Judith fit sortir de la salle les autres infirmières et les médecins. Elle revint à Jason et lui posa la main sur l'épaule.

— Regardez-moi, Jason, dit-elle.

À contrecœur, Jason tourna la tête vers l'infirmière. Une unique larme avait coulé de son œil le long de son nez. Doucement mais fermement, elle dit à Jason qu'il ne pouvait réagir si affectivement à ces accidents.

— Je sais que deux en une seule journée, cela fait un terrible fardeau, ajouta-t-elle. Mais ce n'est pas votre faute.

Rationnellement, Jason savait qu'elle avait raison, mais, sur le plan émotionnel, c'était autre chose. En outre, Judith ne pouvait savoir à quel point l'état de ses malades hospitalisés était préoccupant, notamment celui de Matthew Cowen, et Jason se trouvait gêné de le lui dire. Pour la première fois, il envisagea sérieusement de renoncer à la médecine. Malheureusement, il n'avait aucune idée de ce qu'il pourrait faire. Il n'avait aucune autre formation.

Après avoir assuré à Judith qu'il se sentait mieux, il alla retrouver Mme Farr, se cuirassant contre une colère prévisible. Mais Mme Farr, plongée dans son chagrin, avait décidé de supporter seule le poids de la culpabilité. Depuis une semaine, son mari se plaignait de ne pas se sentir bien, dit-elle, mais elle avait ignoré ses plaintes parce que, franchement, il avait toujours été un malade imaginaire. Jason tenta de la réconforter, tout comme Judith l'avait fait avec lui et à peu près avec autant de bonheur.

Certain que le médecin de l'état civil voudrait voir le cas, Jason ne voulut pas ennuyer Mme Farr en lui demandant l'autorisation d'autopsier son mari. Légalement, le médecin de l'état civil n'avait pas besoin d'autorisation pour pratiquer une autopsie dans les cas de décès survenus pour des causes discutables. Mais, pour plus de certitudes, il appela Margaret Danforth. Sa réponse le confirma dans son idée : effectivement, elle voulait voir le cas et, profitant d'avoir Jason au bout du fil, elle lui parla de Holly Jennings.

— Je retire ma réflexion de ce matin, lui dit Margaret. Vous n'avez pas de chance, c'est tout. L'état de Mme Jennings était tout aussi critique que celui de Cedric Harring. Pas seulement le cœur, mais tout le système vasculaire.

— Ce n'est pas une consolation. Elle sortait à peine d'un examen ayant montré que tout allait bien. J'ai fait un E.C.G. de contrôle jeudi, mais qui n'a révélé que des modifications mineures.

— Sans blague ? Attendez de voir les lames. Les coronaires sont apparues obstruées à 90 p. 100. Et pas localement, tout était envahi. Une opération aurait été parfaitement inutile. Oh ! au fait ! Je me suis assurée qu'on pouvait vous confier des prélèvements pour le cas Jennings. Mais il me faut une demande écrite.

— Pas de problème, dit Jason. Idem avec Farr ?

— Bien sûr.

Malgré le brouillard et la pluie, Jason alla faire son jogging. Trempé et crotté, il se sentit plus apaisé, et une douche le soulagea quelque peu du fardeau de ses émotions et de son état dépressif. Au moment où il allait songer à s'occuper de son repas, Shirley l'appela pour l'inviter à dîner. Sa première réaction fut de refuser. Puis il admit qu'il se sentait trop déprimé pour demeurer seul et il accepta. Après avoir passé des vêtements plus appropriés, il descendit à sa voiture et partit vers Brookline.

L'appareil du vol direct 409 Miami-Boston des Eastern Airlines prit un virage serré pour l'approche finale. Il se posa à 7 h 37, alors que Juan Diaz refermait son magazine et jetait un regard sur Boston plongé dans le brouillard. C'était son second voyage dans cette ville, et cela ne l'enchantait guère. Il se demanda comment on pouvait choisir de vivre sous un tel climat. Il pleuvait déjà lors de son premier voyage, à peine quelques jours plus tôt. Il regarda la piste, y vit le vent et la pluie qui balayaient les flaques, et songea avec nostalgie à Miami, où la fin de l'automne apportait enfin un répit à la chaleur brûlante de l'été.

Tirant son sac de sous le siège devant lui, Juan se demanda combien de temps il lui faudrait rester à Boston. Il se souvint d'y avoir passé deux jours, lors de son précédent voyage, et il n'avait rien eu à y faire. Il se demanda s'il serait aussi verni cette fois-ci. Après tout, il empochait ses 5 000 dollars en tout état de cause.

L'appareil roula vers le terminal. Juan regarda autour de lui avec un sentiment d'orgueil. Si sa famille, à Cuba, pouvait être ici maintenant. Comme ils seraient surpris de le voir là, voyageant en première classe. Après une condamnation à la prison à vie par le gouvernement de Castro, on l'avait libéré huit mois plus tard à peine pour l'expédier à Mariel et de là, à sa grande surprise, aux États-Unis. Ce devait être sa punition pour plusieurs meurtres et viols — expédié aux États-Unis ! Il était tellement plus facile de se livrer à ces activités dans ce pays. Juan se dit que, s'il existait une personne au monde à qui il souhaitait serrer la main, c'était bien ce cultivateur de cacahouètes de Géorgie qui avait pour nom Jimmy Carter.

Après une dernière secousse, l'appareil s'immobilisa. Juan se leva et s'étira. Il prit son sac et se prépara à aller récupérer ses bagages. Cela fait, il prit un taxi pour le Royal Sonesta Hotel où il se fit inscrire sous le nom de Carlos Hernández, de Los Angeles. Il possédait même une carte de crédit à ce nom, avec un numéro tout à fait réel. Il savait que le numéro était bon car il l'avait pris sur un reçu trouvé au centre commercial de Bal Harbour, à Miami.

Une fois confortablement détendu dans sa chambre, avec son deuxième costume de soie pendu dans l'armoire, Juan s'assit au bureau et appela un numéro qu'on lui avait donné à Miami. Quand on décrocha, il indiqua à son interlocuteur qu'il lui fallait un pistolet, de préférence un calibre 22. Cette affaire réglée, il sortit le nom et l'adresse de son contrat, recherchant l'endroit sur la carte fournie par l'hôtel. Ce n'était pas très loin.

La soirée avec Shirley fut une réussite complète. Poulet rôti, artichauts et riz sauvage pour le dîner, suivi d'un Grand Marnier pris devant la cheminée du salon en bavardant. Jason apprit que le père de Shirley était médecin et qu'elle avait envisagé, un temps, de suivre ses traces.

— Mais mon père m'en a dissuadée, lui avoua Shirley. Il disait que la médecine était en train de changer.

— Ce en quoi il avait raison.

— Il m'a dit qu'elle allait être prise en main par les

grosses boîtes et que, si l'on s'intéressait à la profession, c'était vers la gestion qu'il fallait se diriger. J'ai donc choisi une école de commerce, et je pense avoir fait le bon choix.

— J'en suis convaincu, dit Jason, songeant à l'invasion de la paperasserie et aux dilemmes que posaient les fautes professionnelles.

Effectivement, la médecine avait changé. Le fait qu'il travaillait maintenant comme salarié pour une société en était la preuve. Lorsqu'il était étudiant, il avait toujours imaginé faire de la médecine libérale. Ce qui constituait une partie de l'attrait de la profession.

Vers la fin de la soirée, se fit sentir une certaine gêne. Jason déclara qu'il ferait mieux de rentrer, mais Shirley le poussa à rester.

— Vous croyez que ce serait une bonne idée ?

— Oui, fit Shirley.

Jason n'en était pas convaincu, disant qu'il devait se lever tôt pour ses visites et qu'il ne voulait pas la déranger. Shirley insista, prétendant qu'elle se levait normalement à 7 h 30, y compris le dimanche.

Ils se regardèrent quelques instants, le feu de la cheminée faisant rayonner le visage de Shirley.

— Vous n'y êtes nullement obligé, dit doucement Shirley. Je sais que nous ne devons pas nous hâter. Restons simplement ensemble. Nous sommes stressés l'un et l'autre.

— D'accord, fit Jason, reconnaissant qu'il n'avait pas la force de résister.

En outre, l'insistance de Shirley le flattait. Et puis l'idée qu'il pouvait s'intéresser à quelqu'un d'autre, et quelqu'un d'autre à lui, lui paraissait de plus en plus possible.

Mais Jason ne put avoir une nuit complète de sommeil. À 3 h 30, sentant une main sur son épaule, il se réveilla, un instant perdu quant à l'endroit où il se trouvait. Dans la pénombre, il devina à peine le visage de Shirley.

— Désolée de devoir vous ennuyer, annonça-t-elle d'une voix douce en tendant le téléphone de la table de nuit, mais je crains que le coup de fil ne soit pour vous.

Jason prit l'appareil et la remercia. Il n'avait pas entendu la sonnerie. Il se souleva sur un coude et porta le récepteur à son oreille, convaincu qu'il s'agissait d'une mauvaise nouvelle. C'était bien le cas. On avait trouvé Matthew Cowen mort dans son lit. Il avait vraisemblablement succombé à une brutale attaque cérébrale.

— Est-ce qu'on a prévenu la famille ? demanda Jason.

— Oui, lui répondit l'infirmière. Ils habitent Minneapolis et ont dit qu'ils arriveraient dans la matinée.

Jason remercia l'infirmière et, l'esprit ailleurs, repassa l'appareil à Shirley.

— Des ennuis ? demanda-t-elle en raccrochant.

— Oui, fit Jason, pour qui les ennuis devenaient monnaie courante. Un de mes jeunes patients est mort, expliqua-t-il. Trente-cinq ans environ. Il avait fait un rhumatisme articulaire aigu et se trouvait en cours d'examen pour une intervention chirurgicale.

— Il avait le cœur en mauvais état ?

— Très, dit Jason, revoyant le visage de Matthew à son arrivée à l'hôpital. Trois de ses quatre valvules cardiaques étaient endommagées, et il aurait fallu les remplacer.

— Aucune certitude de guérison, donc.

— Aucune certitude. Le remplacement de trois valves peut se révéler délicat. Il faisait de l'insuffisance cardiaque depuis un certain temps, avec répercussions sur le cœur, les poumons, les reins et le foie. Nous aurions eu des problèmes, mais il avait l'âge pour lui.

— C'est peut-être mieux ainsi. Cela lui a peut-être épargné bien des souffrances. Il aurait passé le reste de sa vie à entrer à l'hôpital et à en sortir.

— Peut-être, admit Jason, sans conviction, sachant bien ce que faisait Shirley : elle essayait de le mettre plus à l'aise. Il lui tapota la cuisse par-dessus le mince tissu de la robe de chambre et ajouta : Merci de votre soutien.

La nuit lui parut horriblement froide quand il gagna sa voiture. Il pleuvait toujours, et même plus fort, en fait. Il mit le chauffage et se frotta les cuisses pour activer la circulation. Au moins il n'y avait pas d'embouteillage. À 4 heures du matin, un dimanche, la ville était déserte. Shirley avait tenté de le persuader de rester, lui disant qu'il n'y avait plus rien à faire puisque l'homme était mort et que la famille n'était pas arrivée. Certes, tout cela était exact, mais Jason avait le sentiment d'une obligation dont il ne pouvait se soustraire à l'égard de son malade. En outre, il savait qu'il ne pourrait retrouver le sommeil. Pas avec une mort de plus sur la conscience.

Le parking de l'hôpital était quasi désert, et il put se garer tout près de l'entrée et non à sa place habituelle, sous l'aile des consultations externes. En descendant de sa voiture, absorbé dans ses pensées pour ce qui était de Matthew Cowen, il ne remarqua pas une silhouette dans l'obscurité près de la porte de l'hôpital. Contournant sa voiture, la silhouette arriva brutalement sur lui. Jason, totalement surpris, poussa un cri. Mais ce n'était qu'un clochard qui fréquentait les urgences et qui venait mendier une pièce. D'une main tremblante, Jason lui glissa 1 dollar, espérant que l'homme s'achèterait quelque nourriture.

Shirley avait raison. Jason ne put qu'ajouter une ultime note au dossier de Matthew Cowen. Il entra voir le corps. Pour seule consolation : le visage de Matthew paraissait calme, et, ainsi que l'avait fait observer Shirley, toute souffrance lui était désormais épargnée. En silence, Jason s'excusa auprès du mort.

Il fit ensuite appeler l'interne de service pour qu'il prie la famille d'autoriser une autopsie. Il ajouta qu'il ne serait peut-être pas libre immédiatement. Après quoi, plus abattu que jamais après ces trois décès, il quitta l'hôpital et regagna son appartement. Il s'allongea un instant, fixant le plafond des yeux, incapable de s'endormir, se demandant quel boulot on pourrait lui proposer dans l'industrie pharmaceutique.

CHAPITRE IX

Cedric Harring, Brian Lennox, Holly Jennings, Gerald Farr, et maintenant Matthew Cowen. Jamais Jason n'avait perdu autant de patients en si peu de temps. Toute la nuit, le défilé de leurs visages avait hanté ses rêves, et, quand il s'éveilla, vers 11 heures, il était aussi épuisé que s'il n'avait pas fermé l'œil. Il se contraignit à courir ses neuf kilomètres dominicaux puis se doucha et s'habilla avec soin d'une chemise jaune pâle au col et aux poignets blancs, d'un pantalon marron et d'une veste à carreaux dans les mêmes tons de brun, de toile et de soie. Il fut heureux d'avoir le rendez-vous avec Carol pour lui apporter un peu de distraction.

La Hampshire House se trouvait sur Beacon Street et donnait sur les jardins publics de Boston. Contrastant avec la pluie du samedi, le soleil brillait dans un ciel parsemé de nuages. Le drapeau américain, au mât dressé au-dessus de l'entrée du Hampshire, claquait sous la brise de cette fin d'automne. Jason arriva en avance et demanda une table au rez-de-chaussée, dans la grande salle de devant. Un feu pétillait agréablement tandis qu'un pianiste enchaînait une série de vieux succès.

Jason regarda les clients autour de lui, tous respectablement vêtus et plongés dans des conversations animées, inconscients, de toute évidence, des horreurs médicales qui s'abattaient sur leur ville... Et

Jason se dit qu'il convenait de ne pas laisser son imagination s'emballer. Une demi-douzaine de morts, ça n'était pas une épidémie. En outre, il n'était même pas certain d'une origine infectieuse. Il ne put cependant se sortir ces morts de l'esprit.

Carol arriva à 14 h 05. Jason se leva, lui faisant signe pour appeler son attention. Elle était vêtue avec beaucoup de charme d'un chemisier de soie blanche et d'un pantalon de laine noire. Son air de juvénile innocence, loin du Club Cabaret, surprenait toujours Jason. Elle l'aperçut, lui adressa un grand sourire et arriva à la table, paraissant quelque peu essoufflée.

— Désolée d'être en retard, dit-elle, posant ses affaires : une veste de daim, un sac de toile bourré de papiers et un sac à bandoulière. Et lançant de fréquents coups d'œil sur l'entrée.

— Attendez-vous quelqu'un ? lui demanda Jason.

— J'espère bien que non. Mais mon cinglé de patron exige que je sois surprotégée. Surtout depuis la mort d'Alvin. La plupart du temps, il me fait accompagner par quelqu'un, prétendument pour ma protection. Le soir, ça ne me gêne pas, mais dans la journée je n'aime pas cela. M. Muscle est apparu ce matin, mais je l'ai envoyé promener. Il m'a peut-être suivie quand même.

Jason se demanda s'il devait lui avouer qu'il avait rencontré Bruno, mais il préféra n'en rien dire. Ils ne commencèrent à se détendre l'un et l'autre qu'après qu'on les eut servis sans qu'ils aient aperçu l'énorme silhouette de Bruno.

— Je devrais probablement témoigner davantage de reconnaissance à mon patron, dit Carol. Il s'est montré si bon pour moi. J'habite en ce moment dans l'un de ses appartements de Beacon Street. Je ne paie même pas de loyer.

Jason se refusa à imaginer toutes les excellentes raisons que pouvait avoir son patron de la loger dans un gentil appartement. Gêné, il détourna la conversation sur son omelette.

— Eh bien..., dit Carol, brandissant sa fourchette. De quoi d'autre vouliez-vous m'entretenir ?

— Vous êtes-vous souvenue d'autre chose à propos de la découverte d'Alvin Hayes ?

— Non. En outre, quand il parlait travail avec moi, je jugeais cela incompréhensible. Il oubliait toujours que tout le monde n'est pas spécialiste de la recherche moléculaire, dit-elle en riant, avec un éclat charmant dans les yeux.

— On m'a dit qu'Alvin travaillait également en indépendant pour une autre société de bio-ingénierie. Étiez-vous au courant ?

— Je pense que vous parlez de Gene Inc., dit Carol dont le sourire s'estompa. C'était censé être un grand secret. Mais maintenant qu'il n'est plus, je suppose que c'est sans importance. Il travaillait pour eux depuis un an environ.

— Savez-vous ce qu'il faisait pour eux ?

— Pas vraiment. Quelque chose concernant l'hormone de croissance. Mais ces derniers temps il y avait des frictions. Des questions financières. J'ignore les détails...

Jason se dit qu'il ne s'était pas trompé, après tout. Helene n'avait pas tout dit. Si Hayes avait été en querelle avec la Gene Inc., elle devait être au courant.

— Que savez-vous d'Helene Brennquivist ?

— C'est une femme charmante, commença Carol, posant sa fourchette. Ma foi..., ce n'est pas tout à fait sincère. Elle est probablement très bien. Mais, à vrai dire, c'est à cause d'Helene qu'Alvin et moi avons cessé d'être amants. Du fait qu'ils travaillaient si souvent ensemble, elle a commencé à venir à l'appartement. Et puis j'ai découvert qu'ils avaient une aventure. Et je n'ai pu le supporter. J'ai été contrariée qu'elle se soit montrée si secrète à ce propos, surtout sous mon nez, dans ma propre maison.

Jason fut abasourdi. Il avait deviné que Helene cachait quelque chose, mais jamais il ne lui était venu à l'esprit qu'elle couchait avec Hayes. Il remarqua que l'évocation de cette affaire avait fait ressurgir des impressions déplaisantes. Il se demanda si Carol avait été aussi fâchée contre Hayes que contre Helene.

— Et la famille de Hayes ? demanda-t-il, changeant délibérément de sujet.

— Je n'en sais pas grand-chose. J'ai eu son ex-femme au téléphone, une ou deux fois, mais je ne l'ai jamais vue. Ils étaient divorcés depuis cinq ans environ.

— Hayes avait-il un fils ?

— Deux. Deux garçons et une fille.

— Savez-vous où ils habitaient ?

— Une petite ville du New Jersey. Leonia, ou un nom comme ça. Mais je me souviens du nom de la rue : Park Avenue. Je m'en suis souvenue parce que cela m'a paru tellement prétentieux, ce nom de l'artère chic de New York.

— Vous a-t-il jamais dit que l'un de ses fils était malade ?

Non, fit Carol de la tête. Elle appela une serveuse pour lui redemander du café. Ils mangèrent en silence pendant un moment, appréciant la bonne chère et l'atmosphère.

La sonnerie du *beeper* de Jason les fit sursauter l'un et l'autre. Fort heureusement, ce n'était que le service qui annonçait que la famille de Cowen venait d'arriver de Minneapolis et espérait le voir à l'hôpital, vers 16 heures.

À son retour du téléphone, Jason suggéra qu'ils profitent du beau temps pour aller se promener au jardin. Après avoir traversé Beacon Street, il fut surpris qu'elle lui prenne le bras, et surpris d'y trouver du plaisir. Malgré la profession quelque peu douteuse de Carol, Jason dut reconnaître qu'il se plaisait beaucoup en sa compagnie. Sa saine séduction mise à part, il émanait d'elle une vitalité contagieuse.

Ils longèrent le lac aux bateaux en forme de

cygnes, passèrent devant la statue équestre de Washington puis traversèrent le pont enjambant la partie centrale du lac. On avait retiré les bateaux en forme de cygnes pour la saison. Jason trouva un banc libre sous un saule maintenant dénudé et remit la conversation sur Hayes.

— Est-ce qu'il a fait quelque chose d'insolite au cours de ces trois derniers mois ? Quelque chose d'inattendu..., ne correspondant pas au personnage ?

Carol ramassa un caillou et le lança dans l'eau.

— Difficile à dire, répondit-elle. L'une des choses que j'aimais, chez Hayes, c'était son impulsivité. On pouvait faire des tas de choses sous l'inspiration du moment. Comme partir en voyage.

— Il avait beaucoup voyagé, ces derniers temps ?

— Oh, oui ! dit Carol, cherchant un autre caillou. En mai dernier, il est allé en Australie.

— Vous aussi ?

— Non. Il ne m'a pas emmenée. Voyage strictement professionnel, a-t-il dit — et il avait besoin d'Helene pour l'aider dans diverses expériences. À l'époque, je l'ai cru, cloche que j'étais.

— Avez-vous découvert de quoi il s'agissait ?

— Quelque chose concernant les souris australiennes. Je me souviens de l'avoir entendu dire qu'elles avaient des habitudes particulières. Mais c'est tout. Il avait des tas de souris et de rats dans son labo.

— Je sais, dit Jason, revoyant nettement les animaux et leur mort révoltante.

Il avait demandé si Hayes s'était conduit de façon insolite. On pouvait juger bizarre un soudain voyage en Australie, mais on pouvait difficilement en être sûr, dans l'ignorance de la nature de ses recherches au moment de sa mort. Il lui faudrait en discuter avec Helene.

— Pas d'autres voyages ?

— Il m'a emmenée à Seattle.

— Quand cela ?

— À la mi-juillet. Apparemment, la bonne vieille Helene ne se sentait pas en forme, et Alvin avait besoin d'un chauffeur.

— D'un chauffeur ?

— Encore une bizarrerie, en ce qui concerne Hayes. Il ne savait pas conduire. Il disait qu'il n'avait jamais appris et n'apprendrait jamais.

Jason se souvint du commentaire du policier, le soir de la mort de Hayes, remarquant qu'il n'avait pas de permis de conduire.

— Que s'est-il passé, à Seattle ?

— Pas grand-chose. Nous ne sommes restés que deux jours en ville. Nous avons visité l'université de l'État de Washington. Et puis nous sommes montés vers les cascades. Le pays est magnifique, mais si vous vous imaginez qu'il pleut beaucoup à Boston, attendez de voir le nord-ouest de la côte Pacifique. Vous connaissez ?

— Non, répondit Jason, l'esprit ailleurs, essayant d'imaginer une découverte nécessitant des voyages à Seattle et en Australie.

— Combien de temps y êtes-vous restés ?

— Quand cela ?

— Vous y êtes allés plusieurs fois ?

— Deux fois. La première fois pour cinq jours. Nous avons visité l'université et fait du tourisme. Au second voyage, plusieurs semaines plus tard, nous ne sommes restés que deux nuits.

— Avez-vous fait la même chose les deux fois ?

Non, fit Carol, de la tête, précisant :

— Au second voyage, nous ne nous sommes pas arrêtés à Seattle et nous sommes allés directement aux cascades.

— Qu'avez-vous bien pu faire ?

— Je me suis simplement reposée. Nous sommes descendus dans un chalet... C'était formidable.

— Et Alvin ? Qu'a-t-il fait ?

— À peu près la même chose. Mais il s'intéressait à l'écologie et tous ces trucs. Vous voyez, toujours à jouer les savants.

— C'était donc des vacances, en quelque sorte ? demanda Jason, perplexe.

— Je suppose, dit-elle, lançant un autre caillou.

— Qu'a fait Alvin à l'université de l'État de Washington ?

— Il est allé voir un vieil ami. Je ne me souviens pas de son nom. Un de ses condisciples à Columbia.

— Un spécialiste de la génétique moléculaire comme Alvin ?

— Je crois. Mais nous n'y sommes pas restés très longtemps. J'ai visité le département de psychologie pendant qu'ils bavardaient.

— Ce devait être intéressant, dit Jason en souriant, pensant qu'au département de psycho on aurait été ravi de mettre la main sur des Carol Donner.

— Bon sang ! s'exclama-t-elle en consultant sa montre, il faut que je file ! J'ai un autre rendez-vous.

Jason se leva et lui prit la main. Il était impressionné par la délicatesse avec laquelle Carol parlait de son travail. « Un rendez-vous », cela faisait très professionnel. Ils revinrent jusqu'à l'extrémité du parc.

Carol refusa qu'il la dépose, lui dit au revoir et remonta Beacon Street. Jason la regarda disparaître au loin. Elle paraissait si insouciante, si heureuse. *Quelle tragédie*, se dit-il. *Le temps, qui paraît infini à son jeune esprit, ne va pas tarder à la rattraper*. Quel genre de vie pouvaient offrir la danse topless et les rendez-vous avec des hommes ? Il préférait ne pas y penser. Il partit dans la direction opposée et se rendit à pied jusqu'au marché De Luca où il acheta de quoi faire un dîner tout simple : poulet rôti et salade, tout en songeant à sa conversation avec Carol. Il avait obtenu bien d'autres renseignements, mais qui posaient davantage de questions qu'ils n'apportaient de réponse. Il n'en était pas moins sûr de deux choses : d'abord, Hayes avait indiscutablement fait une découverte, et ensuite la clef en était Helene Brennquivist.

En moins de vingt-quatre heures, Juan avait monté tout son plan. Étant donné que l'affaire n'était pas censée ressembler à un contrat ordinaire, il fallait y réfléchir davantage. Le scénario habituel consistait à coincer la victime au milieu de la foule, à lui mettre un pistolet de petit calibre sur la tête, et bang ! c'était terminé. Ce genre d'opération ne nécessitait guère une grande préparation, seulement des circonstances favorables. Tout reposait sur la mentalité particulière de la foule. Après un événement traumatisant, tout le monde se préoccupait à ce point de la victime que le coupable pouvait disparaître sans qu'on le remarque, feignant même de faire partie des badauds. Il lui suffisait d'abandonner l'arme.

Mais, pour ce boulot, les instructions étaient différentes. Il fallait laisser croire à un viol, la spécialité de Juan. Il sourit, ébahi que l'on puisse le payer pour quelque chose qu'il avait coutume de faire pour le plaisir. Quel pays bizarre et merveilleux que les États-Unis, où la loi témoignait souvent davantage d'égards au coupable qu'à la victime !

Cette fois, Juan comprit qu'il lui faudrait s'attaquer à sa victime alors qu'elle serait seule. C'est ce qui en faisait un défi. Et le côté plaisant de l'affaire. Car, sans témoins, il pourrait faire à la femme ce qui lui plaisait, du moment qu'il la laisserait morte à son départ.

Juan décida de suivre la victime et de l'accoster dans l'entrée de son immeuble. La menace de sévices immédiats, proférée d'une voix douce et convaincante, devrait suffire à la persuader de le conduire à son appartement. Une fois à l'intérieur, à lui tout le plaisir et les distractions.

Il suivit sa victime dans sa brève sortie pour faire des courses dans Harvard Square. Elle acheta un magazine à un kiosque puis se rendit à une épicerie à l'enseigne de Sages. Juan flâna dans la rue, léchant la vitrine d'une librairie, surpris de voir le magasin ouvert un dimanche. La victime sortit de l'épicerie avec un sac de plastique, traversa la rue en biais et disparut dans un café-boulangerie. Juan suivit — ce n'était pas désagréable, un café, même un café américain. Il préférait le café cubain : épais, doux et fort.

Tout en avalant son jus de chaussette, il observa sa victime, surpris de sa chance. La femme était superbe, dans les vingt-cinq ans, jugea-t-il. *Quelle affaire !* Il sentait déjà son érection. Là, il n'aurait pas à feindre.

Une demi-heure plus tard, la victime termina son café, paya et sortit. Juan jeta un billet de 10 dollars sur la table. Il se sentait d'humeur généreuse. Après tout, il serait plus riche de 5 000 dollars à son retour à Miami.

Pour son plus grand plaisir, la femme continua son chemin sur Brattle Street. Juan ralentit, se bornant à ne pas la perdre de vue. Quand elle tourna dans Concord, il se hâta un peu, sachant qu'elle arrivait presque chez elle. Lorsqu'elle parvint à l'immeuble de Craigie Arms, Juan était juste derrière elle. Un coup d'œil rapide dans Concord Street, à droite et à gauche : c'était l'instant idéal. Tout dépendait maintenant de ce qui se passait dans l'immeuble.

Juan s'arrêta assez longtemps pour être certain que l'on avait ouvert la porte intérieure. En une fraction de seconde, il était dans l'entrée, glissant un pied dans l'entrebâillement de la porte.

Ce fut alors qu'il demanda :

— Miss Brennquivist ?

Un instant surprise, Helene leva les yeux sur le séduisant visage mat de Juan.

— *Ja*, répondit-elle avec son accent scandinave, pensant que ce devait être un des locataires.

— Je brûlais de vous rencontrer. Je m'appelle Carlos.

Pour son malheur, Helene s'arrêta, ses clefs toujours à la main.

— Vous habitez ici ? demanda-t-elle.

— Bien sûr, répondit Juan, très à l'aise. Au premier. Et vous ?

— Deuxième, dit Helene, passant la porte, Juan juste derrière elle. Heureuse de faire votre connaissance, ajouta-t-elle, se demandant si elle allait monter à pied ou prendre l'ascenseur car la présence de Juan la mettait mal à l'aise.

— J'espérais que nous pourrions bavarder, dit Juan, arrivant à sa hauteur. Si vous m'invitiez à prendre un verre ?

— Je ne pense pas que...

La vue du pistolet l'arrêta net dans sa phrase.

— Je vous en prie, ne me contrariez pas, miss, dit Juan d'une voix douce. Je fais des choses que je regrette ensuite quand je suis contrarié.

Il appuya sur le bouton de l'ascenseur. Les portes s'ouvrirent. Il fit signe à Helene d'entrer et la suivit. Tout se déroulait parfaitement.

Tandis que l'ascenseur s'élevait, Juan adressa un chaleureux sourire à Helene. Mieux valait que tout se passât dans le calme.

Helene était paralysée par la panique. Ne sachant que faire, elle ne fit rien. L'homme la terrifiait, bien que paraissant raisonnable et très bien habillé. On aurait dit un homme d'affaires prospère. Peut-être quelqu'un de chez Gene Inc. qui voulait fouiller son appartement. Elle envisagea un instant de crier ou de tenter de fuir, mais se souvint du pistolet.

Les portes de l'ascenseur s'ouvrirent au deuxième étage. Juan lui fit courtoisement signe de passer devant. Les clefs dans sa main tremblante, elle arriva à sa porte et l'ouvrit. Juan glissa aussitôt son pied dans l'entrebâillement, tout comme il l'avait fait en bas. Quand ils furent entrés l'un et l'autre, il referma la porte à clef et se mit les trois verrous. Helene, frappée de stupeur, demeura dans la petite entrée, incapable de faire un geste.

— Je vous en prie, dit poliment Juan, lui faisant signe de pénétrer dans la salle de séjour.

A sa grande surprise, une opulente blonde était assise sur le canapé. On avait dit à Juan qu'Helene vivait seule. *Peu importe*, se dit-il.

— Qu'est-ce que c'est, ce dicton que vous avez ? murmura-t-il. Quand il pleut, il tombe des cordes. Nous allons nous amuser deux fois plus que je ne le pensais.

De son arme, il fit signe à Helene d'aller s'asseoir en face de son amie. Les deux femmes échangèrent un regard angoissé. Puis Juan arracha le câble du téléphone du mur, laissant pendre les fils tricolores. Il s'approcha de la stéréo d'Helene et alluma la radio qui fit entendre une musique classique. Il passa sur une station de hard rock et monta le son.

— Pas de partie agréable sans musique, dit-il en tirant de sa poche une fine cordelette.

CHAPITRE X

Le lundi matin, Jason partit de bonne heure pour l'hôpital où la visite à ses malades se révéla déprimante. Aucun n'allait bien. Une fois à son bureau, il appela Helene chaque fois qu'il avait un instant de libre. Pas de réponse. Vers le milieu de la matinée, il grimpa même au labo, au cinquième, pour le trouver sombre et désert. Il redescendit à son bureau, irrité. Il avait le sentiment que, dès le début, Helene avait fait de l'obstruction. Et voilà qu'elle compliquait le problème par son absence.

Il décrocha le téléphone et demanda au bureau du personnel l'adresse domiciliaire d'Helene et son numéro de téléphone. Il appela aussitôt, laissa sonner une dizaine de fois puis raccrocha rageusement. Il rappela le bureau du personnel et demanda à parler à la directrice, Jean Clarkson. Quand il l'eut au bout du fil, il s'enquit de ce qui se passait avec Helene Brennquivist.

— Est-ce qu'elle a appelé pour dire qu'elle était malade ? J'ai essayé de la joindre toute la matinée.

— Cela me surprend. Elle ne nous a rien dit et elle a toujours été très sérieuse. Je ne pense pas qu'elle ait manqué une seule journée depuis un an et demi.

— Mais si elle était malade, elle aurait dû appeler ?

— Absolument.

Jason raccrocha, l'irritation faisant place à l'inquiétude. Il avait un mauvais pressentiment quant à l'absence d'Helene.

La porte de son bureau s'ouvrit, et Claudia passa la tête par l'entrebâillement.

— Vous avez le docteur Danforth sur la 2. Voulez-vous lui parler ?

— Oui, fit Jason.

— Voulez-vous le dossier d'un quelconque malade ?

— Non, merci dit Jason, décrochant le téléphone.

La voix forte du docteur Danforth se fit entendre.

— Je conseillerais à l'A.S.M. d'examiner sérieusement ses patients. Jamais je n'ai vu des corps dans un tel état. Gerald Farr n'est pas mieux que les autres. Pas un seul de ses organes qui n'ait l'air d'appartenir à un centenaire.

Jason ne répondit pas.

— Allô ?

— Je suis là, dit Jason, gêné d'avouer encore une fois à Margaret que, un mois plus tôt, il avait examiné Farr sur toutes les coutures sans rien découvrir de particulier malgré la vie peu saine que menait l'intéressé.

— Je suis surprise qu'il n'ait pas fait une attaque voilà plusieurs années, poursuivit Margaret. Tous ses vaisseaux étaient farcis d'athérome. Les carotides étaient à peine ouvertes.

— Et le patient de Roger Wanamaker ? demanda Jason.

— Comment s'appelait-il ?

— Je ne sais pas. Il est mort vendredi d'une attaque. Roger m'a dit que vous vouliez voir le cas.

— Oh ! oui ! Il présentait également une dégénérescence presque totale. Je pensais que les régimes d'assurance maladie étaient censés mettre largement l'accent sur une médecine préventive. Vous n'allez pas faire beaucoup d'argent si vous affiliez des moribonds, observa Margaret en riant. Blague à part, c'était encore un cas d'affections multiples.

— Est-ce que vous pratiquez d'ordinaire des examens de toxicologie ? demanda soudain Jason.

— Bien sûr. Surtout en ce moment. Nous recherchons la cocaïne, ce genre de trucs.

— Et si vous poussiez un peu les examens de toxico sur Gerald Farr ? C'est possible ?

— Je pense que nous avons encore des prélèvements de sang et d'urine. Que voulez-vous que nous recherchions ?

— À peu près tout. Je cherche, mais je n'ai aucune idée de ce qui se passe ici.

— Je veux bien faire une batterie d'examens, dit Margaret, mais Gerald Farr n'a pas été empoisonné, ça je peux vous le dire. Il s'est simplement éteint. On aurait dit qu'il avait trente ans de plus. Je sais que ça n'a pas l'air très scientifique, ce que je vous dis là, mais c'est la vérité.

— J'aimerais que vous fassiez tout de même les examens de toxico.

— C'est bon. Et nous vous enverrons des prélèvements pour que vous voyiez par vous-même. Désolé qu'il nous faille tant de temps pour les lames.

Jason raccrocha et se remit au travail, passant de la perte de confiance en lui au désagréable sentiment qu'il se passait quelque chose qui le dépassait. Chaque fois qu'il avait un moment, il appelait le labo de Hayes. Ça ne répondait toujours pas. De nouveau il appela Jean Clarkson qui lui dit que si Helene Brennquivist se manifestait, elle le lui ferait savoir et qu'il était inutile de la déranger. Sur quoi, elle raccrocha brutalement. Jason évoqua avec nostalgie une époque où le personnel administratif de l'hôpital lui témoignait davantage de respect.

Il demeura là un moment, à tambouriner nerveusement sur sa table de ses doigts ; et soudain la certitude l'envahit que l'absence d'Helene n'était pas seulement inquiétante, mais également sérieuse. Si sérieuse, en fait, qu'il devait en aviser la police immédiatement.

Jason retira sa blouse blanche pour passer sa veste et se rendit à sa voiture. Il décida que mieux valait voir l'inspecteur Curran en personne. Après leur dernière entrevue, Curran ne le prendrait pas au sérieux au téléphone.

Il retrouva sans difficulté le bureau de Curran. Il jeta un coup d'œil dans le bureau parcimonieusement meublé et aperçut l'inspecteur penché sur un imprimé posé sur sa table métallique, sa grosse patte serrée sur son crayon comme sur un prisonnier tentant de s'évader. Le bureau voisin était toujours vide.

— Curran, appela Jason, espérant que l'homme serait de meilleure humeur que la fois précédente.

Curran leva les yeux.

— Oh ! non ! lâcha-t-il, lançant son crayon sur l'imprimé qu'il était en train de remplir. Mon médecin préféré !

Avec un geste d'exaspération exagéré, il fit signe à Jason d'entrer.

Celui-ci tira une chaise à dossier métallique à côté du bureau de Curran. L'inspecteur le regarda faire, plein d'une appréhension manifeste.

— Un nouveau rebondissement, dit Jason. J'ai jugé qu'il fallait vous tenir au courant.

— Je pensais que vous retourniez à votre médecine.

— Helene Brennquivist n'est pas venue travailler de toute la journée, poursuivit Jason, ignorant l'interruption.

— Elle est peut-être malade, peut-être fatiguée.

Peut-être malade et fatiguée de vous et de toutes vos questions.

Jason tenta de conserver son calme.

— Le service du personnel me dit qu'elle est très sérieuse, que jamais elle ne s'est absentée une seule fois sans prévenir. Et quand j'ai appelé chez elle, on n'a pas répondu.

L'inspecteur Curran lui jeta un regard dédaigneux.

— Avez-vous envisagé la possibilité que la séduisante jeune personne pouvait avoir pris un week-end prolongé avec un petit ami ?

— Je ne crois pas. Depuis notre dernière rencontre, j'ai appris qu'elle avait une liaison avec Hayes.

Curran se redressa et, pour la première fois, accorda à Jason toute son attention.

— J'ai toujours eu le sentiment qu'elle couvrait Hayes, continua Jason. Maintenant, je sais pourquoi. Et je crois également qu'elle en sait beaucoup plus sur son travail qu'elle ne le prétend. Et qu'elle sait également pourquoi on a fouillé chez lui et au labo. Je pense que Hayes avait fait une découverte majeure et que quelqu'un recherche ses notes.

— Si découverte il y avait.

— J'en suis certain. Ce qui ajoute à mes soupçons quant à la mort de Hayes. Cela tombait trop bien.

— Vous en tirez des conclusions hâtives.

— Hayes a dit que quelqu'un essayait de le tuer. Je pense qu'il a fait une découverte scientifique majeure et qu'on l'a assassiné pour cela.

— Holà ! brailla Curran, abattant son poing sur la table. Le médecin de l'état civil a déclaré que le docteur Alvin Hayes était mort de mort naturelle.

— D'un anévrisme, pour être précis. Mais on ne le suivait pas moins.

— Il *pensait* qu'on le suivait, corrigea Curran, dont la voix monta d'un ton.

— Je le pense également, insista Jason, tout aussi véhément. Cela expliquerait pourquoi on a mis à sac son appartement et son...

— Nous *savons* pourquoi on a fouillé son appartement, coupa Curran. Seulement, c'est nous qui avons trouvé la drogue et l'argent les premiers.

— Hayes prenait peut-être de la cocaïne, dit Jason, qui hurlait, maintenant. Mais ce n'était pas un dealer ! Et je crois qu'on a mis ces drogues exprès et que...

Il allait parler de sa conversation avec Carol, mais s'arrêta. Ce n'était pas le moment d'avouer à Curran qu'il avait tout de même vu la danseuse.

— Quoi qu'il en soit, reprit-il plus calmement, je crois que si l'on a saccagé son labo, c'était pour trouver ses carnets de notes de travail.

— *Qu'est-ce que vous dites à propos de son labo ?* hurla Curran dont les lourdes paupières s'ouvrirent toutes grandes, tandis que son visage virait au rouge marbré.

Jason déglutit.

— Nom de Dieu ! Vous voulez dire qu'on a saccagé le labo de Hayes et qu'on ne l'a pas déclaré ? À quoi croyez-vous jouer ?

— L'hôpital s'inquiétait des réactions négatives de la presse, expliqua Jason, contraint de défendre une position qu'il n'approuvait pas.

— Quand est-ce arrivé ?

— Vendredi soir.

— Qu'a-t-on pris ?

— Plusieurs registres de données et quelques cultures de bactéries. Mais aucun matériel coûteux. Et ce n'était pas un vol, dit Jason, observant la tête de chien de chasse de Curran, y recherchant quelque confirmation que son inquiétude pour Helene était justifiée.

— Des dégâts, une forme de vandalisme ? se borna à demander l'inspecteur.

— Eh bien, on a mis la pièce sens dessus dessous et on a tout jeté par terre. Et le labo était un vrai foutoir. Mais le seul acte de vandalisme a touché ces, euh, animaux.

— Parfait, dit Curran. On aurait dû détruire ces monstres. Ils m'ont rendu malade. Comment les a-t-on tués ?

— On les a sans doute empoisonnés. Notre service de pathologie est en train de le vérifier.

L'inspecteur Curran passa ses doigts épais dans ses cheveux jadis roux.

— Voulez que je vous dise ? Avec l'aide que m'ont apportée les crânes d'œuf que vous êtes, je suis foutrement heureux d'avoir refilé cette affaire aux stups. Ils peuvent la garder. Peut-être souhaiteriez-vous descendre dans le couloir pour aller fulminer et leur gueuler après. Peut-être trouveront-ils un motif d'accusation dans le fait que votre savant cinglé sautait son assistante en même temps que la danseuse exotique.

— Hayes et la danseuse n'étaient plus amants.

— Oh ! Vraiment ? demanda Curran avec un bref rire creux qui s'acheva en renvoi. Pourquoi n'allez-vous pas trouver la brigade des stups, docteur, et pourquoi ne me foutez-vous pas la paix ? Il faut que je cogite sur tout un tas d'authentiques homicides.

Il ramassa son crayon et revint à son imprimé. Furieux, Jason retourna au rez-de-chaussée et restitua son laissez-passer de visiteur. Puis il regagna sa voiture. En descendant Storrow Drive, avec la Charles River qui coulait paresseusement sur la droite, il finit par se calmer. Il demeurait convaincu que quelque chose était arrivé à Helene, mais il décida que si cela n'intéressait pas la police, il n'y pouvait pas grand-chose.

Il se gara au parking de l'hôpital et remonta à son bureau. Claudia et Sally n'étaient pas encore rentrées de leur pause pour le repas. Quelques patients attendaient déjà. Jason changea de nouveau sa veste pour sa blouse et appela pour demander les résultats de l'examen cardiologique de Madaline Krammer. Harry Sarnoff, d'accord avec l'estimation de Jason, avait prescrit une angiographie.

Dès le retour de Sally, Jason se mit au travail, recevant ses patients. Il en était au troisième quand Claudia pénétra dans la salle d'examen.

— Vous avez une visite, annonça-t-elle.

— Oui ? demanda Jason, détachant une ordonnance de son bloc.

— Notre intrépide patronne. Et elle écume. J'ai pensé que je devais vous prévenir.

Jason tendit l'ordonnance au patient, passa son stéthoscope à son cou et traversa le couloir jusqu'à son bureau. Il trouva Shirley debout près de la fenêtre. À l'instant où elle entendit Jason, elle se retourna, incontestablement furieuse.

— J'espère que vous avez une excellente explication, docteur Howard, dit-elle. Je viens d'avoir un coup de fil de la police. Ils arrivent pour obtenir une justification officielle des raisons pour lesquelles je n'ai pas déclaré l'effraction du laboratoire de Hayes. Ils disent l'avoir appris par vous— et ils parlent d'entrave à la justice.

— Désolé, dit Jason. C'était un accident. Je me trouvais au poste de police et je n'avais pas l'intention d'en parler.

— Et qu'est-ce que vous foutiez au poste ?

— Je voulais voir Curran, répondit Jason, l'air coupable.

— Pourquoi ?

— Je pensais que je devais lui communiquer une information.

— À propos de l'effraction ?

— Non, dit Jason, avec un geste des bras signifiant ses regrets. Helene Brennquivist n'a pas donné signe de vie aujourd'hui. J'ai appris que Hayes et elle avaient une liaison, et je crois que j'ai conclu un peu vite. L'histoire de l'effraction m'a échappé.

— Je crois que vous feriez mieux de vous en tenir à la médecine, dit Shirley d'une voix quelque peu radoucie.

— C'est ce que m'a dit Curran, soupira-t-il.

— Eh bien, dit Shirley en posant sa main sur le bras de Jason, au moins vous ne l'avez pas fait exprès. Je me suis demandé un instant de quel côté vous étiez. Croyez-moi, cette affaire Hayes est tout à fait particulière. Chaque fois que je pense le problème réglé, il y a autre chose qui surgit.

— Je suis désolé, dit Jason, sincère. Je ne voulais pas rendre les choses pires encore.

— Oh ! ça va ! Mais n'oubliez pas : la mort de Hayes a déjà fait du mal à la boîte. Inutile d'aggraver nos difficultés.

Elle pressa la main de Jason et sortit.

Jason retourna à ses patients, bien décidé à laisser l'enquête à la police. Il était près de 16 heures quand Claudia l'interrompit de nouveau.

— Vous avez un appel, chuchota-t-elle.

— De qui ? demanda Jason, nerveux, car d'ordinaire Claudia prenait les messages, et il rappelait en fin de journée. À moins, bien sûr, qu'il ne s'agisse d'une urgence. Mais Claudia ne chuchotait pas quand il s'agissait d'une urgence.

— Carol Donner, dit-elle.

Jason hésita puis annonça qu'il prendrait la communication dans son bureau. Claudia suivit, lui demandant, toujours en chuchotant :

— Est-ce que c'est la *fameuse* Carol Donner ?

— Qui est la *fameuse* Carol Donner ?

— La danseuse de la Combat Zone.

— Comment le saurais-je ? dit Jason qui entra dans son bureau, décrocha le téléphone et s'annonça.

— Jason, c'est Carol Donner. Excusez-moi de vous déranger.

— Vous ne me dérangez pas, répondit-il à la voix qui évoquait pour lui la plaisante image de Carol assise en face de lui à la Hampshire House.

Entendant un « clic » sur la ligne, il demanda à Carol de ne pas quitter, posa le combiné, ouvrit la porte et regarda Claudia. Irrité, il lui fit signe de raccrocher.

— Excusez-moi, dit-il en reprenant l'appareil.
— Je ne vous appellerais pas, si je ne pensais que c'est important. Mais je suis tombée sur un paquet dans mon vestiaire, où je travaille. Au fait, je suis danseuse au Club Cabaret...
— Oh ! se borna à dire Jason.
— Quoi qu'il en soit, je devais me rendre au club aujourd'hui et je l'ai trouvé. Alvin m'avait demandé de le garder, voilà plusieurs semaines, et j'avais complètement oublié.
— Qu'y a-t-il dedans ?
— Des registres, des papiers, de la correspondance. Ce genre de trucs. Pas de drogue, si c'est ce que vous voulez savoir.
— Non, ce n'est pas là ce que je voulais savoir. Mais je suis content que vous ayez appelé. Les bouquins sont peut-être importants. J'aimerais bien les voir.
— D'accord. Je serai au club, ce soir. Je vais réfléchir à un moyen de vous les faire passer. Mon patron m'ennuie beaucoup avec sa protection. Il se passe des choses bizarres, dont on ne me dit rien, mais j'ai ce gros bras qui n'arrête pas de me suivre. Autant ne pas vous mêler à cela.
— Je pourrais peut-être passer vous prendre.
— Non, je ne crois pas que ce serait une bonne idée. Écoutez, donnez-moi votre numéro de téléphone, je vous appellerai en rentrant ce soir.
Jason lui indiqua son numéro.
— Encore un mot, ajouta Carol. Je me suis rendu compte hier soir qu'il y avait autre chose que j'avais oublié de vous dire. Il y a environ un mois, Alvin m'a annoncé qu'il allait rompre avec Helene. Il a dit qu'il souhaitait qu'elle s'occupe surtout de son travail.
— Pensez-vous qu'il le lui ait dit ?
— Je n'en ai pas la moindre idée.
— Helene n'est pas venue travailler aujourd'hui.
— Sans blague ? C'est curieux. D'après ce que je sais, c'était une fana du boulot. C'est peut-être à

cause d'elle que mon patron se comporte comme un cinglé.

— Comment votre patron connaîtrait-il Helene Brennquivist ?

— Il possède un excellent réseau d'informations. Il sait ce qui se passe dans toute la ville.

En raccrochant, Jason se prit à songer à la curieuse incompatibilité apparente entre ce que faisait Carol et sa façon de s'exprimer assez intellectuelle. « Réseau d'informations » était une expression de l'époque de l'informatique — on ne s'attendait pas à l'entendre dans la bouche d'une danseuse exotique.

Jason retourna à ses patients, évitant soigneusement le regard interrogateur de Claudia. Il la savait d'une extrême curiosité qu'il n'avait nulle envie de satisfaire.

Vers la fin de l'après-midi, le docteur Jerome Washington, un solide gastro-entérologue noir, vint demander une rapide consultation à Jason.

— Bien sûr, lui dit celui-ci, le conduisant à son bureau.

— Roger Wanamaker m'a conseillé de venir vous parler de ce cas, dit Washington en tirant de sous son bras un volumineux dossier qu'il posa sur le bureau. Encore quelques-uns comme celui-ci et j'abandonne la médecine pour la métallurgie.

Jason ouvrit le dossier. Le patient était un homme de soixante-dix ans.

— J'ai examiné M. Lamborn il y a vingt-trois jours, expliqua Jerome. Le bonhomme faisait une légère surcharge pondérale, mais n'en faisons-nous pas tous ? À part cela, je l'ai trouvé bien et je le lui ai dit. Et puis, il y a une semaine, il arrive avec une tête cadavérique, ayant perdu vingt livres. Je l'ai fait hospitaliser, pensant à quelque affection maligne qui m'avait échappé. Je lui fais passer tous les examens possibles. Rien. Et puis voilà qu'il meurt il y a trois jours. J'ai insisté auprès de la famille pour qu'on l'autopsie. Et qu'est-ce qu'on a trouvé ?

— Aucune malignité ?

— Exact. Rien de malin, mais une dégénérescence totale de tous les organes. J'en ai parlé à Roger, et il m'a dit de vous voir, que vous compatiriez.

— Eh bien, j'ai connu des problèmes analogues. Et Roger aussi. À vrai dire, je crains que nous soyons bien proches de quelque catastrophe médicale inconnue.

— Qu'allons-nous faire ? Je ne me sens pas capable de supporter longtemps ce genre de choc.

— Tout à fait d'accord. Avec le nombre de morts que j'ai connu ces derniers temps, j'ai envisagé de changer de profession, moi aussi. Et je ne comprends pas pourquoi on ne remarque pas les symptômes au cours de nos examens. J'ai dit à Roger que j'allais réunir l'équipe la semaine prochaine, mais je crois maintenant que nous ne pouvons pas nous permettre d'attendre, dit Jason, qui revit fugitivement l'image de Hayes en train de se vider de son sang à la table du dîner. Retrouvons-nous demain après-midi. Je demande à Sally de s'en occuper et aux secrétaires de dresser une liste des patients examinés au cours de l'année et de ce qui leur est arrivé.

— Ça me semble parfait. Des cas comme ceux-ci, ça ne vaut rien pour la confiance en soi.

Après le départ de Jerome, Jason se rendit au bureau central pour préparer la réunion de l'équipe médicale. Il savait que certains devraient faire des heures supplémentaires et remercia la Providence de l'existence des ordinateurs. Il y eut des grognements quand il expliqua ce qu'il voulait, y compris qu'il fallait reporter les visites de l'après-midi, mais Claudia prit sur elle de coordonner tout cela. Jason eut la certitude que tout se passerait aussi bien que le permettait le bref laps de temps disponible.

À 17 h 30, après avoir vu son dernier patient, il essaya d'appeler Helene chez elle. Toujours pas de réponse. Sous l'impulsion du moment, il décida de s'arrêter à son appartement sur le chemin du retour.

Les renseignements fournis par le bureau du personnel indiquaient qu'elle habitait Cambridge, sur Concord Avenue, dans l'immeuble Craigie Arms.

Quelle coïncidence, se dit-il, car, avant de faire la connaissance de Danielle, il sortait avec une fille qui habitait le Craigie Arms.

Il prit sa voiture et fila vers Cambridge. La circulation était infernale, mais, connaissant le coin, il n'eut aucun mal à trouver l'adresse. Il gara sa voiture, pénétra dans l'entrée familière et appuya sur la sonnette à côté de la plaque portant le nom de Brennquivist. Restait toujours l'hypothèse assez improbable qu'Helene ouvrirait sa porte si elle ne voulait pas répondre au téléphone. Il n'obtint aucune réponse là non plus. Il ne retrouva pas le nom de Lucy Hagen parmi la liste des locataires. Après tout, il y avait quinze ans de cela.

Il sonna chez le concierge. Au-dessus des interphones, la voix bourrue de M. Gratz se fit entendre dans le hall carrelé.

— Pas de démarcheurs.

Jason se fit rapidement connaître, se disant que M. Gratz pourrait bien ne pas se souvenir de lui après toutes ces années. Il lui dit qu'il s'inquiétait à propos d'une de ses collègues qui habitait l'immeuble. M. Gratz ne répondit pas, mais la porte s'ouvrit. Jason dut faire quelques pas pour entrer et retrouver l'odeur particulière qu'il n'avait pas oubliée après quinze ans. L'odeur des oignons à la poêle. Une porte métallique s'ouvrit au bout du hall carrelé, et M. Gratz apparut, vêtu comme toujours d'un tricot de corps et d'un jean sale. Il arborait une barbe de deux jours. Il dévisagea Jason, lui redemanda son nom puis lui dit :

— Vous ne sortiez pas avec la fille Hagen, du 2-J ?

Jason en fut impressionné. L'homme ne remporterait certainement pas un concours de beauté, mais il avait apparemment une mémoire d'éléphant. Jason l'avait connu du fait des problèmes chroniques que rencontrait Lucy avec son évacuation d'eau, étant donné que Larry Gratz passait son temps à entrer et à sortir de l'appartement.

— Qu'est-ce que je peux faire pour vous ? lui demanda Larry.

Jason expliqua qu'Helene Brennquivist n'avait pas paru à son travail et ne répondait pas au téléphone. Et il était inquiet.

— Je ne peux pas vous ouvrir son appartement.

— Oh ! je comprends. Je voudrais seulement m'assurer que tout va bien.

Gratz le regarda un instant, grommela puis se dirigea vers l'ascenseur. Il tira de sa poche un trousseau de clefs paraissant suffisant pour ouvrir la moitié des portes de Cambridge. Ils prirent l'ascenseur, sans un mot.

L'appartement d'Helene se trouvait au bout d'un long couloir. Avant même d'arriver à la porte, ils entendirent une tonitruante musique rock.

— On dirait qu'elle reçoit des amis, dit Gratz, qui sonna une bonne minute sans obtenir de réponse. On n'entend même pas le carillon, ajouta-t-il en collant son oreille à la porte. C'est étonnant que personne ne se soit plaint de la musique.

Il cogna à la porte de son poing velu puis choisit finalement une clef et ouvrit, le vacarme de la musique se faisant assourdissant.

— Merde, dit Gratz avant d'appeler d'une voix forte : *Hello !*

Pas de réponse.

La petite entrée de l'appartement s'ouvrait en arche sur la gauche, mais, même de l'endroit où il se tenait, Jason reconnut l'odeur caractéristique de la mort. Il allait dire quelque chose, mais Gratz l'arrêta.

— Il vaut mieux que vous attendiez ici, hurla-t-il par-dessus la musique tout en avançant vers le séjour. Oh ! *bon Dieu !* s'écria-t-il un instant plus tard, les yeux exorbités, le visage déformé par l'horreur de ce qu'il venait de voir.

Jason jeta un coup d'œil entre le mur et Larry. La pièce était un cauchemar.

Le concierge se précipita à la cuisine, une main sur la bouche. Malgré sa formation de médecin, Jason sentit son estomac se révulser. Helene et une autre femme gisaient côte à côte sur le canapé, nues, les mains liées dans le dos, le corps mutilé de façon indicible. Un grand couteau de cuisine était planté dans la table basse.

Jason se tourna et regarda vers la cuisine. Larry, penché sur l'évier, vomissait. La première réaction de Jason fut d'aller l'aider, mais il préféra aller ouvrir la porte d'entrée pour avoir un peu d'air frais. Larry arriva en titubant.

— Si vous alliez appeler la police ? lui dit Jason, laissant la porte se refermer, sa nausée un peu apaisée par l'air frais.

Heureux d'avoir quelque chose à faire, Larry se précipita dans les escaliers. Jason, appuyé contre le mur, essayait de ne pas penser. Il tremblait.

Rapidement, deux policiers arrivèrent. C'étaient des jeunes, et leur visage passa par diverses nuances de vert lorsqu'ils regardèrent dans la salle de séjour. Mais ils interdirent l'accès de la pièce puis interrogèrent Jason et Gratz. Prenant bien soin de ne rien toucher d'autre, ils retirèrent enfin la prise de la stéréo. D'autres policiers arrivèrent, dont les inspecteurs en civil. Jason leur souffla que l'inspecteur Curran pourrait être intéressé par l'affaire, et quelqu'un l'appela. Un photographe de l'identité judiciaire prit toute une série de photos de l'appartement dévasté. Ensuite se présenta le médecin légiste de Cambridge.

Jason attendait dans le couloir quand Curran, furieux, arriva d'un pas pesant.

— Qu'est-ce que vous foutez là ?

Jason se retint de répliquer, et Curran se tourna vers le policier, devant la porte.

— Où est l'inspecteur chargé de l'affaire ? demanda-t-il, exhibant son insigne.

D'un geste du pouce, le policier montra la salle de séjour. Curran entra, laissant Jason dans le couloir.

La presse apparut, avec l'habituel déploiement d'appareils photo et de calepins. Les journalistes essayèrent de pénétrer dans l'appartement d'Helene, mais le policier en faction devant la porte les en empêcha. Ce qui les conduisit à se rabattre, pour leurs interviews, sur tous ceux qui se trouvaient là, y compris Jason. Il leur dit qu'il ne savait rien, et ils finirent par lui ficher la paix.

Curran apparut un instant plus tard, le visage un peu vert. Il s'approcha de Jason, tira une cigarette d'un paquet froissé et entreprit, avec tout un scénario, de chercher une allumette. Il leva enfin les yeux sur Jason.

— Ne me dites pas : « Je vous l'avais bien dit », grommela-t-il.

— Il ne s'agissait pas d'un simple viol suivi de meurtre, hein ? demanda calmement Jason.

— Ce n'est pas à moi de le dire. Bien sûr que c'était un viol. Qu'est-ce qui vous fait penser qu'il y a autre chose ?

— Les corps ont été mutilés après la mort.

— Oh ? Qu'est-ce qui vous fait dire ça, docteur ?

— L'absence de sang. Si les femmes avaient été vivantes, il y aurait eu beaucoup de sang.

— Bon Dieu ! je suis impressionné. Et, bien que je répugne à l'admettre, nous ne pensons pas qu'il s'agisse d'un cinglé ordinaire. Il existe des indices dont je ne peux parler, mais cela ressemble à un boulot de professionnel. On a tiré avec un petit calibre.

— Vous admettez donc que la mort d'Helene est liée à Hayes ?

— Possible. On m'a dit que vous aviez découvert les corps.

— Avec le concierge.

— Qu'est-ce qui vous a amené ici, docteur ?

— Je ne sais pas exactement, dit Jason après un

instant de réflexion. Comme je vous l'ai dit, j'ai eu une désagréable impression quand Helene n'est pas venue travailler.

Curran se gratta la tête, regardant le couloir. Il tira une longue bouffée de sa cigarette, exhalant la fumée par le nez. Il y avait là toute une foule de policiers, de journalistes, de locataires curieux. On posa deux civières contre le mur, dans l'attente de l'évacuation des corps.

— Je ne vais peut-être pas refiler l'affaire aux stups, dit enfin Curran avant de s'éloigner.

Jason s'approcha du policier qui montait la garde devant l'appartement d'Helene et lui dit :

— Je me demandais si je pouvais partir, maintenant.

— Hé ! Rosati ! appela le flic.

L'inspecteur chargé de l'affaire, un homme maigre au visage creux, à la tignasse brune, apparut presque aussitôt.

— Il veut partir, dit le flic, montrant Jason.

— On a son nom et son adresse ? demanda Rosati.

— Nom, adresse, téléphone, carte de Sécurité sociale, permis de conduire, tout.

— Je suppose que c'est bon. On se reverra.

— Oui, fit Jason avant de s'éloigner dans le couloir, les jambes tremblantes.

En sortant dans Concord Avenue, il fut surpris de constater qu'il faisait déjà sombre. L'air frais du soir était saturé de fumées d'échappement. Et, pour couronner le tout, Jason trouva une contravention sous son essuie-glace. Il la retira, irrité, découvrant qu'il s'était garé dans une zone réservée aux résidents de Cambridge.

Il lui fallut bien plus longtemps pour rentrer à l'hôpital que pour arriver à l'appartement d'Helene. La circulation sur Storrow Drive bouchonnait à la sortie de Fenway, et il était près de 19 heures quand il se gara enfin et pénétra dans l'hôpital. Il monta à son bureau où il trouva sur sa table un listing d'ordinateur reprenant les noms de tous les patients ayant subi un examen médical au cours de l'année écoulée ainsi qu'une annotation quant à leur état de santé actuel. *Les secrétaires ont fait un sacré boulot*, se dit-il, rangeant le listing dans sa serviette.

Il monta à l'étage pour la tournée de ses visites. L'une des infirmières lui donna les résultats de l'artériographie de Madaline Krammer. Toutes les coronaires montraient des zones diffuses, importantes et non localisées de plaques d'athérome. L'examen, comparé à une autre artériographie pratiquée six mois plus tôt, révélait une sérieuse aggravation. Harry Sarnoff, le cardiologue, n'avait pas le sentiment qu'il convenait de l'opérer et, compte tenu de son taux relativement bas de cholestérol et d'acides gras, ne pouvait préconiser grand-chose quant à son traitement. Pour avoir une certitude absolue, Jason demanda un examen de chirurgie cardiaque et alla la voir.

Comme d'habitude, Madaline était d'excellente humeur, minimisant ses symptômes. Jason lui annonça qu'il avait demandé à un chirurgien de la voir et promit de repasser le lendemain. Il avait l'horrible sentiment qu'elle ne serait pas longtemps parmi eux. Quand il regarda ses chevilles, pour voir l'état de l'œdème, il remarqua quelques excoriations.

— Est-ce que vous vous êtes grattée ? demanda-t-il.

— Un peu, reconnut Madaline, saisissant le drap et le remontant, comme gênée.

— Est-ce que vos chevilles vous démangent ?

— Je pense que c'est la chaleur. Il fait très sec, savez-vous.

Jason ne le savait pas. En fait, le système de conditionnement d'air de l'hôpital maintenait une humidité constante, normale.

Avec un horrible sentiment de déjà vu, il repassa au box des infirmières et demanda une consultation de dermatologie ainsi qu'un examen chimique d'une quarantaine d'analyses automatisées. Il devait exister quelque carence.

Ses autres visites se révélèrent tout aussi déprimantes. Il lui sembla que tous ses patients allaient plus mal. Quand il quitta l'hôpital, il décida d'aller faire un tour chez Shirley. Il avait envie de parler, et elle ne lui avait pas caché qu'elle aimait bien le voir. Il pensait aussi devoir lui annoncer la mort d'Helene avant qu'elle ne l'apprenne par la presse. Il savait que la nouvelle allait profondément la bouleverser.

Il lui fallut vingt minutes avant d'arriver dans l'allée dallée, et il fut heureux de voir de la lumière.

— Jason ! Quelle bonne surprise ! dit Shirley en venant lui ouvrir, vêtue d'un maillot rouge et d'un collant noir, un serre-tête autour du front. Je partais pour ma séance d'aérobic.

— J'aurais dû vous appeler.

— Ne soyez pas stupide, lui dit-elle, le prenant par la main et l'attirant à l'intérieur. Je cherche toujours une bonne excuse pour sécher la séance.

Elle l'entraîna dans la cuisine dont la table était jonchée d'une montagne de rapports et de notes qui rappelèrent à Jason la masse énorme de travail qu'exigeait la gestion d'une boîte comme l'hôpital de l'A.S.M. Il fut impressionné par les capacités de Shirley.

Après qu'elle lui eut apporté un verre, Jason lui demanda si elle était au courant pour Helene.

— Je ne sais pas, répondit-elle, retirant son serre-tête et secouant son épaisse chevelure. Quel genre de nouvelles ?

— Helene Brennquivist..., commença Jason.

— Est-ce une nouvelle agréable ? demanda Shirley, qui prit son verre.

— Je ne crois pas. Elle et sa compagne d'appartement ont été assassinées.

Shirley laissa tomber son verre sur le divan et entreprit machinalement de nettoyer les dégâts.

— Que s'est-il passé ? demanda-t-elle, après un long silence.

— Un meurtre avec un viol pour mobile. Apparemment du moins, expliqua-t-il, malade en revoyant la scène.

— C'est horrible, dit Shirley, portant une main à sa poitrine.

— C'était épouvantable.

— C'est le pire cauchemar de toute femme. Quand est-ce arrivé ?

— Hier soir, pense-t-on.

— Il vaut mieux que je téléphone à Bob Walthow, annonça Shirley. Voilà qui va encore ajouter à notre mauvaise image de marque.

Elle se leva et avança d'un pas mal assuré jusqu'au téléphone. Jason put sentir l'émotion dans sa voix tandis qu'elle expliquait ce qui s'était passé.

— Je n'envie pas votre boulot, dit-il, quand elle eut raccroché, voyant ses yeux embués de larmes.

— J'ai le même sentiment à propos du vôtre. Chaque fois que je vous vois après la mort d'un de vos patients, je suis heureuse de n'avoir pas choisi la médecine, moi aussi.

Bien qu'ils n'eussent pas particulièrement faim, ils dînèrent rapidement de spaghettis. Shirley essaya de le persuader de rester pour la nuit, mais, quoiqu'il trouvât un grand réconfort à sa présence, qui l'aidait un peu à supporter l'horreur de la mort d'Helene, il lui dit que c'était impossible. Il lui fallait être rentré pour le coup de fil de Carol. Il invoqua un travail à terminer et regagna son appartement.

Après un jogging tardif et une douche, Jason s'assit avec le listing de tous les patients ayant passé un examen médical au cours de l'année écoulée. Les pieds sur le bureau, il examina soigneusement la liste, remarquant que le nombre de visites était également réparti entre les différents médecins. Du fait que la liste avait été faite par ordre alphabétique et non chronologique, il lui fallut un certain temps pour se rendre compte que les mauvais résultats étaient beaucoup plus fréquents au cours des six derniers mois qu'au début de l'année. En réalité, et même sans établir une courbe, un accroissement marqué des décès inattendus apparaissait au cours des derniers mois.

Jason prit un crayon et entreprit de compter le nombre de morts récents, surpris et choqué par son importance. Après quoi, il appela le standard de l'hôpital et demanda qu'on lui passe les archives. Quand il eut l'une des secrétaires de nuit au bout du fil, il lui donna les références et lui demanda de trier les dossiers des patients et de les poser sur son bureau.

— Pas de problème, lui dit la secrétaire.

Il rangea le listing dans sa serviette et alla prendre son *Traité d'endocrinologie*, de William, passant au chapitre consacré à l'hormone de croissance. Comme pour tant d'autres sujets, plus il en lisait, moins il en savait. L'hormone de croissance et ses rapports avec la croissance et la maturation sexuelle constituaient un sujet d'une complexité énorme. Une telle complexité, en fait, qu'il s'endormit avec le lourd traité sur le ventre.

Le téléphone le réveilla en sursaut — si brutalement qu'il en fit tomber le livre. Il décrocha, s'attendant à avoir son service au bout du fil. Il lui fallut un instant pour réaliser qu'il s'agissait de Carol Donner. Jason regarda l'heure : 2 h 49.

— J'espère que vous ne dormiez pas.

— Non ! non ! prétendit Jason, les jambes raides d'avoir reposé sur le bureau. J'attendais votre coup de fil. Où êtes-vous ?

— Je suis chez moi.

— Est-ce que je peux passer prendre le paquet ?

— Il n'est pas ici. Pour éviter des problèmes, je l'ai confié à une amie qui travaille avec moi. Elle s'appelle Melodie Andrews et habite au 69 Revere Street, sur Beacon Hill.

Carol lui donna le numéro de téléphone de Melodie et précisa :

— Elle attend votre appel et doit juste rentrer chez elle. Faites-moi savoir ce que vous pensez des documents et s'il y a le moindre ennui, voici mon numéro...

— Merci, dit Jason, notant tous les renseignements et surpris de sa déception de ne pas la voir.

— Attention à vous, ajouta Carol, avant de raccrocher.

Jason resta à son bureau, essayant toujours de s'éveiller complètement. Et réalisant qu'il n'avait pas parlé à Carol de la mort d'Helene. *Ma foi, ce sera peut-être une bonne excuse pour la rappeler*, se dit-il en composant le numéro de l'amie de Carol.

Melodie Andrews lui répondit avec un fort accent des faubourgs sud de Boston, lui dit qu'elle avait le paquet et qu'il pouvait venir le prendre. Elle n'allait pas se coucher avant une demi-heure, ajouta-t-elle.

Jason passa un pull, un blouson fourré et sortit, descendant Pinckney Street, passant West Cedar puis montant sur Revere. L'immeuble de Melodie se trouvait sur la gauche. Il sonna, et elle vint lui ouvrir la porte en bigoudis. Jason pensait que plus personne n'utilisait ce genre de trucs. Elle avait les traits tirés, le visage fatigué.

Jason se présenta, Melodie se borna à un vague signe de tête et lui remit un paquet enveloppé de papier marron et attaché avec une ficelle, pesant quelque cinq kilos. Quand il la remercia, elle haussa les épaules.

— À votre service.

De retour chez lui, Jason se dépouilla fébrilement de son blouson et de son pull. Considérant tout aussi fébrilement le paquet, il prit des ciseaux à la cuisine et coupa la ficelle. Puis il emporta le paquet dans son repaire et le posa sur son bureau. Il y trouva deux registres bourrés d'instructions, de courbes et de résultats d'expériences, le tout écrit à la main. Sur la couverture de l'un des registres, on lisait : « Propriété de Gene Inc. » et sur l'autre, tout simplement :

« Notes. » Il y avait en outre une grande enveloppe de papier bulle pleine de correspondance.

Les premières lettres émanaient de la Gene Inc. et demandaient que, conformément aux termes du contrat, Hayes retourne le protocole de la Somatomedine et la souche de recombinaison des colibacilles illégalement pris dans leur laboratoire. Continuant sa lecture, Jason découvrit que Hayes avait une tout autre opinion quant à la propriété de la procédure et de la souche, et qu'il s'occupait de faire déposer un brevet à cet égard. Jason découvrit aussi un certain nombre de lettres d'un avocat du nom de Samuel Schwartz, dont la moitié concernant le dépôt d'un brevet : Somatomedine, génératrice de colibacilles. Le reste concernait la création d'une société dont il semblait que Hayes détenait 51 p. 100 des parts, tandis que ses enfants s'en partageaient 49 p. 100 avec Samuel Schwartz.

Voilà pour la correspondance, se dit Jason, replaçant les lettres dans l'enveloppe. Il consulta ensuite les registres. Celui dont la couverture portait : « Gene Inc. » semblait être le protocole dont il était question dans la correspondance. En le feuilletant, Jason se rendit compte qu'il donnait le détail de la création de la souche de recombinaison des bactéries pour produire la Somatomedine. Il savait, d'après ses lectures, que la Somatomedine était un facteur de croissance produit par les cellules hépatiques en réaction à la présence de l'hormone de croissance.

Il reposa le premier registre et prit le second. Les expériences décrites étaient incomplètes, cependant elles concernaient la production d'un anticorps monoclonal d'une protéine spécifique. La nature de la protéine n'était pas précisée, mais Jason tomba sur un schéma de sa séquence aminoacide. La plupart des données le dépassaient, mais il apparaissait évident, à voir les nombreux passages rayés et les notes gribouillées en marge, que le travail ne progressait pas bien et qu'à la date de la dernière entrée Hayes n'avait manifestement pas créé l'anticorps désiré.

Jason s'étira et se leva, déçu. Il avait espéré que le paquet de Carol allait lui offrir un clair aperçu de la découverte de Hayes. Pourtant, à part les divergences entre le médecin et la Gene Inc., il n'en savait guère plus qu'avant l'ouverture du paquet. Certes, il détenait le protocole de fabrication de la souche de colibacilles Somatomedine, mais on pouvait difficilement qualifier cela de découverte majeure, et tous les autres livres de notes du labo ne révélaient qu'un échec.

Épuisé, Jason éteignit et alla se coucher. La journée avait été longue, terrible.

CHAPITRE XI

Des cauchemars où il revoyait des variantes de l'horrible scène découverte dans l'appartement d'Helene tirèrent Jason du lit avant que le soleil ne colore le ciel à l'est. Il prépara son café, et, en attendant qu'il passe, ramassa son journal et lut ce qu'on y disait du double meurtre. Il n'y trouva rien de nouveau. Comme il s'y attendait, on mettait l'accent sur le viol. Il fourra le registre de Gene Inc. dans sa serviette et partit pour l'hôpital.

Du moins n'y avait-il pas de circulation à cette heure matinale, et il eut le choix des places pour se garer. Même les chirurgiens qui, d'ordinaire, arrivaient à une heure aussi peu chrétienne, n'étaient pas encore là.

Il se rendit directement à son bureau où il trouva, comme il l'avait demandé, toute une pile de dossiers. Il retira sa veste et se mit à les consulter. Sans oublier qu'il s'agissait de patients décédés dans le mois consécutif à une visite les ayant déclarés en bonne santé, sous la responsabilité de médecins ayant pratiqué les examens les plus complets que l'A.S.M. pût leur offrir, Jason rechercha les points communs. Rien ne retint son attention. Il compara les E.C.G., les taux de cholestérol, d'acides gras, d'immunoglobulines, de globules blancs et rouges. Aucun groupe de détails similaires, d'éléments ou d'enzymes qui ne sortît de la normale. La seule caractéristique commune était le décès des intéressés dans le mois ayant suivi leur visite médicale. Plus inquiétant encore, remarqua Jason, était le fait qu'au cours des trois derniers mois le nombre des décès avait monté en flèche.

En consultant le vingt-sixième dossier, une certaine corrélation lui apparut soudain. Bien que ne présentant pas les mêmes symptômes physiques, les patients avaient en commun d'être des sujets à haut risque de par leurs habitudes de vie. Excès de poids, gros fumeurs, consommateurs de médicaments ou drogues, gros buveurs, manque d'exercice. Tous présentaient l'une ou plusieurs de ces caractéristiques. Il s'agissait d'hommes et de femmes condamnés à connaître de sévères problèmes médicaux. Le fait choquant était la détérioration si rapide de leur état de santé. Et pourquoi cette soudaine croissance du nombre de décès ? Les patients ne s'adonnaient pas à leurs vices davantage maintenant qu'un an plus tôt. Peut-être s'agissait-il d'un nivellement statistique : jusque-là, ils avaient eu de la chance, et à présent les chiffres reprenaient leur harmonie. Mais cela ne paraissait pas tellement sérieux, car on comptait trop de morts. Jason n'était pas un expert en statistique. Aussi décida-t-il de demander à un meilleur mathématicien de jeter un coup d'œil sur les chiffres.

Quand il sut qu'il n'allait pas réveiller les patients, Jason quitta son bureau et alla faire ses visites. Rien de nouveau. De retour à son bureau, et avant son premier rendez-vous il appela le laboratoire de Hayes et attendit plusieurs minutes pendant que la laborantine consultait le rapport.

— Voilà, dit-elle. Tous ont été empoisonnés par de la strychnine.

Jason raccrocha et appela Margaret Danforth à la morgue municipale. Ce fut une assistante qui répondit car Margaret était occupée à une autopsie. Jason lui demanda si l'examen toxicologique concernant Gerald Farr avait donné quelque chose d'intéressant.

— Analyse toxico négative, lui répondit-on.

— Encore une question. Aurait-on pu déceler la présence de strychnine ?

— Un instant.

Jason entendit la femme poser une question au médecin de l'état civil.

— Oui, dit-elle, reprenant l'appareil, on aurait retrouvé de la strychnine s'il y en avait eu.

— Je vous remercie.

Il raccrocha, se leva. Par la fenêtre, il regarda la journée qui s'avançait, le ciel léger mais couvert, entendit le grondement de la circulation sur la voie rapide le long du fleuve. Ce n'était pas un joli mois pour Boston. Jason se sentit agité, angoissé, triste. Il songea au paquet de Carol et se demanda s'il devait le remettre à Curran. Mais dans quel but ? Hayes ne les intéressait que comme trafiquant de drogue.

Il revint à son bureau et chercha dans l'annuaire le numéro de Gene Inc., remarquant que les bureaux de la société se trouvaient sur Pioneer Street, dans le quartier est de Cambridge, à côté du campus du MIT, le Massachusetts Institute of Technology. Sous une impulsion soudaine, il s'assit et composa le numéro. Une standardiste à l'accent anglais lui répondit. Jason demanda à parler au directeur.

— Vous voulez dire le docteur Leonard Dawen, le président ?

— Le docteur Dawen, c'est parfait.

Il entendit la sonnerie. Une secrétaire décrocha.

— Bureau du docteur Dawen.

— Je voudrais parler au docteur Dawen.

— De la part de qui, s'il vous plaît ?

— Le docteur Jason Howard.

— Puis-je lui indiquer à quel sujet ?

— Pour lui parler d'un registre de laboratoire que je détiens. Dites au docteur Dawen que je travaille à l'Assurance sécurité maladie et que j'étais un ami du docteur Alvin Hayes.

— Un instant, s'il vous plaît, dit la secrétaire d'une voix qui ressemblait à un enregistrement.

Jason ouvrit le tiroir central de son bureau et joua avec sa collection de crayons. Il entendit un clic au bout du fil puis une voix forte.

— Docteur Leonard Dawen à l'appareil.

Jason expliqua qui il était puis décrivit le registre.

— Puis-je vous demander comment il est arrivé en votre possession ?

— Je ne pense pas que ce soit là l'important. Le fait est que je l'ai, dit Jason, qui ne voulut pas parler de Carol.

— Ce registre est notre propriété, observa le docteur Dawen d'une voix calme mais autoritaire et sous laquelle perçait la menace.

— Je serais heureux de vous le restituer en échange de quelques renseignements concernant le docteur Hayes. Pensez-vous que nous pourrions nous voir ?

— Quand ?

— Dès que possible. Je pourrais être là avant le déjeuner.

— Apporterez-vous le registre ?

— Je l'apporterai.

Le reste de la matinée, Jason eut du mal à se concentrer sur le flot incessant des patients, heureux que Sally n'ait pas pris de rendez-vous pendant l'heure du déjeuner. Dès qu'il eut terminé sa dernière visite, il se précipita à sa voiture.

En arrivant à Cambridge, Jason passa le MIT, les gratte-ciel d'East Cambridge dont l'architecture spectaculairement moderne de certains contrastait vivement avec les constructions de brique plus traditionnelles de la Nouvelle-Angleterre. Après un dernier virage dans Pioneer Street, il trouva la Gene Inc. qu'abritait un immeuble ultra-moderne de granit noir poli. À la différence de ses voisins, il n'avait que cinq étages, avec des fenêtres qui n'étaient que des fentes étroites alternant avec des cercles de verre-miroir couleur bronze. Il en émanait un air de solidité, de puissance, comme d'un château d'un film de science-fiction.

Jason descendit de sa voiture, sa serviette à la main, et contempla l'étonnante façade. Après avoir lu tant de choses sur la recombinaison de l'A.D.N. et vu l'horrible zoo de Hayes, il craignit de pénétrer dans quelque musée des horreurs. De l'entrée principale, circulaire, partaient des rayons de granit donnant l'illusion d'un œil gigantesque dont les portes noires seraient la pupille. L'entrée était également de granit noir : les murs, le sol et même le plafond. Au centre de la réception se dressait une sculpture moderne spectaculairement éclairée, représentant la double hélice de la molécule d'A.D.N. s'ouvrant comme une fermeture à glissière.

Jason s'approcha d'une séduisante Coréenne assise derrière une paroi de verre et faisant face à un tableau de contrôle tout droit sorti du vaisseau de l'espace *Entreprise*. Elle portait un minuscule casque-écouteur et un petit micro dont le fil arrivait en serpentant derrière sa nuque. Elle salua Jason, l'appelant par son nom et lui annonça qu'on l'attendait dans la salle de conférences du troisième étage. Elle l'annonça dans le micro d'une voix aux sonorités métalliques.

À l'instant où la réceptionniste s'arrêta de parler, l'un des panneaux de granit s'ouvrit, révélant un ascenseur. Jason la remercia, songeant soudain qu'elle pouvait bien être un robot vivant. Il pénétra dans l'ascenseur en souriant, cherchant le tableau de commande des étages. La porte se referma derrière lui. Pas de boutons de commande des étages, mais l'ascenseur s'éleva.

Quand les portes se rouvrirent, Jason se retrouva dans un hall noir dépourvu de portes. Il se dit que l'ensemble du bâtiment devait être commandé par une unité centrale, peut-être par la réceptionniste, au rez-de-chaussée. Sur sa gauche, un panneau de granit s'ouvrit en glissant. Sur le seuil, un homme, le visage taillé à la serpe, impeccablement vêtu d'un costume noir rayé, d'une chemise blanche et d'une cravate de cachemire rouge.

— Docteur Howard, je suis Leonard Dawen, dit l'homme, faisant signe à Jason d'entrer dans la pièce, sans lui tendre la main, de cette même voix autoritaire que Jason se souvint d'avoir entendue au téléphone.

Contrastant avec l'austérité de pierre tombale du reste du bâtiment, la salle de conférences ressemblait davantage à une bibliothèque lambrissée et donnait une impression de chaleur intime jusqu'à ce que le regard se pose sur la quatrième cloison, en verre celle-là, et donnant sur ce qui semblait être un vaste labo ultra-moderne. Un autre homme se trouvait dans la pièce, un Asiatique en combinaison blanche à fermeture à glissière. Dawen le présenta comme M. Hong, ingénieur à la Gene Inc. Une fois assis à une petite table de conférences ronde, Dawen dit :

— Je présume que vous avez le registre de labo...

Jason ouvrit sa serviette et tendit le registre à Dawen qui le tendit à Hong. L'ingénieur se mit à étudier, page après page, dans un lourd silence.

Le regard de Jason passa de l'un à l'autre des deux hommes. Il s'était attendu à un peu plus de cordialité. Après tout, il leur faisait une faveur.

Il se tourna et regarda par la paroi de verre. Au-delà, le sol de la pièce se trouvait à un étage au-dessous. Une grande partie du labo était occupée par des bacs d'acier inoxydable et rappela à Jason une brasserie qu'il avait visitée. Sans doute des incubateurs pour la culture des bactéries de recombinaison. Et bien d'autres matériels et tuyauteries complexes. Des individus en combinaison et capuche blanche s'agitaient, vérifiant des appareils de mesure, effectuant des réglages.

Hong referma le registre avec un claquement sec.

— Cela semble complet, dit-il.

— Voilà une bonne surprise, observa Dawen, qui ajouta, se tournant vers Jason : J'espère que vous réalisez que tout ce qui se trouve dans ce registre est confidentiel.

— Ne vous inquiétez pas, répondit Jason avec un sourire contraint. Je n'y ai pas compris grand-chose. C'est le docteur Hayes qui m'intéresse. Juste avant de mourir, il m'a dit avoir fait une découverte majeure. Je suis curieux de savoir si l'on pourrait considérer comme telle ce qui se trouve dans ces pages.

Dawen et Hong échangèrent un regard.

— Il s'agit davantage d'une découverte commerciale, dit Hong. Il n'y a là aucune nouvelle technologie.

— C'est ce que je pensais. Hayes était si égaré que je n'ai pu dire s'il se montrait tout à fait rationnel. Mais s'il s'agit bien d'une découverte majeure, je serais désolé qu'elle soit perdue pour l'humanité.

Les traits rudes de Dawen s'adoucirent pour la première fois depuis l'arrivée de Jason, qui poursuivit, s'adressant à l'ingénieur :

— Vous n'avez aucune idée de ce que pouvait vouloir dire Hayes ?

— Malheureusement, non. Hayes se montrait toujours plutôt secret.

Dawen croisa les mains sur la table et regarda Jason droit dans les yeux.

— Nous craignions une extorsion de votre part — que vous nous fassiez payer pour récupérer ceci, dit-il, caressant la couverture du registre. Il faut comprendre que le docteur Hayes nous a fait passer des moments difficiles.

— Quel était le rôle du docteur Hayes ici ? demanda Jason.

— Nous l'avons embauché pour produire une souche de recombinaison de bactéries, expliqua Dawen. Nous voulions produire un certain facteur de croissance pour le commercialiser.

Jason devina qu'il s'agissait de la Somatomedine.

— Nous étions convenus de lui payer un forfait pour le projet et de lui permettre d'utiliser les installations de Gene Inc. pour ses recherches. Nous possédons un matériel tout à fait exceptionnel.

— Avez-vous une idée de la nature de ses recherches ?

— Il passait le plus clair de son temps à isoler des protéines facteurs de croissance, répondit Hong. Dont certaines existent en quantité si limitée qu'il est nécessaire de posséder le matériel le plus sophistiqué pour les isoler.

— Pourrait-on considérer l'isolation de l'un de ces facteurs de croissance comme une découverte scientifique majeure ?

— Je ne vois pas comment. Même si on ne les a jamais isolés, nous connaissons leurs effets.

Encore une impasse, songea Jason avec lassitude.

— Je me souviens d'une seule chose qui pourrait être importante, continua Hong en se pinçant l'arête du nez. Il y a environ trois mois, Hayes s'est montré tout à fait excité à propos de quelque effet secondaire. Il a dit que c'était « ironique ».

Jason se raidit. Encore ce même mot.

— Vous avez une idée des causes de cette excitation ?

— Non, fit Hong, mais après cela nous sommes restés un certain temps sans le voir. La fois suivante, il nous a dit qu'il s'était rendu sur la côte Ouest. Après quoi il a travaillé sur un procédé complexe d'extraction de quelque matériau qu'il avait rapporté. Je ne sais s'il a réussi, mais il est passé soudain à la technologie d'un anticorps monoclonal. Là, son excitation a paru retomber.

Les mots « anticorps monoclonal » rappelèrent à

Jason le second registre de laboratoire, et il se demanda si, après tout, il n'aurait pas dû l'apporter également. Peut-être M. Hong aurait-il pu en tirer davantage que lui-même.

— Est-ce que le docteur Hayes a laissé ici d'autre matériel de recherche ? demanda-t-il.

— Rien d'important, répondit Leonard Dawen. Et nous avons soigneusement vérifié car il est parti en emportant notre registre de labo et les cultures. En fait, nous intentions un procès au docteur Hayes. Jamais nous n'aurions songé qu'il oserait prétendre que les cultures pour lesquelles nous l'avons payé lui appartenaient.

— Avez-vous récupéré vos cultures ?

— Nous les avons récupérées.

— Où les avez-vous trouvées ?

— Disons que nous avons cherché au bon endroit, dit Dawen, évasif. Mais, bien que nous ayons la souche, nous ne vous en sommes pas moins reconnaissants de récupérer le protocole. Au nom de la société, je voudrais vous en remercier. J'espère que nous avons pu vous être de quelque utilité.

— Peut-être, répondit Jason avec le vague sentiment d'être tombé par hasard sur ceux qui avaient fouillé le labo de Hayes et son appartement. Mais pourquoi les chercheurs de Gene Inc. auraient-ils voulu tuer les animaux ? Il se demanda si les énormes bêtes avaient été traitées avec la Somatomedine de Gene Inc. Vous avez là des installations impressionnantes, dit-il.

— Merci. Ça ne marche pas mal. Nous projetons d'obtenir bientôt des souches de recombinaison d'animaux de ferme.

— Vous voulez dire des cochons et des vaches ?

— C'est cela. Génétiquement, nous pouvons produire des porcs plus maigres, des vaches qui produiront davantage de lait, et des poulets avec davantage de protéines, pour vous donner quelques exemples.

— Fascinant, dit Jason sans enthousiasme.

Étaient-ils bien loin de bricoler génétiquement des humains ? De nouveau, il frissonna en revoyant les énormes rats et souris de Hayes, notamment ceux qui étaient dotés d'yeux surnuméraires.

De retour à sa voiture, il consulta sa montre. Il lui restait une heure avant la réunion de l'équipe médicale pour parler des récents décès des patients et il décida d'aller rendre visite à Samuel Schwartz, l'avocat de Hayes.

Il sortit du parking de Gene Inc., passa par Memorial Drive et traversa la Charles River, s'arrêtant au drugstore Philip, sur Charles Circle. Il se gara en double file, ses clignotants de détresse allumés, se précipita dans le drugstore pour trouver l'adresse de Schwartz dans l'annuaire. Dix minutes plus tard, il était dans la salle d'attente de l'avocat feuilletant un vieux *Newsweek*.

Samuel Schwartz était un homme d'une impressionnante obésité, au crâne chauve et luisant. Il invita Jason à pénétrer dans son bureau avec un geste de flic réglant la circulation. Il s'installa dans son fauteuil, ajusta ses lunettes à monture métallique et examina Jason assis devant l'énorme bureau d'acajou voisin.

— Ainsi vous êtes un ami du défunt Alvin Hayes...

— Davantage un confrère qu'un ami.

— N'importe, dit Schwartz avec un autre geste de sa main grassouillette. Et que puis-je faire pour vous ?

Jason répéta l'histoire selon laquelle Hayes aurait fait une découverte scientifique majeure. Il expliqua qu'il essayait de déterminer sur quoi travaillait le médecin et qu'il était tombé sur une correspondance de Samuel Schwartz.

— C'était un client. Et alors ?

— Inutile de vous défendre.

— Je ne me défends pas. Je suis simplement amer. J'ai fourni un gros travail pour ce minable, et il va me falloir fiche tout cela en l'air.

— Il ne vous a jamais payé ?

— Jamais. Il m'a escroqué en me faisant travailler pour des actions dans sa nouvelle société.

— Des actions ?

Samuel Schwartz eut un rire amusé.

— Malheureusement, maintenant que Hayes est mort, mes actions ne valent plus rien. Et peut-être n'auraient-elles rien valu même s'il avait vécu. J'aurais dû me faire examiner par un psy.

— La société de Hayes allait-elle vendre un service ou un produit ?

— Un produit. Hayes m'a dit qu'il était tout près de mettre au point le produit de santé le plus précieux qu'on ait jamais connu. Et je l'ai cru. Je me suis imaginé qu'un type qui avait fait la couverture de *Time* devait avoir quelque chose dans le citron.

— Avez-vous une idée de la nature du produit ? demanda Jason qui tenta de ne pas laisser sa voix trahir son excitation.

— Pas la moindre. Hayes n'a rien voulu m'en dire.

— Savez-vous s'il s'agissait d'anticorps monoclonaux ? insista Jason, se refusant à renoncer.

Schwartz rit de nouveau.

— Je ne reconnaîtrais pas un anticorps monoclonal, même si je marchais dedans.

— Les tumeurs ? reprit Jason au hasard, espérant éveiller la mémoire de l'avocat. Est-ce que le produit aurait pu avoir un rapport avec un traitement du cancer ?

L'homme haussa les épaules.

— Je n'en sais rien. C'est possible.

— Hayes a déclaré à quelqu'un que sa découverte pourrait rendre sa beauté plus éclatante. Est-ce que cela vous dit quelque chose ?

— Écoutez, docteur Howard, Hayes ne m'a rien dit du produit. Je me contentais de mettre sur pied la société.

— Est-ce que vous déposiez également un brevet ?

— Le brevet n'a rien à voir avec la société. Il devait être au nom de Hayes.

Le *beeper* de Jason fit sursauter les deux hommes. Jason consulta l'écran. Le mot « urgent » clignota par deux fois, suivi par un numéro de téléphone de l'hôpital.

— Puis-je utiliser votre téléphone ? demanda-t-il.

— Je vous en prie, docteur, dit Schwartz, poussant l'appareil vers lui.

L'appel émanait de l'étage où se trouvait Madaline Krammer. Elle avait fait un arrêt cardiaque, et on tentait de la ranimer. Jason dit qu'il arrivait. Il remercia Samuel Schwartz, sortit à la hâte de son cabinet et attendit impatiemment l'ascenseur.

Quand il arriva à la chambre de Madaline, il découvrit une scène qui lui était bien trop familière. La patiente ne répondait pas aux efforts. Son cœur refusait de réagir à quoi que ce fût, y compris au massage externe. Jason insista pour que l'on continuât tandis qu'il envisageait divers drogues et traitements, mais, après une heure d'efforts frénétiques, il fut contraint d'abandonner lui aussi et, à regret, donna l'ordre d'arrêter.

Il demeura au chevet de Madaline après le départ des autres. C'était une vieille amie, l'une des premières patientes qu'il avait suivie en clientèle privée. Une infirmière avait tiré sur son visage un drap sous lequel le nez de Madaline pointait comme un pic en miniature couvert de neige. Doucement, Jason le descendit. Bien que Madaline eût été à peine septuagénaire, il ne put dire quel âge elle paraissait. Depuis son arrivée à l'hôpital, son visage avait perdu sa joyeuse rondeur pour prendre l'aspect squelettique de ceux dont la mort est proche.

Jason avait besoin de rester seul un moment et il se réfugia dans son bureau, évitant Claudia et Sally qui avaient l'une et l'autre une centaine de questions urgentes à lui poser sur la réunion imminente et les problèmes posés par le changement des rendez-vous d'un nombre aussi important de patients. Jason ferma sa porte et s'installa à son bureau. La mort de

Madaline, une patiente de si longue date, lui faisait l'effet de rompre un lien de plus avec son existence avant l'hôpital. Il se sentit désespérément seul, plein d'appréhension et malgré tout soulagé de voir s'estomper le souvenir de Danielle.

Son téléphone sonna, mais il l'ignora. Il contempla sa table, qui était un fouillis de dossiers de patients décédés, y compris celui de Hayes. Malgré lui, Jason se prit à resonger à l'affaire Hayes. Quelle frustration que le paquet de Carol, dans lequel il avait mis tant d'espoir, eût recélé si peu de renseignements. Certes, il apportait un peu plus de crédit à l'idée que Hayes était parvenu à une découverte que, lui du moins, jugeait extraordinaire. Jason maudit le goût de Hayes pour le secret.

S'adossant de nouveau à son fauteuil, les mains derrière la tête, il fixa des yeux le plafond. Les idées lui manquaient en ce qui concernait Hayes. Et puis il se souvint de la réflexion de l'ingénieur asiatique selon laquelle Hayes avait rapporté quelque chose de la côte Ouest, probablement de Seattle. Il devait s'agir de quelque prélèvement, ou échantillon, puisque Hayes l'avait soumis à tout un processus complexe d'extraction. D'après ce qu'avait dit Hong, il parut à Jason que Hayes était sans doute en train d'isoler une espèce de facteur de croissance susceptible de stimuler la croissance, ou la différenciation, ou la maturation, ou les trois à la fois.

Tout à coup, Jason reprit sa position initiale. En se rappelant que Carol lui avait dit que Hayes avait rendu visite à un confrère de l'université de l'État de Washington, Jason caressa subitement l'idée que le médecin avait obtenu de l'homme quelque espèce d'échantillon.

Et il décida soudain de se rendre à Seattle, sous réserve, bien sûr, que Carol vienne avec lui. C'était possible. Après tout, elle constituait la clef pour retrouver cet ami. En outre, une absence de quelques jours lui ferait beaucoup de bien, se dit-il. Puisqu'il lui restait un peu de temps avant la réunion, il décida de passer voir Shirley.

La secrétaire de celle-ci prétendit d'abord que sa patronne était trop occupée pour le recevoir, mais il la convainquit de lui annoncer au moins sa présence. Un instant plus tard, on l'introduisait. Shirley était au téléphone. Jason prit un siège, saisissant peu à peu de quoi il s'agissait dans la conversation. Shirley était aux prises avec un leader syndical, menant l'affaire avec une impressionnante maestria. D'un geste machinal, elle passait les doigts dans son épaisse chevelure. Un geste merveilleusement féminin, rappelant à Jason que, sous l'enveloppe professionnelle, se cachait une femme très séduisante, complexe mais charmante.

Elle raccrocha et lui sourit.

— Je suis gâtée, dit-elle. Vous *êtes* plein de surprises ces jours-ci, Jason, non ? Je suppose que vous êtes ici pour vous excuser de n'être pas resté plus longtemps avec moi, hier soir.

Jason rit. Elle était désarmante de spontanéité.

— Peut-être. Mais il y a autre chose. Je songe à prendre quelques jours de vacances. J'ai perdu encore une malade ce matin et je pense qu'il me faut partir quelque temps.

Shirley eut un claquement de langue de sympathie.

— Est-ce qu'on s'y attendait ?

— Je le pense. Du moins depuis quelques jours. Mais, lorsque je l'ai hospitalisée, je ne m'imaginais pas qu'elle était au bout du rouleau.

Shirley soupira.

— Je ne sais pas comment vous parvenez à vous accommoder de ce genre de chose.

— Ce n'est jamais facile. Pourtant ce qui rend cela particulièrement pénible, c'est la fréquence des cas.

Le téléphone de Shirley sonna, mais elle fit prendre le message par sa secrétaire.

— Quoi qu'il en soit, continua Jason, j'ai décidé de prendre quelques jours.

— Je crois que c'est une très bonne idée. Je ferais bien comme vous si ces sacrées négociations avec les syndicats aboutissaient. Où avez-vous l'intention d'aller ?

— Je ne sais pas encore, prétendit Jason, pour qui le voyage à Seattle était une idée tellement tirée par les cheveux qu'il fut gêné d'en parler.

— J'ai des amis qui ont quelque chose aux îles Vierges. Je pourrais leur passer un coup de fil.

— Non, merci. Je ne suis pas un fana du soleil. Qu'est-ce qui s'est passé après la tragédie Brennquivist ? Beaucoup de retombées ?

— Ne m'en parlez pas. À vrai dire, je me suis sentie incapable d'y faire face. C'est Bob Walthow qui s'en occupe.

— J'ai eu des cauchemars toute la nuit, avoua Jason.

— Rien d'étonnant.

— Eh bien, j'ai une réunion, dit Jason en se levant.

— Auriez-vous du temps pour que nous dînions ensemble ce soir ? Peut-être pourrions-nous nous remonter mutuellement le moral.

— Bien sûr. Quelle heure ?

— Disons vers 20 heures.

— D'accord pour 20 heures, dit Jason, se dirigeant vers la porte.

Shirley le rappela au moment où il sortait.

— Je suis vraiment désolée pour votre malade.

Il y eut plus de monde à la réunion que ne s'y attendait Jason, étant donné la précipitation avec laquelle elle avait été convoquée. Quatorze des seize médecins étaient là, dont plusieurs avec leurs infirmières. De toute évidence, tous avaient admis qu'ils se trouvaient confrontés à un sérieux problème.

Jason commença par les statistiques tirées du listing de tous les patients décédés dans le courant du mois suivant une visite complète. Il fit observer que le nombre des décès s'était accru au cours des trois derniers mois et annonça qu'il allait vérifier l'état de tous les patients de l'A.S.M. ayant passé la visite des cadres depuis soixante jours.

— La répartition des examens est-elle la même pour chacun d'entre nous ? demanda Roger Wanamaker.

— Oui, fit Jason.

Un certain nombre de médecins intervinrent, disant clairement qu'ils craignaient le début d'une épidémie à l'échelle du pays. Aucun ne semblait comprendre le rapport pouvant exister entre les examens médicaux et la raison des décès prématurés. Le chef du service de cardiologie, le docteur Judith Rolander, essaya de prendre sur elle une grande partie de la faute, reconnaissant que dans la plupart des cas qu'elle avait revus, les E.C.G. effectués pendant les examens ne laissaient nullement prévoir des problèmes imminents, même après qu'elle eut été au courant de ce qui se passait.

La conversation fut ensuite consacrée aux tests d'effort qui constituaient la clef principale du pronostic d'éventuelles agressions cardiaques catastrophiques. Les opinions divergèrent à cet égard, toutes abondamment discutées. Sur la demande de l'assemblée fut désignée une commission ad hoc destinée à rechercher les moyens spécifiques d'amélioration des tests d'effort en vue de rendre plus sûr le pronostic.

Jerome Washington prit alors la parole. Il se leva lourdement et déclara :

— Je pense que nous négligeons quelque peu l'importance du manque d'hygiène de vie. C'est là une des caractéristiques qui semble commune à tous les patients.

On lança quelques plaisanteries à propos du poids de Jerome et de son goût pour les cigares.

— C'est bon. Vous savez bien que les patients doivent faire ce qu'on leur dit et pas ce qu'on fait, fit-il observer, déclenchant les rires. Nous connaissons tous les dangers d'une mauvaise alimentation, d'un excès de tabac et d'alcool et du manque d'exercice. Ces facteurs présentent une bien plus grande valeur de pronostic qu'une légère altération de l'E.C.G.

— Jerome a raison, confirma Jason. Le seul trait commun que j'ai pu découvrir, c'est le facteur de risque.

On vota pour décider la création d'une seconde commission chargée d'étudier l'importance du facteur de risque dans le problème en cause et d'en tirer des recommandations précises.

Harry Sarnoff, le cardiologue chargé des consultations pour le mois en cours, leva la main, et Jason lui donna la parole. Il se leva et déclara avoir remarqué un accroissement du taux de morbidité et de mortalité chez ses patients hospitalisés. Jason l'interrompit.

— Excuse-moi, Harry. Je comprends ton souci et, en toute franchise, j'ai connu une expérience analogue à la tienne. Mais cette réunion a pour objet d'examiner le problème des examens de santé des cadres. Nous pouvons prévoir une nouvelle réunion pour discuter d'éventuels problèmes concernant les malades hospitalisés. Ils pourraient parfaitement se trouver liés.

Harry leva les bras au ciel et s'assit à regret.

Jason demanda alors à l'équipe de s'assurer que l'on autopsierait tout patient décédé de façon inattendue si le médecin de l'état civil ne s'en occupait pas. Après quoi, il annonça que les résultats des autopsies de ses patients faisaient apparaître une affection généralisée dont d'importants problèmes cardio-vasculaires. Bien sûr, ce fait soulignait que ni l'E.C.G. au repos ni l'E.C.G. d'effort n'avaient permis de mettre en évidence leur état. Jason ajouta que, selon le service de pathologie, les résultats des examens faisaient apparaître une composante auto-immune.

À la fin de la réunion, de petits groupes se formèrent pour discuter du problème. Jason récupéra son listing et partit retrouver Roger Wanamaker, en conversation animée avec Jerome.

— Puis-je vous interrompre ? Je vais m'absenter pendant quelques jours, leur annonça Jason.

Roger et Jerome échangèrent un regard.

— Ça ne me paraît pas le moment idéal pour partir, observa Roger.

— Exact, confirma Jason sans s'étendre. Mais j'ai cinq malades hospitalisés. Est-ce que l'un de vous, messieurs, voudrait s'en charger ? Je ne vous cacherai pas que leur état est des plus critiques.

— Ça n'a pas vraiment d'importance, dit Roger. Je suis ici jour et nuit à tenter de maintenir en vie ma demi-douzaine de malades. Je veux bien m'en charger.

Cette question réglée, Jason gagna son bureau et appela Carol Donner, se disant que la fin de l'après-midi était le bon moment pour la joindre. Le téléphone sonna longtemps, et il allait raccrocher quand elle répondit, tout essoufflée, expliquant qu'elle était dans son bain.

— Je voudrais vous voir ce soir, lui dit Jason.

— Oh ! répondit Carol sans se compromettre. Ce sera peut-être difficile, précisa-t-elle après une hésitation, ajoutant d'un ton irrité : Pourquoi ne m'avez-vous rien dit pour Helene Brennquivist hier soir ? J'ai lu dans les journaux que vous étiez l'un des deux hommes qui ont découvert les corps.

— Désolé. Pour être tout à fait sincère, vous m'avez réveillé, l'autre nuit, et je n'ai pensé qu'au paquet.

— Vous l'avez récupéré ? demanda Carol, d'une voix plus douce.

— Oui. Merci.

— Et... ?

— Ça n'a pas été aussi révélateur que je l'espérais.

— Cela me surprend. Les registres devaient être importants, sans quoi Alvin ne m'aurait pas demandé de les garder. Mais là n'est pas la question. Quelle histoire horrible que la mort d'Helene. Mon patron est si inquiet qu'il ne me laisse aller nulle part sans un des videurs du club. Il est dehors en ce moment même.

— Il est important que je vous voie seule.

— Je ne sais pas si ce sera possible. Cet animal obéit à mon patron, pas à moi. Et je ne veux pas d'ennui.

— Eh bien, appelez-moi dès que vous serez rentrée. Promettez-le moi ! Nous trouverons quelque chose.

— Ce sera encore très tard.

— Ça ne me gêne pas. L'affaire est importante.

— D'accord, convint Carol avant de raccrocher.

Jason passa un autre coup de fil à United Airlines pour demander les horaires de Boston-Seattle. On lui dit qu'il existait un vol quotidien à 16 heures.

Il ramassa son stéthoscope et quitta son bureau pour aller faire ses visites. Il savait qu'il lui fallait mettre parfaitement à jour les dossiers dont Roger allait s'occuper. Aucun de ses patients n'allait très bien, et Jason fut contrarié de constater qu'un autre malade présentait une cataracte à un stade avancé. Troublé, il demanda une consultation d'ophtalmo. Cette fois, il était certain de n'avoir pas remarqué l'affection à l'admission. Comment la cataracte avait-elle pu évoluer si vite ?

De retour chez lui, il passa ses vêtements de jogging et alla courir une bonne heure, essayant de mettre de l'ordre dans ses pensées. Le temps de se doucher, de se changer et d'arriver chez Shirley, il était de meilleure humeur.

Shirley s'était surpassée avec le dîner, et Jason commença à se dire que l'on pouvait la ranger dans la catégorie des *superwomen*. Elle avait passé toute la journée à s'occuper d'une société pesant plusieurs millions de dollars et s'était arrangée pour rentrer chez elle et confectionner un fabuleux festin de canard rôti, de pâtes fraîches et d'artichauts. Et pour couronner le tout, elle était vêtue d'un chemisier de soie noire qui aurait parfaitement convenu pour l'opéra. Jason se sentit gêné d'avoir enfilé un jean, un tricot sport et un col roulé après sa douche.

— Vous mettez ce que vous voulez et moi aussi, lui dit Shirley en riant.

Elle lui offrit un Kir royal et lui demanda de laver la salade. Elle vérifia l'état du canard et déclara qu'il était presque prêt. Pour Jason, il sentait délicieusement bon.

Ils dînèrent dans la salle à manger, chacun assis à un bout de la table. Chaque fois que Jason servait le vin, il lui fallait se lever et faire plusieurs pas. Shirley jugea cela amusant.

Pendant le repas, Jason raconta la réunion de l'équipe médicale et ajouta que tous les médecins allaient améliorer leurs tests d'effort. Shirley s'en déclara ravie car l'examen médical des cadres constituait une part importante des prestations facturées par l'A.S.M. aux sociétés clientes. Elle ajouta qu'on allait mettre à nouveau l'accent sur la médecine préventive chez les cadres.

— Michael Curran est passé cet après-midi, lui annonça-t-elle plus tard, alors qu'ils prenaient le café.

— Vraiment ? Je suis persuadé que sa visite vous a été désagréable. Que voulait-il ?

— Tout ce qui pouvait concerner le passé de Brennquivist. Nous lui avons donné tout ce que nous avions. Il a même interrogé la collaboratrice du service du personnel qui l'avait embauchée.

— A-t-il dit s'ils avaient des suspects ?

— Il ne l'a pas précisé. J'espère que tout cela est terminé.

— J'aurais voulu pouvoir parler à Helene. Je suis toujours convaincu qu'elle cachait quelque chose à propos de Hayes.

— Pensez-vous toujours qu'il avait découvert quelque chose ?

— Tout à fait, dit Jason, qui lui parla des registres de labo et de ses visites à Gene Inc. et à Samuel Schwartz, expliquant que Schwartz avait mis sur pied une société pour Hayes, destinée à lancer sur le marché sa nouvelle découverte.

— L'avocat ne connaissait-il pas la nature du produit ?

— Non. Apparemment, Hayes ne faisait confiance à personne.

— Mais il lui aurait fallu un capital de départ. Il lui aurait bien fallu faire confiance à *quelqu'un*, s'il avait l'intention de fabriquer et de distribuer.

— Peut-être bien. Mais je ne trouve personne à qui il se soit confié — du moins, pour le moment. Malheureusement, Helene constituait notre meilleure chance.

— Vous allez continuer à chercher ?

— Je crois bien. Cela vous semble idiot ?

— Pas idiot, gênant simplement. Ce serait une tragédie qu'une importante découverte soit perdue, mais je suis tout à fait convaincue qu'il faut laisser dormir l'affaire Hayes. J'espère que vous prenez du congé pour vous reposer, pas pour continuer cette chasse au fantôme.

— Qu'est-ce qui vous fait dire cela ? demanda Jason, surpris par sa propre transparence.

— C'est que vous ne renoncez pas facilement, dit-elle, lui posant la main sur l'épaule. Pourquoi ne pas aller dans les Caraïbes ? Je pourrais peut-être me libérer pour le week-end et vous rejoindre...

Jason ressentit un émoi qu'il n'avait plus connu depuis la mort de Danielle. L'idée d'un chaud soleil et d'une bonne eau claire lui parut merveilleuse, surtout si Shirley était là également. Mais il hésita. Il ne savait pas s'il se sentait prêt pour l'engagement affectif que cela impliquait. Et, plus important, il s'était promis de se rendre à Seattle.

— Je souhaite aller sur la côte Ouest, dit-il enfin. J'y ai un vieil ami que j'aimerais voir.

— Cela me paraît bien innocent. Mais les Caraïbes me semblent plus séduisantes.

— Bientôt, peut-être, dit-il avec une pression sur le bras de Shirley. Et si nous prenions un cognac ?

Tandis que Shirley se levait pour aller chercher le Courvoisier, Jason observa sa silhouette avec un intérêt croissant.

Quand Carol appela, à 2 h 45, Jason était tout à fait éveillé. Inquiet qu'elle puisse oublier, il avait été incapable de dormir.

— Je suis épuisée, Jason, annonça Carol, au lieu de lui dire bonjour.

— Désolé, mais il faut que je vous voie. Je peux être là dans dix minutes.

— Je ne crois pas que ce soit une bonne idée. Comme je vous l'ai dit cet après-midi, je ne suis pas seule. Il y a quelqu'un dehors qui surveille mon immeuble. Pourquoi faut-il que vous me voyiez cette nuit ? Nous pouvons peut-être arranger quelque chose pour demain.

Jason envisagea de lui demander au téléphone de venir à Seattle, mais décida qu'il aurait davantage de chance de la convaincre s'il la voyait. C'était quelque peu insolite de demander à une jeune femme d'accompagner à Seattle un homme qu'elle n'avait vu que deux fois.

— Le garde du corps est seul ?

— Oui. Mais qu'est-ce que ça change ? Le bonhomme est bâti comme une armoire.

— Il y a une ruelle derrière votre immeuble ? Je pourrais passer par l'escalier d'incendie.

— L'escalier d'incendie ? C'est complètement fou ! Que diable y a-t-il de si important qu'il faille que vous me voyiez aujourd'hui ?

— Si je vous le disais, je n'aurais pas besoin de vous voir.

— Eh bien, je ne suis pas emballée à l'idée de recevoir des hommes chez moi la nuit.

Tu parles, se dit Jason. Puis, à haute voix :

— Écoutez, je puis au moins vous dire une chose. J'ai essayé d'imaginer ce que Hayes avait pu découvrir et je m'en tiens à ma dernière idée. J'ai besoin de votre aide.

— En voilà une histoire, docteur Jason Howard.

— C'est la vérité. Vous êtes la seule à pouvoir m'aider.

Carol se mit à rire.

— Présenté comme cela, qui pourrait refuser ? dit-elle. D'accord, venez. Mais à vos risques et périls. Je dois vous prévenir que je n'ai pas grande influence sur notre Atlas, là-dehors.

— Mon assurance invalidité est payée.

— J'habite au..., commença Carol.

— Je sais où vous habitez. En fait, nous nous sommes déjà rencontrés, avec Bruno, si c'est bien le charmant garçon qui garde votre porte.

— Vous avez rencontré Bruno ? demanda Carol, incrédule.

— Un homme charmant. Et quelle conversation passionnante !

— Eh bien, laissez-moi vous prévenir. C'est Bruno qui m'a raccompagnée.

— Heureusement, il est aisément repérable. Surveillez votre fenêtre de derrière. Je ne voudrais pas être coincé sur votre escalier d'incendie.

— C'est vraiment fou.

Jason se changea, passant un pantalon et un pull noirs. Il serait suffisamment visible sur l'escalier d'incendie sans être vêtu de couleurs claires. Il enfila des chaussures de sport et descendit à sa voiture. En remontant Beacon Street, il essaya de repérer Bruno. Il vira dans Glouster Street puis de nouveau à gauche sur Commonwealth. Il ralentit en traversant Marlborough. Conscient qu'il ne pourrait trouver une place de stationnement, il s'arrêta devant la bouche d'incendie la plus proche sans verrouiller les portières. Si besoin était les pompiers pourraient passer les tuyaux à travers la voiture.

Il descendit, scruta la ruelle entre Beacon et Marlborough. Par intermittence, des lumières formaient des flaques claires. Les zones d'obscurité ne manquaient pas, et les arbres projetaient des toiles d'araignée d'ombres. Jason se remémora sa tentative d'échapper à Bruno dans cette même ruelle.

Il prit son courage à deux mains et s'engagea dans la ruelle, aussi tendu qu'un sprinter attendant le coup de pistolet de départ. Un mouvement soudain, sur sa gauche, lui coupa le souffle. C'était un rat de la taille d'un chaton, et Jason sentit ses cheveux se hérisser sur sa nuque. Il continua à avancer, heureux de ne voir aucune trace de Bruno. L'endroit était si silencieux qu'il pouvait s'entendre respirer.

Arrivé à l'immeuble de Carol, il remarqua la lumière familière à la fenêtre du troisième étage puis examina attentivement l'escalier de secours. Malheureusement, il était équipé d'un de ces systèmes à échelle qui doivent être abaissés depuis le premier étage. Jason chercha autour de lui quelque chose où il pourrait grimper. Il ne trouva qu'une poubelle, ce qui impliquait qu'il devait la retourner. Cela allait faire pas mal de bruit, mais il n'avait pas le choix. Il frissonna au bruit du métal sur le sol et à celui de plusieurs bouteilles de bière qui roulèrent dans la rue.

Retenant son souffle, il leva les yeux. Personne n'avait allumé. Satisfait, il grimpa sur la poubelle et attrapa le premier barreau de l'échelle.

— Hé ! appela quelqu'un.

Jason tourna la tête et aperçut la solide silhouette familière qui arrivait en courant dans la ruelle, balançant ses bras épais, son souffle s'échappant par bouffées, comme une locomotive. À cet instant, Bruno avait tout d'un deuxième-ligne fonçant à l'essai.

— Merde, laissa échapper Jason.

Réunissant toutes ses forces, il s'agrippa à l'échelle, craignant un instant qu'elle ne s'effondrât sous son poids. Heureusement, elle tint bon. Une main après l'autre, il se hissa jusqu'à pouvoir poser le pied sur le premier barreau et grimper jusqu'au premier étage.

— Hé ! espèce de foutu petit obsédé ! braillait Bruno. Descends de là, nom de Dieu.

Jason hésita. Il pourrait toujours empêcher l'homme de grimper en lui marchant sur les doigts, mais ce n'est pas cela qui lui permettrait de voir Carol. Et quelqu'un allait appeler la police s'ils faisaient trop de vacarme. Il décida de tenter sa chance, escaladant les deux étages suivants pour arriver à la fenêtre de Carol. Elle était là et ouvrit la fenêtre dès qu'elle le vit.

— Votre néo-nazi est en route, annonça Jason. Vous pensez qu'il est armé ?

Il se trouvait dans une vaste cuisine.

— Je ne sais pas.

— Il va arriver, dit Jason, bouclant la fenêtre.

Ce qui retarderait Bruno d'une dizaine de secondes à peine.

— Je pourrais peut-être lui parler, suggéra Carol.

— Est-ce qu'il vous écoutera ?

— Je n'en suis pas sûre. C'est plutôt une tête de mule.

— C'est également mon impression. Et je sais qu'il ne m'aime pas beaucoup. Il me faut quelque chose comme une batte de base-ball.

— Vous ne pouvez le frapper, Jason.

— Je ne le souhaite pas, mais je ne crois pas que Bruno ait l'intention de s'asseoir et de discuter. Il me faut quelque chose pour le menacer et l'empêcher d'approcher.

— J'ai un tisonnier.

— Allez le chercher.

Jason éteignit la cuisine. Le nez contre la vitre, il put voir Bruno qui s'efforçait de se hisser sur la première échelle. Il était fort, mais lourd également. Carol revint avec le tisonnier. Jason le soupesa. Avec un peu de chance, il pourrait convaincre le type de l'écouter.

— Je savais que c'était une mauvaise idée, dit Carol.

Jason fit le tour de la pièce du regard et remarqua le linoléum sur le sol. Un coup d'œil sur la porte séparant la cuisine du reste de l'appartement. Elle était épaisse et solide, avec une serrure et une clef. Cette pièce avait dû être jadis autre chose qu'une cuisine.

— Carol, ça ne vous gênerait pas que je vous salisse tout ? Je veux dire, je serais heureux de payer le nettoyage ensuite.

— De quoi parlez-vous ?

— Avez-vous un grand bidon d'huile de cuisine ?

— Je suppose.

— Voulez-vous me le passer ?

Perplexe, Carol ouvrit son buffet et en tira un bidon de quatre litres d'huile d'olive italienne.

— Parfait, dit Jason.

Après un autre coup d'œil rapide par la fenêtre, il tira vivement les deux chaises et la table de la cuisine. Carol le regarda faire, de plus en plus surprise.

— C'est bon, sortez, lui dit-il en passant dans le couloir.

Il déboucha le bidon et se mit à en déverser le contenu sur le sol avec de grands mouvements de balayage. En refermant la porte, il entendit cogner à la fenêtre de la cuisine puis un bruit de verre brisé.

Il poussa la table de la cuisine entre la porte et le mur opposé.

— Venez, dit-il, prenant Carol par la main, le tisonnier toujours dans l'autre.

Il la conduisit à la porte d'entrée de l'appartement, solidement verrouillée avec sa double serrure et sa barre métallique. Dans la cuisine, ils entendirent un grand bruit. Bruno venait de tomber pour la première fois.

— C'était ingénieux, dit Carol en riant.

— Quand on ne pèse que quatre-vingts kilos, il faut compenser ce handicap, répondit Jason, le cœur battant. Bon, je ne sais combien de temps Bruno va s'amuser là-dedans, et il me faut donc faire vite. J'ai besoin de vous. Ma dernière chance de retrouver ce qu'avait bien pu découvrir Hayes est de me rendre à Seattle et d'essayer de savoir ce qu'il y a fait. Apparemment, il...

Un autre grand bruit et une volée de jurons, dont une partie — fort opportunément — en italien.

— Il va être d'une humeur massacrante, observa Jason en déverrouillant la porte d'entrée.

— Ainsi, vous voulez que j'aille à Seattle avec vous ? C'est donc ça ?

— Je savais que vous comprendriez. Hayes en a rapporté un échantillon biologique, qu'il a traité à Gene Inc. Il faut que je sache de quoi il s'agissait. Et le mieux, c'est de trouver l'homme qu'il a rencontré à l'université.

— L'homme dont j'ai oublié le nom.

— Mais vous l'avez vu et vous pourriez le reconnaître ?

— Probablement.

— Je sais qu'il est présomptueux de vous demander de m'accompagner. Mais je crois vraiment que Hayes a fait quelque découverte. Et si l'on se réfère à ce qu'il a déjà réussi, ce doit être important.

— Et vous croyez vraiment qu'en allant à Seattle vous résoudrez le problème.

— C'est un peu tiré par les cheveux. Mais je n'ai pas d'autre solution.

La porte de la cuisine résonna d'un premier choc, et Bruno se mit à cogner dessus régulièrement.

— Je crois que j'ai abusé de votre hospitalité. Bruno ne va pas vous faire de mal, n'est-ce pas ?

— Seigneur ! non ! Mon patron l'écorcherait vif. C'est pourquoi il est si furieux, maintenant. Il me croit en danger.

— Carol, viendrez-vous avec moi à Seattle ? demanda Jason en retirant la barre de la porte.

— Quand voulez-vous partir ? questionna Carol, indécise.

— Aujourd'hui, en fin de journée. Nous ne resterons pas longtemps. Pourriez-vous vous libérer en si peu de temps ?

— Je l'ai déjà fait. Il me suffit de dire que je veux aller chez moi. En outre, après le meurtre d'Helene, mon patron sera peut-être soulagé de me voir quitter la ville.

— Vous venez donc, dans ce cas ?

— D'accord, dit Carol, avec un de ses sourires à réchauffer le cœur. Pourquoi pas ?

— Il y a un vol pour Seattle à 16 heures. Rendez-vous à la porte d'embarquement. Je prendrai les billets. Qu'en dites-vous ?

— C'est complètement fou. Mais très drôle.

— À tout à l'heure.

Jason dégringola les escaliers et se précipita dans sa voiture, craignant que Bruno n'ait fait demi-tour et ne soit redescendu par la fenêtre.

CHAPITRE XII

Jason se leva tôt et appela Roger pour le tenir informé en ce qui concernait ses patients car il n'irait pas à l'hôpital de la journée. Il voulait faire un autre petit voyage avant de retrouver Carol au départ du vol de 16 heures pour Seattle. Rapidement, il mit quelques vêtements dans une valise, sans oublier de quoi se protéger de la pluie et du froid. Il appela un taxi et se fit conduire à l'aéroport où il arriva juste à temps pour glisser son sac dans un casier de consigne et sauter dans le vol navette des Eastern Airlines décollant à 10 heures pour New York — La Guardia. À l'arrivée, il loua une voiture et se rendit dans le New Jersey, à Leonia. La chance d'y trouver quelque chose était peut-être plus mince encore qu'à

Seattle, mais Jason allait rendre visite à l'ex-femme de Hayes. Il ne voulait pas négliger la moindre opportunité.

Leonia lui apparut comme une petite ville étonnamment paisible, compte tenu de sa proximité avec New York. À dix minutes du pont George-Washington, il se retrouva dans une rue large, bordée de commerces à un seul étage devant lesquels s'alignaient des parkings en épi. On aurait pu l'appeler « rue Principale », mais c'était Broad Avenue, avec son drugstore, sa quincaillerie, sa boulangerie et même un petit restaurant. On aurait dit un décor de film des années cinquante. Jason entra dans le restaurant, commanda un lait malté à la vanille et consulta l'annuaire. Il y avait bien une Louise Hayes sur Park Avenue. Tout en avalant son lait malté, il se demanda s'il était plus sage d'appeler ou de s'y rendre. Il opta pour la seconde solution.

Park Avenue coupait Broad Avenue et grimpait sur la colline qui bordait Leonia, à l'est. Après Pauline Boulevard, elle bifurquait vers le nord. C'est là que Jason découvrit la maison de Louise Hayes, une demeure modeste, marron foncé, avec ses bardeaux, qui avait bien besoin de réparations. La pelouse sur le devant était devenue herbe folle.

Jason sonna. Une femme souriante, entre deux âges, en robe d'intérieur rouge fané, vint lui ouvrir. Une fillette de cinq ou six ans, le pouce dans la bouche jusqu'à la deuxième phalange, s'accrochait à sa cuisse.

— Madame Hayes ? demanda Jason à la femme, qui n'avait rien de commun avec les deux petites amies du médecin.

— Oui.

— Docteur Jason Howard. Je suis un confrère de votre défunt mari. Jason n'avait rien préparé de ce qu'il allait lui dire.

— Oui ? répéta Mme Hayes, repoussant en un réflexe la fillette derrière elle.

— J'aimerais vous parler, si vous avez un moment, lui dit Jason, sortant son portefeuille et lui tendant son permis de conduire ainsi que sa carte d'identité professionnelle. J'ai fait mes études de médecine avec votre mari, ajouta-t-il pour faire bonne mesure.

Louise examina les cartes et les lui restitua.

— Voulez-vous entrer ?

— Merci.

L'intérieur de la maison paraissait également nécessiter des travaux, avec ses meubles usagés et sa moquette élimée jonchée de jouets. Précipitamment, Louise dégagea un coin du canapé et invita Jason à s'asseoir.

— Puis-je vous offrir quelque chose ? Du café, du thé ?

— Du café, ce sera parfait.

La femme paraissait anxieuse, et il se dit qu'une activité la calmerait. Elle se rendit à la cuisine où Jason entendit des bruits d'eau. La fillette était restée derrière, observant Jason de ses grands yeux bruns. Quand il lui sourit, elle fila dans la cuisine.

Jason fit le tour de la pièce du regard, une pièce sombre et triste, avec des reproductions au mur émanant de quelque maison de vente par correspondance. Louise revint, sa fillette accrochée à elle. Elle tendit à Jason une tasse de café, et posa le sucre et la crème sur la table basse. Jason se servit.

— Désolée de ne pas vous avoir paru très accueillante, lui dit Louise, qui s'assit en face de lui. Je ne reçois pas souvent de visiteurs venant me parler d'Alvin.

— Je comprends.

Jason la regarda mieux. Sous son apparence quelque peu négligée, il devina une femme qui avait été séduisante. Hayes avait bon goût, c'était incontestable.

— Je suis désolé de débarquer ainsi, mais Alvin m'avait parlé de vous. Comme je me trouvais dans le coin, j'ai pensé m'arrêter, dit-il songeant que des pieux mensonges pourraient aider.

— Vraiment ? fit Louise, indifférente.

Jason décida de se montrer prudent. Il n'était pas là pour remuer des souvenirs pénibles.

— Je voulais vous voir car votre mari m'a dit avoir fait une importante découverte, commença-t-il, expliquant les circonstances de la mort d'Alvin et comment lui, Jason, s'était fait un devoir de tenter de découvrir si, vraiment, son mari avait fait une découverte scientifique. Il expliqua que ce serait une tragédie si Alvin était tombé sur quelque chose pouvant aider l'humanité et si cela se perdait. Louise acquiesça de la tête, mais lorsque Jason lui demanda si elle avait une idée de la nature de cette découverte, elle déclara n'en rien savoir.

— Alvin et vous ne vous parliez pas beaucoup ?

— Non. Seulement des enfants et de questions financières.

— Comment vont vos enfants ? demanda Jason, se rappelant l'inquiétude de Hayes pour son fils.

— Ils vont bien l'un et l'autre, merci.

— L'un et l'autre ?

— Oui, Lucy, là, expliqua-t-elle en tapotant la tête de sa fille. Et John, qui est à l'école.

Jason vit les yeux de la femme se voiler. Après un silence gêné, elle ajouta :

— Eh bien..., nous en avons un autre. Alvin Junior. Il est sévèrement retardé. Il vit dans une école, à Boston.

— Je suis désolé.

— Je vous en prie. On pourrait penser que je m'y suis faite, mais je crois que je ne m'y ferai jamais. Je pense que c'est la raison de notre divorce — je n'arrivais pas à m'y faire.

— Où se trouve exactement Alvin Junior ? demanda Jason, conscient de s'aventurer en terrain sensible.

— À l'institut Hartford.

— Comment va-t-il ?

Il connaissait l'institut Hartford, acquis par l'A.S.M. quand la société poursuivait une politique d'achat d'établissements hospitaliers. Il savait aussi que l'institut était à vendre. Il constituait une perte d'argent pour la boîte.

— Bien, je crois. Je déplore de ne pas aller le voir souvent. Cela me brise le cœur.

— Je comprends, dit Jason, se demandant si c'était là le fils dont Hayes avait parlé le soir de sa mort. Pourrions-nous appeler pour nous enquérir de la santé de l'enfant ?

— Je le suppose, dit Louise, sans véritable réaction à la nature insolite de la question.

Elle se leva avec raideur, la fillette toujours accrochée à elle, et alla appeler l'institution au téléphone. Elle demanda le dortoir des petits et, quand on le lui eut passé, bavarda un instant à propos de la santé de son fils.

— Il va aussi bien qu'on peut l'espérer, dit-elle après avoir raccroché. Le seul problème nouveau est une arthrite qui a gêné la thérapie.

— Il y est depuis longtemps ?

— Seulement depuis qu'Alvin est allé travailler pour l'A.S.M. La possibilité de placer Alvin Junior à Hartford a été l'une des raisons qui l'ont conduit à accepter le poste.

— Et votre autre fils ? Il va bien, dites-vous.

— On ne peut mieux, dit Louise avec une fierté manifeste. Il est au cours moyen, et c'est l'un des meilleurs élèves de sa classe.

— C'est merveilleux.

Jason tenta de repenser au soir où Hayes était mort. Alvin avait déclaré que quelqu'un voulait la mort de son fils. Qu'il était trop tard pour lui, mais peut-être pas pour son fils. Que diable avait-il voulu dire ? Jason avait pensé que l'un de ses fils était physiquement malade, mais apparemment ça n'était pas le cas.

— Encore un peu de café ? proposa Louise.

— Non, merci. Je voudrais vous poser encore une question. À l'époque de sa mort, Alvin était en train de monter une société appelée Life Incorporated dont vos enfants devaient être actionnaires. Étiez-vous au courant ?

— Pas le moins du monde.

— Oh, eh bien, merci pour le café. Si je puis faire quelque chose pour vous, à Boston, comme passer voir Alvin Junior, n'hésitez pas à m'appeler.

Jason se leva, et la fillette enfouit son visage dans la jupe de sa mère.

— J'espère qu'Alvin n'a pas souffert, dit Louise.

— Non, il n'a pas souffert, prétendit Jason qui revoyait encore le regard d'angoisse et de souffrance d'Alvin.

Ils étaient à la porte quand Louise dit soudain :

— Oh, je voulais ajouter une chose. Quelques jours après le décès d'Alvin, quelqu'un a pénétré ici. Heureusement, nous n'y étions pas.

— Est-ce qu'on a pris quelque chose ? demanda Jason, songeant que ce pouvait être Gene Inc.

— Non. Ils ont probablement constaté l'habituel désordre et en ont simplement mis davantage, répondit Louise avec un sourire. Mais ils semblent avoir fouillé partout. Même dans les livres des enfants.

En quittant Leonia pour repasser le pont George-Washington, Jason songea à sa rencontre avec Louise Hayes. Il aurait dû se sentir davantage découragé. Après tout, il n'avait rien appris d'important qui justifiait le voyage. Mais il réalisa qu'il y avait bien autre chose. Il avait été vraiment curieux de connaître la femme de Hayes. Du fait que la sienne lui avait été cruellement ravie, il ne comprenait pas pourquoi quelqu'un comme Hayes s'était volontairement séparé de son épouse. Mais Jason n'avait jamais connu le traumatisme d'avoir un enfant retardé.

Il put attraper la navette de 14 heures pour rentrer à Boston, essayant de lire dans l'avion, mais sans parvenir à se concentrer. Il commença à s'inquiéter que Carol ne soit pas au rendez-vous, à l'aéroport de Boston ou, pis encore, qu'elle y soit avec Bruno.

Malheureusement, la navette de 14 heures, qui devait se poser à 14 h 30 à Boston, ne quitta La Guardia qu'à 14 h 40. Le temps que Jason débarque, il était 15 h 15. Il récupéra son bagage à la consigne et se précipita du terminal d'Eastern à celui d'United.

Il y trouva une foule faisant la queue au guichet et se demanda ce que pouvaient bien faire les agents de la compagnie pour rendre les formalités si longues. Il était maintenant 15 h 20 et pas trace de Carol Donner.

Enfin son tour arriva. Il présenta sa carte American Express et demanda deux aller et retour pour Seattle sur le vol de 16 heures, avec un billet open pour le retour.

Avec Jason du moins, l'employé se montra efficace. En trois minutes, il eut les billets et les cartes d'embarquement. Jason fila vers la porte n° 19. Il était 15 h 55, et l'embarquement se terminait. Arrivé tout essoufflé à la porte 19, il demanda si personne n'avait demandé après lui. Sur la réponse négative de l'employée, il donna une rapide description de Carol et reposa la question.

— Elle est très belle, ajouta-t-il.

— J'en suis convaincue, dit l'employée en souriant. Malheureusement, je ne l'ai pas remarquée. Mais si vous voulez partir pour Seattle, vous feriez mieux d'embarquer.

Jason regarda l'aiguille des secondes avancer sur le cadran derrière le comptoir d'embarquement. L'agent comptait les billets. Un autre lança le dernier appel pour le départ pour Seattle. Il était 15 h 58.

Son sac sur l'épaule, Jason jeta un coup d'œil dans le hall, au-delà du terminal. À l'instant où il allait abandonner tout espoir, il la vit, courant vers lui, il aurait dû se sentir soulagé. Mais, à quelques pas derrière elle, courait l'impressionnante silhouette de Bruno. Plus loin, dans le hall, un policier, près de l'endroit, où l'on récupérait les bagages après leur passage aux rayons X. Dans sa direction, si besoin était, remarqua Jason.

Avec son sac en bandoulière, Carol avait du mal à courir. Et Bruno ne faisait rien pour lui faciliter la tâche. Elle arriva droit sur Jason, qui vit le large visage de Bruno passer de la contrariété à la confusion puis à la colère.

— J'ai réussi ? demanda-t-elle, à bout de souffle.

L'agent était maintenant à la porte d'accès à l'appareil, relevant d'un coup de pied la béquille de blocage.

— Qu'est-ce que tu fais là, connard ? hurla Bruno, levant les yeux sur l'affichage de la destination et ajoutant, se tournant vers Carol : Vous aviez dit que vous alliez chez vous.

— Allons, venez, pressa Carol, prenant le bras de Jason et l'entraînant vers la passerelle d'embarquement.

Jason recula en trébuchant, les yeux sur le visage rondelet de Bruno qui avait viré à un rouge peu seyant, les veines de ses tempes gonflées comme des cigares.

— Un instant ! demanda Carol à l'agent, qui acquiesça et lança quelque chose à l'intention de l'extrémité de la passerelle.

Jason surveilla Bruno jusqu'à l'ultime seconde. Il le vit se pencher sur une batterie de téléphones.

— Vous aimez arriver au dernier moment, hein ? leur dit l'agent en détachant une partie de leur carte d'embarquement.

Jason se retourna enfin, convaincu maintenant que Bruno avait décidé de ne pas faire d'esclandre. Carol lui tirait toujours le bras pour descendre la passerelle. Ils durent attendre qu'un employé cogne sur la paroi de l'appareil pour que le steward rouvre la porte déjà bouclée.

— Je crois qu'on ne pouvait pas aller au-delà, fit-il observer, les sourcils froncés.

Quand ils furent assis, Carol s'excusa pour son retard.

— Je suis furieuse, dit-elle, fourrant son sac sous le siège devant elle. Je suis sensible aux attentions d'Arthur en ce qui me concerne, mais là c'est ridicule.

— Qui est Arthur ?

— Mon patron. Il m'a dit que si je partais maintenant il pourrait me fiche à la porte. Je crois que je vais le quitter, en rentrant.

— Est-ce que vous le pourriez ? s'enquit Jason, se demandant en quoi consistait le travail de Carol, la danse mise à part, car selon lui les femmes de son espèce ne pouvaient disposer d'elles-mêmes.

— J'avais l'intention d'arrêter bientôt, de toute façon.

L'appareil s'ébranla, tiré de la passerelle d'embarquement.

— Vous savez ce que je fais ? demanda Carol.

— En quelque sorte, répondit évasivement Jason.

— Vous ne m'en avez jamais parlé. La plupart des gens mettent cela sur le tapis.

— Je me suis dit que c'était votre affaire.

Qui était-il pour porter un jugement ?

— Vous êtes un peu bizarre. Gentil, mais bizarre.

— Je pensais être tout à fait normal.

— Ha ! dit Carol, badinant.

Compte tenu de l'importance du trafic, ils durent attendre vingt minutes avant de décoller et de mettre le cap à l'ouest.

— Je ne pensais pas que nous l'aurions, dit Jason, qui commençait enfin à se détendre.

— Je suis désolée. J'ai tenté de semer Bruno, mais il est collant comme de la glu. Je ne voulais pas qu'il sache que je n'allais pas dans l'Indiana. Mais que pouvais-je faire ?

— C'est sans importance, observa Jason, ennuyé tout de même que quelqu'un d'autre que Shirley soit au courant de sa destination. Il aurait voulu garder cela secret. Mais, en même temps, il ne voyait pas ce que cela pourrait changer.

Prenant des notes sur son bloc jaune, Jason interrogea Carol sur l'emploi du temps de Hayes à chacun de ses deux déplacements à Seattle. La première visite fut la plus intéressante. Ils étaient descendus au Mayfair Hotel et, entre autres, avaient passé une soirée au Totem, un club dans le genre du Club Cabaret de Boston. Jason demanda à Carol ce qu'elle en pensait.

— Pas mal. Rien de spécial. Et sans la fièvre du Club Cabaret. Seattle paraît un peu guindée.

Jason hocha la tête, se demandant pourquoi Hayes allait perdre son temps dans un endroit pareil quand il était en voyage avec Carol.

— Est-ce qu'Alvin a parlé à quelqu'un ? demanda-t-il.

— Oui. Arthur lui avait ménagé une rencontre avec le propriétaire.

— Votre patron a fait ça ? Alvin connaissait votre patron ?

— C'étaient des amis. C'est comme cela que j'ai rencontré Alvin.

Jason se souvint des rumeurs concernant le goût d'Alvin pour les boîtes disco et ce genre de distraction. Apparemment, elles étaient vraies. Mais l'idée qu'un spécialiste de la biologie moléculaire de renommée mondiale pouvait être copain avec le patron d'une boîte topless lui paraissait ridicule.

— Savez-vous de quoi Alvin a parlé avec cet homme ?

— Non, je l'ignore. Cela n'a pas duré longtemps. Moi, je regardais les danseuses. Elles étaient très bonnes.

— Et vous avez visité l'université de l'État de Washington, c'est ça ?

— C'est exact. Le premier jour.

— Et vous pensez que vous pourrez retrouver l'homme qu'Alvin y a rencontré ? demanda Jason, simplement pour s'en assurer.

— Je le crois. C'était un type grand, beau garçon.

— Et ensuite ?

— Nous sommes allés dans les montagnes.

— Et là, c'était les vacances ?

— Je le suppose.

— Est-ce qu'Alvin y a rencontré quelqu'un ?

— Personne en particulier. Mais il a parlé à pas mal de gens.

Jason revint à la charge après les cocktails. Il réfléchit à ce que Carol lui avait dit, pensant que le plus important était la visite à l'université. Mais le passage au club n'en était pas moins curieux et méritait que l'on s'y intéresse.

— Encore une chose, dit Carol. À notre second voyage, nous avons consacré un certain temps à essayer de trouver de la neige carbonique.

— De la neige carbonique ? Pour quoi faire, grand Dieu ?

— Je l'ignore, et Alvin ne m'en a rien dit. Il avait une glacière et il voulait la remplir de neige carbonique.

Peut-être pour transporter l'échantillon, se dit Jason. *Voilà qui semble encourageant.*

Lorsqu'ils se posèrent à Seattle, ils mirent leurs montres à l'heure de la côte Ouest. Jason regarda par le hublot. Comme il fallait s'y attendre, il pleuvait. Il pouvait voir la pluie frapper les flaques sombres de la piste. Bientôt, les hublots étaient également zébrés par les gouttes.

Ils louèrent une voiture, et, une fois sortis de la circulation de l'aéroport, Jason dit :

— Pour le cas où cela pourrait faire ressurgir des souvenirs, j'ai pensé que nous pourrions descendre au même hôtel. Chambres séparées, bien sûr.

Carol tourna la tête pour le regarder dans la

pénombre du véhicule. Jason voulait qu'il soit bien clair que c'était là uniquement un voyage d'affaires.

La voiture suivant celle de Jason et de Carol était une Ford Taunus bleu foncé. Au volant, un homme d'une quarantaine d'années en pull à col roulé, veste de daim et pantalon à carreaux. Cinq heures plus tôt à peine, un coup de fil lui avait demandé de se trouver à l'arrivé du vol United en provenance de Boston. Il devait repérer un médecin de quarante-cinq ans, accompagné d'une très belle jeune femme. Ils s'appelaient Howard et Donner, et il convenait de ne pas les perdre de vue. L'opération s'était révélée plus facile qu'il ne s'y attendait. Il s'était assuré de leur identité simplement en arrivant derrière eux au comptoir d'Avis.

Maintenant, il suffisait de ne pas les perdre de vue. Quelqu'un qui arriverait de Miami était censé prendre contact avec lui. Pour cela, on le payait à son tarif habituel de 50 dollars l'heure plus les frais. Il se demanda s'il ne s'agissait pas de quelque affaire de famille.

L'hôtel était élégant. À en juger par l'apparence habituellement débraillée de Hayes, Jason n'aurait pas cru que l'homme avait des goûts aussi dispendieux. Ils prirent des chambres séparées, mais Carol insista pour qu'ils ouvrent la porte de communication.

— Pas de pruderies, déclara-t-elle, et Jason ne sut comment interpréter cela.

Du fait qu'ils avaient à peine touché au repas servi dans l'avion, Jason suggéra qu'ils dînent avant de se rendre au Totem Club. Carol s'était changée, et, quand ils arrivèrent dans la salle à manger, il fut heureux de la voir paraître si jeune et si belle. Le maître d'hôtel vérifia même son âge quand Jason commanda une bouteille de chardonay de Californie. L'aventure réjouit fort Carol, qui se plaignait de paraître déjà sur la pente descendante.

Vers 22 heures, 1 heure du matin sur la côte Est, ils étaient près de partir pour le Totem Club. Jason commençait déjà à avoir sommeil, mais Carol se sentait en pleine forme. Pour éviter toute difficulté, ils laissèrent leur voiture de location au parking de l'hôtel et prirent un taxi. Carol reconnut qu'elle avait eu du mal à trouver l'endroit, avec Hayes.

Le Totem Club se trouvait en dehors du centre de Seattle, à la limite d'un agréable quartier résidentiel, bien loin du sordide de la Combat Zone de Boston. Le club était entouré d'un vaste parking asphalté sans les habituelles ordures ni les habituels mendiants. Il ressemblait à n'importe quel restaurant ou bar, à part quelques faux totems flanquant l'entrée. En descendant du taxi, Jason entendit le rythme d'une musique rock. Ils se précipitèrent sous la pluie jusqu'à l'entrée.

À l'intérieur, le club paraissait beaucoup plus classique que le Club Cabaret. Jason remarqua immédiatement que l'assistance se composait presque essentiellement de couples et non de ces hommes au verre facile qui bordaient la piste à Boston. Il y avait même une petite piste de danse. Le seul véritable point commun était la disposition du bar, également en forme de « U », avec une piste pour les évolutions des danseuses au milieu.

— On ne danse pas en topless ici, souffla Carol.

On les conduisit à un box au premier niveau, assez loin du bar. Derrière eux, s'étendait un second niveau. Une serveuse plaça devant eux un dessous de verre en carton et leur demanda ce qu'ils désiraient.

Quand ils furent servis, Jason demanda à Carol si elle avait aperçu le patron. Tout d'abord, elle lui répondit que non, mais un quart d'heure plus tard elle lui posa la main sur le bras et se pencha.

— Le voilà, dit-elle, désignant un homme d'une trentaine d'années le teint mat, avec des cheveux bleu-noir épais, en smoking, nœud papillon et ceinture rouges.

— Vous souvenez-vous de son nom ?

Non, fit Carol de la tête.

Jason se leva et s'approcha de l'homme dont le visage avait un air aimable et un peu enfantin. Il était en train de rire et de taper dans le dos d'un client assis au bar.

— Excusez-moi. Je suis le docteur Jason Howard, de Boston.

Le patron de la boîte se retourna, souriant.

— Sebastian Frahn. Bienvenue au Totem.

— Pourrais-je vous parler un instant ?

Le sourire de l'homme s'estompa.

— Que voulez-vous ?

— Je pourrais vous l'expliquer en une minute ou deux.

— Je suis terriblement occupé. Plus tard, peut-être.

Jason, qui ne s'attendait pas à ce que l'on se débarrasse de lui aussi vite, resta un moment à regarder Frahn évoluer au milieu de ses clients, son sourire retrouvé.

— Ça a marché ? demanda Carol, quand il revint s'asseoir.

— Non. Cinq mille kilomètres, et ce type qui ne veut pas me parler.

— Il faut être prudent, dans ce métier. Laissez-moi essayer.

Sans attendre l'accord de Jason, elle se glissa hors du box. Jason la regarda s'approcher avec grâce du patron. Elle lui toucha le bras et lui dit quelques mots. Jason le vit hocher la tête et regarder dans sa direction. Un nouveau hochement de tête et l'homme s'éloigna. Carol revint.

— Il va venir dans un instant.

— Que lui avez-vous dit ?

— Il s'est souvenu de moi, répondit simplement Carol.

— Est-ce qu'il s'est souvenu de Hayes ? questionna Jason, se demandant ce que cela signifiait.

— Oh ! oui ! Pas de problème.

Effectivement, dix minutes plus tard Sebastian Frahn faisait le tour de la salle et s'arrêtait à leur table.

— Désolé de m'être montré si brusque. Je ne savais pas que vous étiez des amis.

— C'est exact, confirma Jason, sans trop savoir ce que voulait dire l'homme exactement, mais la réflexion lui parut gentille.

— Que puis-je faire pour vous ?

— Carol me dit que vous vous souvenez du docteur Hayes.

Sebastian se tourna vers Carol.

— C'est l'homme avec lequel vous êtes venue la dernière fois ?

— Oui, fit Carol.

— Bien sûr que je me souviens de lui. C'était un ami d'Arthur Kochler.

— Pourriez-vous me dire de quoi vous avez parlé ? C'est peut-être important.

— Jason travaillait avec Alvin, ajouta Carol.

— Je peux parfaitement vous dire de quoi nous avons parlé. L'homme voulait aller à la pêche au saumon.

— À la pêche ! s'exclama Jason.

— Ouais. Il voulait prendre quelques grosses pièces ; m'a-t-il dit, mais il ne souhaitait pas aller trop loin. Je lui ai conseillé Cedar Falls.

— C'est tout ? demanda Jason, navré.

— Nous avons parlé quelques minutes de l'équipe des Seattle Supersonics.

— Je vous remercie d'avoir bien voulu me consacrer un peu de votre temps.

— De rien, dit Sebastian avec un sourire. Eh bien, il faut que je circule.

Il se leva, leur serra la main, leur dit de revenir et disparut.

— Je n'arrive pas à y croire, dit Jason. Chaque fois que je pense avoir une piste, ça se termine par une blague. La pêche !

Sur la demande de Carol, ils restèrent une demi-heure pour regarder le spectacle, et à leur retour à l'hôtel, Jason était complètement épuisé. Sur la côte Est, il était 4 heures du matin, le mardi. Il fut heureux d'aller se coucher. Il était déçu des résultats de sa visite au Totem Club, mais restait toujours l'université. Il allait s'endormir quand on frappa doucement à la porte de communication. C'était Carol. Elle mourait de faim et ne parvenait pas à dormir, déclara-t-elle. Pouvaient-ils demander qu'on leur apporte quelque chose dans leurs chambres ? Jason accepta, se sentant tenu de se montrer beau joueur. Ils commandèrent une demi-bouteille de champagne et du saumon fumé.

Carol, en peignoir d'éponge, assise sur le lit de Jason, dévora son saumon et ses biscuits salés. Elle lui parla de son enfance à Bloomington, dans l'Indiana. Jamais Jason n'en avait autant entendu de sa part. Elle vivait à la ferme et devait traire les vaches, le matin, avant d'aller à l'école. Jason pouvait se représenter le spectacle. Elle possédait cette fraîcheur que l'on imagine liée à une telle existence. En revanche, il avait du mal à faire le rapport entre sa vie passée et celle qu'elle menait actuellement. Il aurait voulu savoir comment les choses avaient mal tourné, mais il craignit de poser la question. En outre, sa fatigue l'emporta, et malgré tous ses efforts il ne put garder les yeux ouverts. Il s'endormit, et Carol, après avoir tiré une couverture sur lui, regagna sa chambre.

CHAPITRE XIII

Jason s'éveilla en sursaut et consulta sa montre qui marquait 5 heures. Soit 8 heures à Boston, instant où il partait d'ordinaire pour l'hôpital. Il tira les rideaux et découvrit une journée d'une limpidité de cristal. Dans le lointain, un ferry avançait vers Seattle dans un sillage étincelant.

Après avoir pris une douche, Jason frappa à la porte de communication avec la chambre voisine. Sans réponse, il frappa de nouveau. Finalement, il l'entrebâilla, laissant filtrer un rayon de soleil dans l'obscurité et la fraîcheur de la pièce. Carol dormait toujours profondément, serrant son oreiller. Jason la regarda un instant. Elle avait la beauté d'un ange. Il referma la porte en silence, pour ne pas la réveiller.

Il retourna à son lit, appela le service des chambres et commanda du jus d'orange frais, du café et des croissants pour deux. Après quoi il appela l'hôpital et fit demander Roger Wanamaker.

— Tout se passe bien ?

— Pas exactement. Marge Todd a fait une grosse embolie hier soir. Elle est tombée dans le coma et elle est morte. Arrêt respiratoire.

— Quoi d'autre ? demanda Jason, effondré.

— Amuse-toi bien. Il n'y a rien que tu puisses faire, ici. Je t'appelle si on a besoin de toi.

Jason lui donna son numéro de téléphone et raccrocha. Encore un décès. À part les deux jeunes femmes souffrant d'hépatite, il commençait à croire que ses patients ne pourraient sortir de l'hôpital que les pieds devant. Il se demanda s'il ne devait pas rentrer immédiatement à Boston. Mais Roger avait raison. Il n'y avait rien qu'il puisse faire, et autant aller jusqu'au bout avec l'affaire Hayes, encore qu'il ne fût pas très optimiste.

Deux heures plus tard, Carol frappa à la porte et entra, les cheveux encore humides de la douche.

— Le meilleur moment de la matinée, dit-elle de sa voix enjouée, et Jason recommanda du café.

— Je crois que nous avons de la chance, dit-il, montrant l'éclatant soleil.

— N'en soyez pas si sûr. Par ici, le temps peut tourner très rapidement.

Tandis que Carol déjeunait, il reprit une tasse de café.

— J'espère ne pas vous avoir rompu les oreilles, hier soir, dit Carol.

— Ne soyez pas sotte. Je suis désolé de m'être endormi.

— Et vous, docteur ? demanda Carol en mettant de la confiture sur un croissant. Vous ne m'avez pas dit grand-chose de vous.

Elle ne précisa pas que Hayes lui en avait dit pas mal.

— Il n'y a pas grand-chose à raconter.

Carol haussa les sourcils et se mit à rire en le voyant sourire.

— J'ai cru un instant que vous étiez sérieux.

Il lui raconta son enfance à Los Angeles, ses études à Berkeley et à Harvard, et son internat au Massachusetts General Hospital. Sans vraiment le vouloir, il se prit à lui décrire Danielle et à lui parler de l'horrible nuit où elle avait trouvé la mort. Personne ne l'avait autant fait sortir de sa réserve, pas même Patrick, le psychiatre qu'il avait vu après la mort de Danielle. Jason s'entendit même évoquer son découragement présent devant le nombre croissant des morts parmi ses patients, et l'annonce par Roger, le matin même, du décès de Marge Todd.

— Je suis flattée que vous me racontiez tout cela, lui dit Carol, sincère, car elle ne s'était pas attendue à une telle franchise, à une telle confiance. Vous avez connu bien des chagrins.

— La vie est ainsi faite, parfois, dit Jason avec un soupir. Je ne sais pas pourquoi je vous ai ennuyée avec tout cela.

— Cela ne m'a pas ennuyée. Je pense que vous avez réalisé un extraordinaire rétablissement. Je crois que votre changement de travail et d'existence ont été très durs, mais tout à fait positifs.

— Vraiment ?

Il ne se souvenait pas d'avoir dit cela ni de s'être autant personnellement révélé à Carol, mais maintenant que c'était fait, il se sentait mieux.

Se trouvant bien ensemble, ce ne fut qu'à 10 h 30 qu'ils sortirent chacun de leur chambre, habillés pour la journée. Jason demanda au concierge que l'on conduise leur voiture devant la porte, et ils descendirent par l'ascenseur. Ainsi que l'avait prévu Carol, le ciel s'était couvert quand ils sortirent de l'hôtel, et il tombait une pluie persistante.

Avec l'aide d'une carte de chez Avis et des souvenirs de Carol, ils se rendirent à la faculté de médecine de l'université. Carol montra le bâtiment réservé à la recherche où Hayes s'était rendu. Ils se présentèrent à l'entrée principale où les arrêta aussitôt un homme en uniforme. Ils n'avaient pas de badge d'identité de l'université.

— Je suis médecin, de Boston, dit Jason, tirant son portefeuille pour montrer sa carte d'identité professionnelle.

— Hé ! mec ! Je me fous de savoir d'où vous êtes. Sans badge, on n'entre pas. C'est tout simple. Si vous voulez entrer ici, faut passer par les services administratifs.

Voyant qu'il était inutile de discuter, ils se rendirent aux services administratifs. En chemin, Jason demanda comment Hayes s'était débrouillé avec le service de sécurité.

— Il avait passé un coup de fil à son ami, avant. L'homme nous attendait au parking.

L'employée des services administratifs se montra aimable et accommodante. Elle montra même à Carol le « trombinoscope » de la faculté pour voir si elle y retrouvait l'ami de Hayes. Mais les visages se révélèrent insuffisants, et Carol ne put le reconnaître. Dûment dotés de leur badge de sécurité, ils retournèrent au bâtiment de la recherche.

Carol conduisit Jason au quatrième étage, avec son couloir envahi de matériel de rechange et ses murs ayant bien besoin d'un coup de peinture. Il y régnait une odeur chimique, âcre, voisine de celle du formaldéhyde.

— Voilà le labo, annonça Carol en s'arrêtant devant une porte ouverte.

À gauche de la porte, deux noms : docteur Duncan Sechler, docteur Rhett Shannon. Comme Jason aurait pu s'en douter, on était au département de génétique moléculaire.

— Lequel des deux ? demanda Jason.

— Je ne sais pas, répondit Carol qui alla demander à un jeune technicien si l'un des deux docteurs était là.

— Ils sont là tous les deux. Dans l'animalerie, indiqua-t-il avec un geste par-dessus son épaule.

Il se retourna sur Carol quand ils passèrent, afin de l'admirer de dos. Jason fut surpris de son sans-gêne.

Par le vaste panneau vitré de la porte de l'animalerie, ils aperçurent deux hommes en blouse blanche en train d'effectuer un prélèvement de sang sur un singe.

— C'est le grand avec les cheveux gris, dit Carol.

Jason s'approcha de la vitre pour mieux voir l'homme, beau garçon et athlétique, à peu près de son âge. Ses cheveux uniformément gris lui conféraient un air particulièrement distingué. L'autre, en revanche, était presque chauve, il avait rabattu sur son crâne les quelques cheveux qui lui restaient, dans une vaine tentative de dissimuler sa calvitie.

— Est-ce qu'il se souviendra de vous ?

— Possible. Nous ne nous sommes vus qu'un instant avant que j'aille visiter le département de psychologie.

Ils attendirent que les médecins en aient terminé et sortent de l'animalerie. Le grand aux cheveux gris tenait un tube de sang.

— Excusez-moi, dit Jason. Pourriez-vous me consacrer un instant ?

L'homme jeta un coup d'œil sur le badge de Jason demanda :

— Vous êtes visiteur médical ?

— Grand Dieu ! non ! répondit Jason en souriant. Je suis le docteur Jason Howard et voici miss Carol Donner.

— Que puis-je faire pour vous ?

— Je te vois dans une minute, Duncan, coupa l'homme aux cheveux rares.

— C'est bon, je m'occupe du sang immédiatement, dit Duncan qui ajouta, se tournant vers Jason : Désolé.

— De rien. Je voulais vous parler d'un vieil ami.

— Oh ?

— Alvin Hayes. Vous souvenez-vous de sa visite ?

— Bien sûr. Et n'étiez-vous pas avec lui ? demanda Duncan à Carol.

— En effet. Vous avez bonne mémoire.

— J'ai été frappé d'apprendre sa mort. Quelle perte !

— Carol me dit que Hayes était venu demander quelque chose d'important, dit Jason. Pourriez-vous me dire de quoi il s'agissait ?

Duncan parut gêné, jetant des regards nerveux sur les techniciens.

— Je ne souhaite pas en parler.

— Désolé de l'apprendre. S'agissait-il d'une question personnelle ou professionnelle ?

— Il est peut-être préférable que vous passiez dans mon bureau.

Jason eut du mal à cacher son excitation. Enfin, il semblait être tombé sur quelque chose de révélateur.

Une fois dans le bureau, Duncan referma la porte. Il dégagea un canapé de quelques articles de journaux, et invita Jason et Carol à s'asseoir.

— Pour répondre à votre question, Hayes est venu me voir pour une raison personnelle, pas professionnelle.

— Nous avons fait cinq mille kilomètres simplement pour vous parler, dit Jason, qui n'allait pas renoncer aussi facilement bien que ce ne fût guère encourageant.

— Si vous aviez appelé, je vous aurais évité le voyage.

La voix de Duncan avait perdu de son amabilité.

— Peut-être devrais-je vous préciser pourquoi nous sommes tellement intéressés, dit Jason, qui entreprit de raconter le caractère mystérieux de l'éventuelle découverte de Hayes et ses vaines tentatives à lui, Jason, de découvrir de quoi il pouvait bien s'agir.

— Vous pensez que Hayes est venu me trouver pour que je l'aide dans ses recherches ?

— C'est ce que j'espérais.

Duncan eut un rire bref, désagréable. Il regarda Jason du coin de l'œil.

— Vous ne seriez pas un flic des stups, non ?

Jason fut interloqué.

— C'est bon. Je vais vous dire ce que voulait Hayes. Savoir où acheter de la marihuana. Il m'a dit avoir eu peur de prendre l'avion avec ce truc. Il n'avait donc pu en apporter. Pour lui rendre service, je l'ai branché sur un gosse du campus.

Jason en fut stupéfié. Son excitation s'évanouit comme l'air s'échappant d'un ballon, le laissant à plat.

— Désolé d'avoir abusé de votre temps...

— De rien.

Carol et Jason sortirent du bâtiment de la recherche et allèrent restituer leurs badges de visiteurs au préposé de la sécurité. Carol avait un petit sourire.

— Ce n'est pas si drôle, fit observer Jason quand ils regagnèrent la voiture.

— Mais si. Vous ne vous en rendez pas compte pour l'instant.

— Autant rentrer, dit-il, l'humeur sombre.

— Oh ! non ! Vous m'avez entraînée jusque-là, et nous ne partirons pas tant que vous n'aurez pas vu les montagnes. Ce n'est pas très loin, en voiture.

— Laissez-moi le temps d'y réfléchir, dit Jason, maussade.

Carol l'emporta. Ils retournèrent à l'hôtel, récupérèrent leurs bagages et, avant même que Jason ne s'en rende compte, ils se trouvaient sur une voie rapide les emmenant hors de la ville. Elle insista pour prendre le volant. Bientôt, la banlieue laissa place à une forêt verte et brumeuse. La pluie s'arrêta, et Jason put distinguer les sommets enneigés, au loin. Le paysage était si magnifique qu'il en oublia sa déception.

— Ça devient encore plus beau, dit Carol quand ils quittèrent l'autoroute pour se diriger vers Cedar Falls.

Maintenant, elle se souvenait du chemin et montrait joyeusement les paysages. Elle prit une route encore plus petite, longeant la Cedar River.

Ils étaient en pleine féerie de la nature, avec des forêts profondes, des rochers escarpés, des montagnes au loin et des ruisseaux. À la nuit tombante, Carol quitta la route pour un chemin de pierres et d'ornières qui s'arrêtait devant un pittoresque chalet de montagne construit comme une immense cabane en rondins de quatre étages. Une fumée montait paresseusement d'une énorme cheminée de pierre. Au-dessus des marches conduisant à la véranda, un écriteau annonçait : AUBERGE DU SAUMON.

— C'est là qu'Alvin et vous êtes descendus ? demanda Jason en regardant à travers le pare-brise l'immense entrée avec ses meubles de pin massif.

— C'est là, confirma Carol, qui se retourna pour prendre son sac sur la banquette arrière.

Ils descendirent de voiture dans l'air frais et l'odeur âcre du feu de bois. Dans le lointain, Jason entendit le bruit de l'eau qui courait.

— La rivière se trouve de l'autre côté du chalet, expliqua Carol en gravissant les marches de l'entrée. Et, un peu plus haut, une belle petite chute. Vous verrez cela demain.

Jason suivit, se demandant soudain ce que diable il faisait là. Ce voyage avait été une erreur, sa place était à Boston, avec ses malades dans un état critique. Mais il se trouvait ici, dans les Cascade Mountains, accompagné d'une fille dont il n'avait rien à faire.

L'intérieur de l'auberge apparut tout aussi charmant que l'extérieur, avec sa grande pièce centrale à un étage que dominait une gigantesque cheminée et son chintz, ses têtes d'animaux et ses peaux d'ours de-ci, de-là. Plusieurs clients étaient en train de lire devant la cheminée et une famille jouait au Scrabble. Quelques têtes se tournèrent quand Jason et Carol arrivèrent à la réception.

— Avez-vous réservé ? demanda l'homme derrière le comptoir.

Jason se demanda s'il plaisantait. Le chalet était immense, au bout du monde, on était au début de novembre, et ce n'était même pas un week-end. Il ne pouvait imaginer qu'il pût y avoir tant de monde.

— Nous n'avons pas réservé, dit Carol. Y a-t-il une difficulté quelconque ?

— Voyons voir, dit l'homme en se penchant sur son registre.

— Combien de chambres comporte l'hôtel ? demanda Jason, encore stupéfié.

— Quarante-deux et six suites, répondit l'homme sans lever les yeux.

— Est-ce que le syndicat des marchands de chaussures tient sa convention annuelle ?

— C'est toujours plein à cette époque, dit l'homme en riant. À cause du retour des saumons.

Jason avait entendu parler des saumons du Pacifique et de leur mystérieux retour dans les frayères d'eau douce qui les avaient vu naître. Mais il pensait que le phénomène se produisait au printemps.

— Vous avez de la chance, dit le réceptionniste. Nous avons une chambre, mais il vous faudra peut-être la libérer demain soir. Combien de nuits pensez-vous passer ici ?

Carol regarda Jason, qui se sentit envahi par

l'angoisse — une seule chambre ! Il ne savait plus quoi dire et se mit à bégayer.

— Trois nuits, annonça Carol.

— Très bien. Comment réglez-vous ?

Suivit un instant de silence.

— Par carte de crédit, répondit Jason, tirant son portefeuille et incapable de réaliser.

Tout en suivant le groom au premier, il se demanda comment il avait pu en arriver là. Il espérait que la chambre comportait au moins des lits jumeaux. Pour autant qu'il admirait Carol, il n'était pas prêt à une aventure avec une danseuse exotique qui se livrait à Dieu sait quelles autres activités.

— La vue est merveilleuse, fit observer le groom.

Jason entra dans la chambre, mais ce fut la literie qui l'intéressa, pas la fenêtre. Il fut soulagé de voir qu'il s'agissait de lits jumeaux.

Quand le groom se retira, Jason se décida à aller admirer le paysage. La Cedar River, qui s'élargissait là en ce qui parut être un petit lac, était bordée de grands sapins dont les tons pourpres éclataient dans le crépuscule. Juste au-dessous d'eux s'étendait une pelouse qui descendait jusqu'au bord de l'eau. Et, avançant dans la rivière, tout un dédale d'appontements pouvant recevoir une vingtaine ou une trentaine de bateaux à rames. À terre, rangés sur des chevalets, des canoës. Et, amarrés au bout du ponton, quatre gros bateaux de caoutchouc équipés de moteurs hors-bord. Jason remarqua un courant assez vif sur la rivière, malgré son calme apparent, car la poupe des quatre embarcations de caoutchouc pointait vers l'aval au bout de leurs amarres tendues.

— Eh bien, qu'en dites-vous ? demanda Carol, tapant des mains. Ce n'est pas mignon ?

Les murs étaient tapissés de papier à fleurs, le sol recouvert de larges lames de parquet de pin sur lesquelles étaient disposées, çà et là, des carpettes élimées. Et, sur le lit, des édredons voulant ressembler à des couettes.

— Merveilleux, dit Jason avec un coup d'œil à la salle de bains, espérant y trouver des peignoirs. Puisque vous semblez être le guide, que faisons-nous maintenant ?

— Je vote pour que nous dînions tout de suite. Je meurs de faim. Et je crois qu'on ne sert que jusqu'à 19 heures à la salle à manger. On se couche de bonne heure, ici.

Au restaurant, un mur vitré, en arrondi, donnait sur la rivière. Au centre, une double porte s'ouvrait sur une vaste véranda. Sans doute y dînait-on en été, se dit Jason. Quelques marches descendaient de la véranda sur la pelouse, et on avait éclairé le ponton dont les lumières illuminaient l'eau.

La moitié des quelque douze tables de la salle étaient occupées, et la plupart des dîneurs en étaient déjà au café. Jason eut l'impression que les conversations s'arrêtèrent au moment où Carol et lui apparurent.

— Pourquoi ai-je l'impression que nous sommes en vitrine ? souffla-t-il.

— Parce que vous êtes angoissé à l'idée de coucher dans la même chambre qu'une jeune femme que vous connaissez à peine, murmura Carol. Je crois que vous êtes un peu sur la défensive, que vous vous sentez un peu coupable et pas très sûr de ce que l'on attend de vous.

Jason en demeura bouche bée. Il tenta de sonder le chaud regard de Carol pour découvrir ce qui s'y cachait. Il se sentit rougir. Comment diable une fille qui dansait à demi nue pouvait-elle se montrer si perspicace ? Il avait toujours été très fier de sa psychologie : c'était son métier, après tout. En sa qualité de médecin, il se devait de comprendre les motivations profondes de ses patients. Dans ce cas, pourquoi ce sentiment que quelque chose ne collait pas en ce qui concernait Carol ?

En voyant le visage empourpré de Jason, elle se mit à rire.

— Pourquoi ne pas vous détendre, simplement, et prendre du bon temps ? Il faut vous dérider, docteur — je ne vais sûrement pas vous mordre.

— D'accord. C'est ce que je vais faire.

Ils dînèrent de saumon, proposé en une étonnante variété de plats appétissants. Après en avoir abondamment délibéré, ils le choisirent l'un et l'autre en croûte. Et, pour sacrifier à l'authenticité, ils l'accompagnèrent d'un chardonay de l'État de Washington que Jason fut surpris de trouver excellent. À un moment, il s'entendit rire tout fort. Il y avait bien longtemps qu'il ne s'était senti aussi libéré. C'est à cet instant qu'ils réalisèrent qu'ils étaient seuls dans la salle à manger.

Plus tard, dans son lit, fixant des yeux le plafond, Jason se sentit de nouveau en pleine confusion. Il avait fallu se livrer à toute une comédie pour aller se coucher, jongler avec des serviettes en guise de paravents, tirer à pile ou face pour savoir qui occuperait le premier la salle de bains et devrait se lever du lit pour aller éteindre. Jason ne se souvint pas d'avoir jamais été aussi conscient de son corps. Il se tourna. Dans l'obscurité, il distinguait à peine la silhouette de Carol, couchée sur le côté. Il pouvait entendre sa respiration régulière sur fond de cascade, au loin. Manifestement, elle dormait. Jason envia la spontanéité avec laquelle elle s'acceptait et son sommeil tranquille. Mais ce qui troublait le plus Jason, ce n'était pas tant les singularités de la personnalité de Carol que le fait qu'il y trouvait du plaisir. Et ce, grâce à Carol.

CHAPITRE XIV

Pour ce qui était du temps, la chance continua à leur sourire. Quand ils tirèrent les rideaux, le lendemain matin, la rivière étincelait comme un million de pierres précieuses. Dès qu'ils eurent pris leur petit déjeuner, Carol annonça qu'ils allaient en balade.

Munis de paniers-repas fournis par l'hôtel, ils longèrent à pied la Cedar River, remontant un sentier plein d'oiseaux et de petits animaux. À quelque quatre cents mètres du chalet, ils tombèrent sur la chute dont avait parlé Carol, constituée d'une série de saillies rocheuses d'un mètre cinquante de haut environ. Ils rejoignirent d'autres touristes sur un observatoire de bois et contemplèrent, dans un silence révérenciel, les eaux libres qui cascadaient. Juste au-dessous d'eux, un magnifique poisson aux couleurs de l'arc-en-ciel fendit la surface agitée de l'eau et bondit sur la première saillie. En quelques secondes, avec un nouveau bond, il avait franchi la deuxième saillie sans difficulté.

— Seigneur ! s'exclama Jason se souvenant d'avoir lu que les saumons étaient capables de remonter des rapides à contre-courant. Mais il ne se doutait pas qu'ils parvenaient à escalader des chutes d'une telle hauteur. Carol et lui, fascinés, regardèrent d'autres saumons sauter. Il ne put que s'émerveiller de la vigueur des poissons chez qui le besoin urgent de procréer, génétiquement programmé, constituait une fantastique puissance.

— C'est incroyable, dit-il, alors qu'un saumon particulièrement gros remontait le courant.

— Alvin en était fasciné, lui aussi.

Ce que concevait aisément Jason, notamment avec l'intérêt que portait Hayes aux hormones de développement et de croissance.

— Venez, dit Carol, prenant la main de Jason. Il y a autre chose à voir.

Ils continuèrent leur promenade le long du sentier qui s'éloignait au bord de la rivière sur quatre cents mètres, les entraînant plus profondément dans la forêt. Quand le sentier longea de nouveau la rivière, la Cedar s'était élargie en un nouveau petit lac semblable à celui qui se trouvait devant l'Auberge du saumon. Il devait faire quatre cents mètres de large sur un kilomètre six cents de long, et ses rives étaient parsemées de pêcheurs.

Au milieu d'un bosquet de grands pins se nichait un chalet assez semblable à une Auberge du saumon en miniature. Devant, au bord de l'eau, s'étendait un court ponton avec une demi-douzaine de barques. Carol et Jason remontèrent l'allée empierrée et entrèrent dans le chalet, une concession de pêche appartenant à l'Auberge du saumon.

Sur la droite, un long comptoir vitré derrière lequel trônait un barbu en chemise à carreaux rouge, bretelles rouges, pantalon à la couleur fanée et bottes calfatées. Jason se dit qu'il devait friser les soixante-dix ans et aurait fait un parfait Père Noël de grand magasin. Sur le mur derrière lui, bien aligné, tout un assortiment de cannes à pêche. Carol présenta Jason au vieux bonhomme dont le nom était Stooky Griffiths, précisant qu'Alvin avait été ravi de bavarder avec Stooky tandis qu'elle allait pêcher.

— Hé, proposa soudain Carol, si vous essayiez de prendre du saumon ?

— Pas pour moi, dit Jason que la chasse et la pêche n'avaient jamais intéressé.

— Je crois que je vais essayer. Allons, soyez chic.

— Allez-y. Je ne m'ennuierai pas.

Elle revint à Stooky, s'arrangea avec lui pour une canne à pêche et des appâts puis tenta de nouveau de convaincre Jason de se joindre à elle, mais il refusa.

— C'est là que vous êtes venue pêcher avec Alvin ? demanda-t-il, contemplant la rivière par la fenêtre.

— Non. Alvin était comme vous, dit-elle. Il n'a pas voulu venir avec moi. Mais j'ai pris une grosse pièce. Juste après le ponton.

— Alvin n'a pas pêché du tout ? demanda-t-il, surpris.

— Non. Il se contentait de regarder les poissons.

— Je croyais qu'Alvin avait dit à Sebastian Frahn qu'il voulait aller pêcher.

— Que voulez-vous que je vous dise ? Une fois ici, Alvin s'est contenté de flâner et d'observer. Vous connaissez les savants.

Jason hocha la tête, perplexe.

— Je serai sur le ponton, dit Carol, gaiement. Si vous changez d'avis, venez. C'est amusant !

Jason la regarda descendre le chemin empierré, se demandant pourquoi Alvin s'était si abondamment renseigné sur la pêche pour ne jeter pas même une ligne. Bizarre.

Deux hommes arrivèrent au chalet et s'arrangèrent avec Stooky pour du matériel de pêche, des appâts et un bateau. Jason sortit sur la véranda où se trouvaient plusieurs rocking-chairs. Stooky avait suspendu à l'avant-toit une mangeoire autour de laquelle voletaient des dizaines d'oiseaux. Jason resta un instant à les regarder puis descendit rejoindre Carol. L'eau était d'une limpidité de cristal, et l'on pouvait voir les rochers et les feuilles au fond. Soudain, un énorme saumon jaillit du vert émeraude des eaux profondes et se glissa sous le ponton, nageant vers un endroit peu profond et ombragé à une quinzaine de mètres de là.

En le suivant des yeux, Jason remarqua un bouillonnement à la surface de l'eau. Curieux, il longea le bord. En s'approchant, il vit un autre gros saumon qui gisait sur le flanc dans quelques pieds d'eau, sa queue battant faiblement. Jason essaya de le repousser dans l'eau plus profonde à l'aide d'un bâton, mais sans résultat. Manifestement, le poisson était malade. À quelques mètres de là, il en repéra un autre, immobile dans quelques centimètres d'eau et, plus près du bord encore, un poisson mort qu'un gros oiseau était en train de dévorer.

Jason remonta le sentier empierré. Stooky, sorti du chalet, était assis dans l'un des fauteuils à bascule, fumant sa pipe. Jason s'accouda à la rampe et le questionna à propos des poissons malades, lui demandant si la rivière était polluée en amont.

— Non, dit-il, tirant plusieurs bouffées de sa pipe abondamment mâchonnée. Pas de pollution ici. Ces poissons viennent de frayer, et le moment est maintenant venu pour eux de mourir.

— Ah ! oui ! dit Jason, qui se souvint soudain de ce qu'il avait lu sur le cycle de la vie des saumons.

Les poissons allaient à la limite de leurs forces pour retourner aux frayères, mais, une fois les œufs pondus et fertilisés, ils mouraient. On ne savait pas très bien pourquoi. Plusieurs théories avaient été émises quant aux difficultés physiologiques de passer de l'eau salée à l'eau douce, mais on n'avait aucune certitude. C'était là un des mystères de la nature.

Jason regarda Carol, qui tentait, avec application, de lancer sa ligne depuis le ponton. Il se retourna vers Stooky et lui demanda :

— Est-ce que par hasard vous vous souviendriez d'avoir bavardé avec un médecin du nom d'Alvin Hayes ?

— Non.

— Un homme de ma taille, à peu près, insista Jason. Avec de longs cheveux. Le teint pâle.

— Je vois des tas de gens.

— Je veux bien le croire. Mais l'homme dont je vous parle était avec cette fille, dit Jason, désignant Carol, persuadé que Stooky n'en voyait pas beaucoup comme elle.

— Celle qui est sur le ponton ?

— C'est cela. Le beau brin de fille.

Stooky souffla quelques bouffées de sa pipe, les yeux rétrécis.

— Ce type dont vous parlez, il serait pas de Boston ?

— Oui, fit Jason.

— Je me souviens de lui. Mais l'avait pas l'air d'un toubib.

— Il faisait de la recherche.

— C'est peut-être ça. Il était vraiment curieux. Il

m'a filé 100 dollars pour vingt-cinq têtes de saumons.

— Simplement les têtes ?

— Ouais. M'a filé son numéro de téléphone à Boston. L'a dit de l'appeler en P.C.V. quand je les aurais.

— Et puis il est revenu les chercher ? demanda Jason, se rappelant que Hayes et Carol avaient fait deux voyages.

— Ouais. M'a dit de bien les nettoyer et de les mettre dans la glace.

— Pourquoi est-ce que cela a pris si longtemps ?

Avec tous ces poissons, Jason se dit que l'on aurait pu avoir les vingt-cinq têtes en un après-midi.

— Il voulait des saumons bien particuliers. Qui devaient juste finir de frayer. Et les saumons qui fraient ne mordent pas. Faut les prendre au filet. Ces gens qui pêchent, là, attrapent des truites.

— Une espèce particulière de saumons ?

— Non. Fallait seulement qu'ils aient frayé.

— Il a dit pourquoi il voulait ces têtes ?

— Il l'a pas dit, et j'ai pas demandé. Il payait, et je me suis dit que c'était ses oignons.

— Et simplement les têtes, rien d'autre.

— Simplement les têtes.

Jason quitta la véranda, frustré et perplexe. Il lui semblait absurde que Hayes ait fait cinq mille kilomètres simplement pour des têtes de poisson et de la marihuana.

Carol l'aperçut au bout du ponton et lui fit signe de venir la rejoindre.

— Il faut essayer, Jason. J'ai failli prendre un saumon.

— Les saumons ne mordent pas, ici. Ce devait être une truite.

Carol parut déçue.

Jason contempla son visage charmant, aux pommettes hautes. Si la première hypothèse était exacte, les têtes de saumons devaient avoir un rapport avec les tentatives de Hayes de créer un anticorps monoclonal. Mais comment cela pouvait-il concerner la beauté de Carol, ainsi que Hayes le lui avait dit ? Ça n'avait pas de sens.

— Je crois que peu importe qu'il s'agisse d'une truite ou d'un saumon, dit Carol, retournant à sa pêche. Je m'amuse bien.

Un faucon tournoya et plongea dans l'eau peu profonde, tentant de saisir de ses serres le poisson agonisant, mais le saumon était trop gros, et le rapace abandonna, remontant dans le ciel. Tandis que Jason observait, le saumon cessa de s'agiter et mourut.

— J'en ai un ! cria Carol, alors que sa gaule se courbait.

L'excitation de la prise tira Jason de ses rêveries. Il aida Carol à ramener une truite de belle taille — un magnifique poisson aux yeux d'un noir d'acier. Jason en fut désolé. Après avoir retiré l'hameçon de la lèvre inférieure, il persuada Carol de le remettre à l'eau. Il disparut dans un plongeon.

Ils achetèrent des sandwiches pour déjeuner et longèrent les bords de la rivière qui s'élargissait jusqu'à un escarpement rocheux. Tout en déjeunant, ils pouvaient contempler non seulement toute l'étendue de la rivière, mais aussi les sommets enneigés des Cascade Mountains, d'une beauté à couper le souffle.

L'après-midi tirait à sa fin quand ils redescendirent vers l'Auberge du saumon. En passant devant le chalet, ils aperçurent encore un gros saumon en train d'agoniser, gisant sur le côté, exposant un ventre d'un blanc étincelant.

— Comme c'est triste, dit Carol, prenant le bras de Jason. Pourquoi faut-il qu'ils meurent ?

Jason n'avait pas de réponse. Il pensa au vieux cliché : « C'est la nature », mais ne le dit pas. Ils restèrent quelques instants à regarder ce saumon naguère magnifique alors que d'autres poissons plus petits venaient se repaître de sa chair vivante.

— Berk ! dit Carol, qui tira le bras de Jason.

Ils continuèrent leur route. Pour changer de sujet, Carol parla d'une autre distraction offerte par l'hôtel : la descente en radeau des eaux bouillonnantes de la rivière. Mais Jason n'entendait pas. L'horrible image des minuscules prédateurs en train de se repaître du gros poisson agonisant avait fait jaillir une idée dans son esprit. Soudain, comme en une révélation, il eut le sentiment de savoir ce que Hayes avait découvert. Ce n'était pas ironique, c'était terrifiant.

Jason devint tout pâle et s'arrêta.

— Qu'y a-t-il ? demanda Carol.

Jason déglutit, le regard fixe.

— *Jason, qu'est-ce qu'il y a ?*

— Il faut rentrer à Boston, répondit-il, pressant, repartant d'un pas rapide, tirant presque Carol derrière lui.

— Que voulez-vous dire ? protesta-t-elle.

Il ne répondit pas.

— Jason ! Qu'est-ce qui se passe ?

— Désolé, dit-il, comme sortant d'une transe. Je viens d'avoir soudain une idée de ce sur quoi Alvin avait pu tomber. Il faut qu'on rentre.

— Que voulez-vous dire ? Ce soir ?

— Tout de suite.

— Allons, attendez un instant. Il n'y a pas de vol pour Boston ce soir. Nous avons un décalage de trois heures, ici. Nous pourrions passer la nuit et partir demain matin de bonne heure, si vous y tenez.

Il ne répondit pas.

— Nous pourrions au moins dîner, ajouta Carol, irritée.

Jason se calma. *Après tout, qui sait ? Je me trompe peut-être,* se dit-il. Carol voulut en discuter, mais il lui dit qu'elle ne comprendrait pas.

— Vous voilà bien condescendant.

— Désolé. Je vous dirai tout quand je serai certain.

Le temps qu'ils se douchent et s'habillent, et Jason comprit que Carol avait raison. S'ils étaient retournés à Seattle, ils seraient arrivés à l'aéroport vers minuit, heure de Boston. Et sans aucun vol avant le lendemain.

Lorsqu'ils descendirent dans la salle à manger, on leur offrit une table juste devant les portes donnant sur la véranda. Jason laissa à Carol la place faisant face aux portes vitrées pour lui permettre de jouir du paysage. On leur apporta le menu, et il s'excusa de s'être conduit de façon aussi folle, reconnaissant qu'elle avait pleinement raison de ne pas vouloir qu'ils partent immédiatement.

— Je suis enchantée que vous vouliez bien l'admettre.

Pour changer, ils commandèrent de la truite au lieu du saumon, et un chardonay de la Napa Valley au lieu du vin local. Dehors, le crépuscule cédait lentement devant la nuit, et les lumières s'allumèrent sur les pontons.

Jason eut du mal à se concentrer sur son repas. Il commençait à comprendre que, si son hypothèse était exacte, Hayes avait été assassiné et Helene n'avait pas été victime du hasard. Et, si Hayes avait eu raison et qu'on l'avait utilisé, lui et sa découverte accidentelle et terrifiante, le résultat pouvait être plus terrible encore qu'une épidémie.

Tandis que l'esprit de Jason vagabondait, Carol essayait de faire la conversation, mais quand elle se rendit compte qu'il était ailleurs, elle lui posa la main sur le bras.

— Vous ne mangez pas, dit-elle.

Jason, l'air absent, regarda la main sur son bras, puis son assiette, puis Carol.

— Je suis préoccupé, excusez-moi.

— Ça ne fait rien. Si vous n'avez pas faim, nous pourrions peut-être aller nous renseigner sur les horaires des vols pour Boston dans la matinée.

— Cela peut attendre que vous ayez fini de dîner.

— J'ai suffisamment mangé, merci, dit Carol, posant sa serviette sur la table.

Jason chercha leur serveur. Il parcourut la salle du regard puis s'arrêta, les yeux rivés sur un homme qui venait d'entrer dans la salle à manger et se tenait à côté du maître d'hôtel, scrutant lentement les dîneurs, son regard passant d'une table à l'autre. Il était vêtu d'un costume bleu marine avec une chemise blanche ouverte. Et, même d'où il était, Jason pouvait voir que l'individu portait une lourde chaîne d'or autour du cou qui étincelait sous la lumière des lampes.

Jason l'observa. Il l'avait déjà vu, mais où donc ? Il faisait très hispanique avec ses cheveux noirs et sa peau très mate. Et très homme d'affaires prospère, également. Soudain, Jason se souvint. Il avait vu ce visage lors de cette horrible soirée où Hayes était mort. L'homme se trouvait devant le restaurant, et ensuite dans la salle des urgences du Massachusetts General Hospital.

À cet instant, il repéra Jason, qui sentit soudain un frisson lui parcourir l'échine. L'homme l'avait reconnu, de toute évidence, car il avança aussitôt, la main droite négligemment glissée dans la poche de sa veste. L'air bien décidé, il se rapprocha rapidement. Jason songea au meurtre d'Helene Brennquivist et paniqua. Son intuition lui disait ce qui allait se passer, mais il était incapable de bouger. Il ne pouvait que regarder Carol. Il voulut crier, lui dire de s'enfuir, mais en fut incapable. Il était paralysé. Du coin de l'œil, il vit l'homme contourner la table la plus proche.

— Jason ? appela Carol, penchant un peu la tête.

L'homme ne se trouvait plus qu'à quelques pas. Jason le vit tirer la main de sa poche et distingua l'éclat métallique du pistolet. La vue de l'arme le galvanisa, le poussant à agir. Il arracha brutalement la nappe de la table, projetant assiettes, verres et couverts sur le sol. Carol bondit sur ses pieds avec un cri.

Jason se précipita, lançant la nappe sur la tête de l'homme, le repoussant contre la table voisine qui se renversa dans un bruit de porcelaine et de verre brisés. Les dîneurs se mirent à crier et tentèrent de fuir, mais plusieurs se prirent les pieds dans l'enchevêtrement des chaises renversées.

Dans la confusion, Jason saisit Carol par la main et la tira sur la véranda. La panique qui le paralysait maintenant surmontée, il éclatait de dynamisme, sachant qui était l'homme d'affaires à l'allure d'Hispanique : le tueur dont Hayes avait prétendu qu'il le suivait. Jason était convaincu que ses prochaines cibles étaient Carol et lui-même.

Il descendit les escaliers de l'entrée, entraînant Carol dans l'intention de faire le tour de l'hôtel pour gagner le parking. Mais il rendit compte qu'il n'y parviendrait jamais. Ils auraient plus de chance en tentant d'arriver à l'un des bateaux.

— Jason ! cria Carol, tandis qu'il obliquait vers la pelouse. Qu'est-ce qui se passe ?

Derrière eux, il entendit les portes de la salle à manger s'ouvrir dans un grand fracas et comprit qu'on les poursuivait.

Lorsqu'ils atteignirent le ponton, Carol voulut s'arrêter.

— Venez ! nom de Dieu ! lui lança Jason, les dents serrées.

En se retournant vers l'auberge, il put voir une silhouette se précipiter sur la véranda puis descendre les escaliers en courant.

Carol tenta de se libérer, mais Jason resserra son étreinte et la tira en avant.

— Il veut nous tuer ! cria-t-il.

Ils se ruèrent en trébuchant vers l'extrémité du ponton, négligeant les barques sur leur droite. Jason cria à Carol de l'aider à défaire les amarres de trois des embarcations de caoutchouc et à les repousser. Elles étaient déjà entraînées par le courant à l'instant où leur poursuivant atteignit le ponton. Jason aida

Carol à grimper dans le quatrième bateau et se précipita derrière elle, les repoussant du ponton d'un coup de pied. Le courant les entraîna également, lentement d'abord, puis plus vite. Jason contraignit Carol à s'allonger et la protégea de son corps.

Ils entendirent un « pop » assez innocent puis un choc sourd quelque part sur le bateau. Presque aussitôt suivit le bruit de l'air qui s'échappait. Jason grogna. L'homme leur tirait dessus. Un autre « pop » suivi du bruit métallique d'une balle qui ricochait sur le moteur hors-bord. Un autre projectile frappa l'eau.

Jason, soulagé, réalisa que l'embarcation se composait de plusieurs compartiments. Elle ne coulerait pas, bien qu'une balle en ait perforé et dégonflé un. D'autres balles les manquèrent, et Jason entendit le choc du bois contre le ponton. Il leva la tête avec précaution et regarda. L'homme avait tiré l'un des canoës et le poussait à l'eau.

De nouveau, la peur l'envahit — l'homme pouvait pagayer beaucoup plus vite que le courant ne les entraînait. Leur seule chance était de mettre le moteur en marche — un vieux hors-bord avec une corde qu'il fallait tirer pour le lancer. Jason repoussa le levier de vitesse sur « marche » et tira sur la corde. Le moteur ne toussa même pas. Le tueur avait déjà embarqué dans son canoë et avançait vers eux. Jason tira la corde encore une fois : rien.

— Il se rapproche, annonça nerveusement Carol, qui avait levé la tête.

Pendant les quinze secondes qui suivirent, Jason tira et retira frénétiquement la corde du démarreur. Il pouvait voir la silhouette du canoë qui approchait, glissant silencieusement sur l'eau. Il vérifia la position de la manette des gaz puis essaya encore, sans succès. Son regard tomba sur le réservoir, et il espéra qu'il était plein. Le bouchon paraissait mal fermé, il le resserra. Sur le côté, il distingua un bouton, sans doute destiné à augmenter la pression dans le réservoir. Il appuya dessus une demi-douzaine de fois, remarquant qu'il devenait plus dur chaque fois. Il leva les yeux et vit que le canoë n'était plus qu'à sept mètres environ. L'Hispanique avait cessé de pagayer et tentait de recharger son pistolet.

Jason empoigna de nouveau la corde de lancement et tira de toutes ses forces. Le moteur rugit, démarra. Jason passa en marche arrière car ils dérivaient, la poupe en avant. Il mit les gaz et se rejeta au fond de l'embarcation, Carol sous lui. Ainsi qu'il s'y attendait, il entendit plusieurs coups de feu dont deux frappèrent le caoutchouc du bateau. Quand Jason osa lever la tête, la distance entre leur poursuivant et eux s'était accrue. Dans l'obscurité, il distinguait à peine le canoë.

— Restez allongée, ordonna-t-il à Carol, tandis qu'il vérifiait l'étendue des dégâts.

Du côté droit, un des compartiments était dégonflé, ainsi qu'une partie du plat-bord gauche. Cela mis à part, le bateau était intact. Jason retourna au moteur, coupa les gaz, passa en marche avant et mit le cap sur le milieu de la rivière, vers l'aval. Il ne voulait surtout pas heurter des rochers.

— C'est bon, dit-il à Carol. On peut se redresser.

Carol se releva avec précaution et se passa la main dans les cheveux.

— Je n'arrive pas à y croire, cria-t-elle par-dessus le bruit du hors-bord. Qu'allons-faire, bon Dieu ?

— Descendre la rivière jusqu'à ce qu'on aperçoive des lumières. Il doit y avoir des tas d'endroits.

Mais Jason se demanda s'il serait bien prudent d'accoster à un autre ponton. Après tout, leur poursuivant pouvait parfaitement sauter dans sa voiture et longer la rivière. *Peut-être y aura-t-il une lumière sur l'autre rive*, songea-t-il.

Il put avoir une idée de leur vitesse en regardant défiler les ombres des arbres le long de l'espèce de lac que formait la rivière. Ils semblaient aller assez vite. Il lui parut également que la rivière devenait peu à peu plus étroite, notamment quand il eut l'impression qu'ils allaient plus vite. Toujours pas de lumière une demi-heure plus tard. Simplement une forêt obscure à la lisière d'un ciel parsemé d'étoiles.

— Je ne vois rien, lança Carol.

— Ne vous inquiétez pas.

Un quart d'heure plus tard, la ligne des arbres se rapprocha soudain, laissant présumer que l'espèce de lac allait finir. Quand les arbres furent plus proches encore, Jason réalisa qu'il s'était trompé quant à leur vitesse, beaucoup plus élevée qu'il ne l'avait cru. Il coupa les gaz, et le ronronnement du petit hors-bord se tut. Pour être remplacé par un autre bruit plus inquiétant : le rugissement de l'eau qui cascadait.

Oh ! mon Dieu ! se dit-il, se souvenant des chutes en amont de l'Auberge du saumon. Il poussa le petit moteur sur le côté et vira pour faire demi-tour, mettant les gaz à fond. Surpris et consterné, il vit le bateau ralentir, mais continuer à descendre vers l'aval. Il tenta alors de mettre le cap sur la rive. Lentement, l'embarcation se mit par le travers. Et soudain l'enfer se déchaîna. La rivière se réduisit à une gorge rocheuse où Carol et lui étaient entraînés malgré eux.

Tout autour du bateau de caoutchouc courait une courte corde retenue de place en place par des œillets. Jason s'assura une prise de chaque côté, les bras étendus en travers de l'esquif. Il cria à Carol de faire de même. Avec le rugissement de l'eau, elle ne l'entendit pas, mais, voyant ce qu'il faisait, elle tenta de l'imiter. Malheureusement, le bateau était trop large pour elle. Elle s'accrocha fermement à l'un des côtés et glissa une jambe sous l'un des sièges de bois. À cet instant, ils arrivèrent dans la première véritable turbulence, et le bateau fut ballotté comme un bouchon, l'eau s'abattit sur eux, aveuglante. Jason crachota. Avec l'obscurité et l'eau dans les yeux, il ne voyait plus rien. Il sentit le corps de Carol qui le heurtait et tenta de l'accrocher avec sa jambe. Puis ils cognèrent un rocher, et l'embarcation se mit à tournoyer. Jason ne cessait de voir l'image des chutes, conscient qu'à tout instant ils pouvaient être précipités dans la mort.

Terrorisés, Carol et lui s'agrippèrent à la corde, ballottés dans un sens, dans l'autre, en tourbillons rapides, totalement à la merci du courant. Chaque fois, Jason se dit qu'ils allaient basculer. Une eau glaciale envahit le bateau.

Après ce qui leur parut une épouvantable éternité, l'eau s'apaisa. Ils tourbillonnaient toujours et descendaient le courant, mais sans les violentes secousses. Jason jeta un coup d'œil, parvenant à distinguer les rochers abrupts de chaque côté. Il sut que ce n'était pas fini.

Avec une fantastique poussée, les violentes secousses recommencèrent. Jason sentit la douleur lui envahir les doigts, du fait de l'incessante crispation musculaire et du froid. De toutes ses forces, il assura sa prise sur la corde tout en essayant de resserrer son étreinte sur Carol avec sa jambe. La douleur se faisait si intense, dans ses mains, qu'il crut un instant qu'il allait lâcher.

Et puis, aussi soudainement qu'il avait commencé, le cauchemar se termina. Toujours animé de son mouvement de rotation, le bateau déboucha dans des eaux relativement plus calmes. Le bruit de tonnerre des rapides se fit moins assourdissant. Les rives s'élargirent, s'ouvrant sur un ciel étoilé. Le bateau avait embarqué une dizaine de centimètres d'eau, mais Jason se rendit compte que le moteur hors-bord continuait son doux ronronnement comme si rien ne s'était passé.

Les mains tremblantes, il redressa l'embarcation et arrêta son écœurant mouvement de rotation. Ses doigts effleurèrent un bouton, juste sous la traverse. Il tenta sa chance et appuya ; lentement, l'eau se vida.

Il ne quittait pas des yeux la ligne des arbres. Devant lui, la rivière obliquait brutalement sur la gauche, et ils aperçurent enfin, en débouchant du coude, des lumières. Jason se dirigea vers la rive.

En approchant, ils distinguèrent plusieurs habitations abondamment éclairées et des bateaux de caoutchouc semblables au leur. Il craignait toujours que le tueur ne soit arrivé en voiture pour les intercepter, mais il leur fallait accoster. Jason se rangea le long du second ponton et arrêta le moteur.

— Vous savez comment distraire une fille, lui dit Carol, qui claquait des dents.

— Heureux de constater que vous n'avez pas perdu le sens de l'humour.

— Ne comptez pas que cela dure encore longtemps. Je voudrais savoir, au nom du Ciel, ce qui peut se passer.

Jason se redressa, tout ankylosé, s'accrochant au ponton. Il aida Carol à descendre, sortit lui-même du bateau et l'attacha à un taquet. De l'une des habitations arrivaient des accents de country music.

— Ce doit être un bar, dit Jason, prenant la main de Carol. Il faut nous réchauffer ou nous allons choper une pneumonie.

Il remonta le sentier de gravier, mais, au lieu d'entrer, il alla au parking pour jeter un coup d'œil sur les voitures garées.

— Arrêtez, dit Carol, irritée. Qu'est-ce que vous faites, maintenant ?

— J'en cherche une avec les clefs. Il nous faut une voiture.

— C'est incroyable, dit Carol, les bras au ciel. Je pensais que nous allions nous réchauffer. Je ne sais pas ce que vous allez faire, mais, moi, j'entre dans ce restaurant.

Et, sans attendre sa réponse, elle se dirigea vers l'entrée.

Jason la rattrapa et lui saisit le bras.

— Je crains qu'il ne revienne — l'homme qui nous a tiré dessus.

— Dans ce cas, nous allons appeler la police, dit Carol qui se libéra et entra.

Manifestement, l'Hispanique n'était pas dans le restaurant et, suivant la suggestion de Carol, ils appelèrent la police, c'est-à-dire le shérif local. Le propriétaire du restaurant se refusa à croire qu'ils avaient franchi la Chute du diable dans l'obscurité.

— Personne l'a jamais fait, dit le patron, qui leur trouva des blouses de cuisinier et des pantalons à carreaux noir et blanc trop grands pour se changer ainsi qu'un sac à ordures en plastique pour leurs vêtements mouillés.

Il insista également pour qu'ils avalent des grogs au rhum bien fumants, qui eurent finalement raison de leurs tremblements.

— Jason, il faut me dire ce qui se passe, demanda Carol, tandis qu'ils attendaient le shérif, assis à une table en face d'un juke-box Wurlitzer qui égrenait de la musique des années cinquante.

— Je n'en suis pas absolument sûr, mais l'homme qui nous a tiré dessus se trouvait devant le restaurant où Alvin est mort. Je crois qu'Alvin a été victime de sa propre découverte, mais, s'il n'était pas mort ce soir-là, l'homme aurait fini par l'abattre, de toute façon. Donc, Alvin disait vrai quand il a prétendu qu'on voulait le tuer.

— Cela paraît incroyable, dit Carol, qui tentait de lisser ses cheveux séchant en bouclettes folles.

— Je le sais, comme la plupart des complots.

— Et la découverte de Hayes ?

— Si mon hypothèse est exacte, c'est presque trop épouvantable à envisager. C'est pourquoi je veux rentrer à Boston.

À cet instant, la porte s'ouvrit sur Marvin Arnold, le shérif, un vrai colosse en uniforme marron foncé qui comportait plus de boucles et de sangles que Jason en eût jamais vues. Plus important à ses yeux était le 357 magnum fixé sur l'énorme cuisse gauche de Marvin. Le genre de canon que Jason aurait souhaité posséder, là-haut à l'Auberge du saumon.

Marvin était déjà au courant de l'agitation de l'Auberge du saumon où il s'était rendu. Mais il ignorait tout d'un homme avec un pistolet car Diaz n'en avait pas fait usage avant d'être arrivé au ponton, et nul n'avait entendu de coups de feu. Quand Jason raconta ce qui s'était passé, il put se rendre compte que Marvin le regardait avec une bonne dose de scepticisme. Mais il fut surpris et impressionné en entendant que Jason et Carol avaient passé la Chute du diable tout seuls dans l'obscurité.

— Y a pas des masses de gens qui vont croire ça, dit-il en hochant son énorme tête en signe d'admiration.

Marvin les ramena à l'Auberge du saumon où Jason fut surpris d'apprendre que l'on menaçait de le poursuivre pour sa responsabilité dans les dommages causés dans la salle à manger. Personne n'avait vu de pistolet. Et, plus choquant encore, nul ne se souvenait d'un homme au teint mat en costume bleu foncé. En fin de compte, la direction décida de renoncer à sa plainte, disant que l'assurance paierait les dégâts. Cela réglé, Marvin porta deux doigts à son chapeau et s'apprêta à prendre congé.

— Et notre protection ? demanda Jason.

— Contre qui ? Vous ne pensez pas qu'il est un peu gênant que personne ne puisse confirmer votre histoire ? Écoutez, je crois que vous avez causé assez d'ennuis pour ce soir. Je pense que vous devriez monter dans votre chambre et bien dormir là-dessus.

— Nous avons besoin de protection, insista Jason, tentant de prendre un ton autoritaire. Que ferons-nous si le tueur revient ?

— Écoutez, l'ami, je ne peux rester assis là toute la nuit à vous tenir la main. Je suis seul à assurer ce service, et il faut que je surveille l'ensemble de ce foutu comté. Bouclez-vous dans votre chambre et avalez quelque chose pour dormir.

Avec un dernier signe de tête à l'intention du patron, Marvin sortit d'un pas pesant.

Le patron, à son tour, adressa un sourire condescendant à Jason et retourna à son bureau.

— Incroyable, dit Jason, partagé entre la crainte et l'irritation. Je n'arrive pas à croire que personne n'ait remarqué cet Hispanique.

Il se rendit à la cabine téléphonique et chercha dans l'annuaire les agences de détectives privés. Il en trouva plusieurs à Seattle, mais tomba chaque fois sur un répondeur. Il laissa son nom et le numéro de téléphone de l'hôtel, sans grand espoir pourtant de joindre quelqu'un cette nuit.

En sortant de la cabine, il annonça à Carol qu'ils partaient immédiatement. Elle le suivit dans les escaliers.

— Il est 21 h 30, protesta-t-elle en entrant dans la chambre derrière lui. Et je suis claquée.

— Cela m'est égal. Nous filons aussi vite que possible. Préparez vos affaires.

— Est-ce que je n'ai pas droit à la parole, dans cette affaire ?

— Non. C'est vous qui avez décidé de rester ce soir et vous qui avez décidé d'appeler la police locale qui s'est montrée si utile. Maintenant, c'est mon tour. Nous partons.

Un instant, Carol demeura plantée au milieu de la chambre à regarder Jason faire ses bagages puis décida qu'il avait probablement raison. Dix minutes plus tard, ayant passé des vêtements à eux, ils descendirent leurs bagages et s'arrêtèrent à la réception.

— Je dois vous compter la nuit, leur dit le réceptionniste.

Jason ne se soucia pas de discuter. Il préféra demander qu'on leur apporte leur voiture devant la porte. Avec un pourboire de 5 dollars, l'employé fut heureux de leur rendre ce service.

Jason avait espéré qu'une fois dans la voiture il se sentirait moins anxieux et moins vulnérable. Ce ne fut pas le cas. En sortant du parking de l'hôtel et en descendant la route de montagne non éclairée, il reconnut vite à quel point ils étaient isolés. Quinze minutes plus tard, il vit des phares apparaître dans le rétroviseur. Il essaya d'abord de les ignorer, mais il devint évident qu'ils gagnaient progressivement sur lui, bien qu'il accélérât peu à peu. Jason se sentit de nouveau envahi par la terreur. Les paumes de ses mains se firent moites.

— Il y a quelqu'un derrière nous, annonça-t-il.

Carol se retourna pour regarder. Ils passèrent un virage, et les phares disparurent.

Pour reparaître dans la ligne droite suivante. Plus proches. Carol se tourna vers lui.

— Je vous avais bien dit qu'on aurait dû rester.

— Voilà qui est très utile ! observa ironiquement Jason.

Il appuya encore sur l'accélérateur. Ils roulaient déjà à près de cent à l'heure sur la route accidentée. Il serra le volant plus fort et regarda dans le rétroviseur. La voiture était toute proche, ses phares brillant comme ceux d'un monstre. Il tenta d'imaginer quelque chose mais ne trouva rien, sinon essayer d'aller plus vite que la voiture qui les suivait. Un autre virage. Jason tourna le volant. Il vit la bouche de Carol s'ouvrir en un cri silencieux. Il sentit la voiture qui commençait à tanguer. Il freina, et ils dérapèrent d'un côté puis de l'autre. Carol s'agrippa au tableau de bord pour garder son équilibre. Jason sentit sa ceinture de sécurité se tendre.

Il lutta pour maintenir le véhicule sur la route. Derrière lui, la voiture qui les poursuivait gagnait considérablement. Elle se trouvait juste derrière, maintenant, ses phares éclairant Jason d'une lumière irréelle. Paniqué, il colla l'accélérateur au plancher, sortant le véhicule de sa course folle. Ils descendirent en trombe une petite éminence. Mais l'autre voiture ne les lâcha pas, leur collant aux roues comme un chien aux talons d'un cerf.

Et puis, à la stupéfaction de Jason comme de Carol, leur voiture fut éclairée par une lumière rouge clignotante. Il leur fallut un instant pour réaliser que la lumière émanait du toit de la voiture suiveuse. Quand Jason reconnut de quoi il s'agissait, il ralentit, regardant dans le rétroviseur. Il se rangea sur l'accotement et s'arrêta, le front dégoulinant de gouttelettes de sueur, les bras tremblant d'avoir serré à mort le volant. Derrière eux, l'autre voiture s'arrêta également, son phare gyroscopique illuminant les arbres tout autour. Dans le rétroviseur, Jason vit la portière s'ouvrir et Marvin Arnold descendre du véhicule.

— Eh bien, je veux bien être pendu, dit-il en braquant le rayon de sa torche sur le visage embarrassé de Jason. C'est notre joli cœur.

— Pourquoi n'avez-vous pas allumé votre gyrophare tout de suite, nom de Dieu ? aboya Jason, furieux.

— Je voulais me payer un cinglé du volant, gloussa Marvin. Je ne savais pas que je poursuivais mon dingue favori.

Après un sermon et une contravention pour conduite dangereuse, il laissa Carol et Jason poursuivre leur route. Celui-ci, trop furieux pour parler, continua à rouler en silence jusqu'à l'autoroute où il annonça :

— Je crois qu'on devrait descendre sur Portland. Dieu sait ce qui peut nous attendre à l'aéroport de Seattle.

— Parfait pour moi, dit Carol, trop fatiguée pour discuter.

Ils s'arrêtèrent pour dormir environ deux heures dans un motel près de Portland et, dès l'aube, gagnèrent l'aéroport où ils prirent un vol pour San Francisco. Là, ils prirent un autre avion pour Chicago et un autre encore de Chicago à Boston où ils se posèrent un peu après 18 heures le samedi.

Dans le taxi, devant l'appartement de Carol, Jason se mit soudain à rire.

— Je ne saurais même pas comment m'excuser pour tout ce dans quoi je vous ai fourrée.

Carol ramassa son sac.

— Ma foi, on ne s'est pas ennuyés au moins. Écoutez, Jason, je ne voudrais pas faire de l'ironie, mais, je vous en prie, dites-moi ce qui se passe.

— Dès que j'en aurai la certitude. Promis. Vraiment. Mais faites-moi plaisir. Restez bouclée ce soir. J'espère que personne ne sait que nous sommes rentrés, mais la corrida pourrait bien se déchaîner quand on le découvrira, si on le découvre.

— Je n'ai aucune intention d'aller où que ce soit, docteur. J'en ai ma claque.

CHAPITRE XV

Jason ne s'arrêta même pas à son appartement. Dès que Carol eut disparu dans son immeuble, il demanda au chauffeur de taxi de le laisser à sa voiture dans laquelle il sauta pour se rendre directement à l'hôpital. Immédiatement, il passa dans l'aile des visites externes. À 19 heures, la grande salle d'attente était déserte. Il se rendit à son bureau, retira sa veste et s'assit devant son terminal d'ordinateur. L'A.S.M. avait consacré une fortune à son système informatique et en était fière. Chaque poste avait accès au gros ordinateur central où étaient stockées toutes les données concernant les patients. Si la meilleure source de renseignements sur les patients demeurait leur dossier individuel, on pouvait obtenir de l'ordinateur la plupart des données. Mieux encore, le programme complexe pouvait faire défiler toute la liste des malades et afficher les données sur l'écran, pratiquement sous toutes les formes désirées.

Jason demanda d'abord les courbes des patients actuellement en vie. La courbe tracée par l'ordinateur ressemblait à la pente abrupte d'une montagne, commençant très haut pour se tasser et s'effondrer.

Elle donnait le taux de survie des malades par tranches d'âge. Ainsi que l'on pouvait s'y attendre, les adhérents des tranches les plus âgées présentaient le taux de survie le plus bas. Au cours des cinq dernières années, et, bien que l'âge moyen de la population eût progressivement augmenté, les courbes de survie demeuraient à peu près stables.

Jason demanda ensuite à l'ordinateur de lui fournir les courbes mensuelles pour les six derniers mois. Comme il le craignait, il vit le taux de mortalité augmenter pour les patients de la tranche d'âge de cinquante-cinq à soixante-cinq ans, notamment au cours des trois derniers mois.

Un bruit soudain le fit sursauter dans son siège, mais, en allant voir dans le couloir, il découvrit que ce n'était que les femmes de ménage.

Rassuré, il revint à l'ordinateur. Il aurait voulu pouvoir sortir les données concernant les patients ayant subi des examens de santé pour les cadres, mais il ne sut comment s'y prendre. Il dut se contenter des taux de mortalité bruts et de la comparaison des pourcentages de décès selon l'âge. Cette fois, la courbe accusait un pic en sens inverse, commençant très bas puis remontant, le pourcentage des décès augmentant avec l'âge. Mais Jason demanda ensuite à l'ordinateur de sortir une série de courbes, mois par mois, pour la période récente. Les résultats se révélèrent frappants, notamment pour les deux derniers mois. La courbe des décès montait brutalement, à partir de l'âge de cinquante ans.

Jason demeura devant son terminal pendant une demi-heure encore, essayant d'obtenir que l'engin sortît les examens médicaux des cadres. S'il avait pu y parvenir, il s'attendait à constater un rapide accroissement du taux de mortalité chez les intéressés âgés de cinquante ans et plus, et caractérisés par des facteurs de haut risque tels que le tabagisme, l'abus de l'alcool, de mauvaises habitudes alimentaires et une vie sédentaire. Mais il ne put obtenir ces données. Il aurait fallu qu'il vît les noms des individus un par un, mais il n'avait pas le temps. En outre, les courbes des taux bruts de mortalité apparaissaient suffisamment révélatrices pour confirmer ses soupçons. Il savait maintenant qu'il avait raison. Mais il existait encore un autre moyen de le prouver. Ce fut avec un profond malaise qu'il quitta son bureau et regagna sa voiture.

Par la voie rapide le long du fleuve, Jason prit la direction de Roslindale. Plus il s'en rapprochait et plus il se sentait nerveux. Il n'avait aucune idée de ce sur quoi il allait tomber, mais sans doute pas sur quelque chose d'agréable. Il se rendait à l'institut Hartford pour enfants retardés que gérait l'A.S.M. Si Alvin Hayes ne s'était pas trompé en ce qui concernait son propre état de santé, il devait avoir eu raison pour ce qui était de celui de son fils retardé.

L'institut Hartford jouxtait l'Arboretum Arnold, un paysage charmant de gracieuses collines boisées, de champs et d'étangs. Jason pénétra dans le parking quasi désert et s'arrêta à une quinzaine de mètres de l'entrée. L'élégant bâtiment de style colonial présentait un aspect trompeusement serein démenti par les tragédies familiales qu'il abritait. Il n'était pas facile, pour des professionnels, de traiter de sévères retards mentaux. Jason conservait un souvenir marquant de ses examens médicaux des enfants lors de précédentes visites à l'institution. Physiquement, beaucoup étaient tout à fait normaux, ce qui ne faisait que rendre plus perturbant encore leur faible quotient intellectuel.

La porte d'entrée était fermée et verrouillée. Jason sonna et attendit. Un gardien obèse vint ouvrir, vêtu d'un uniforme bleu crasseux.

— Que puis-je faire pour vous ? demanda-t-il, manifestant qu'il souhaitait ne rien faire du tout.

— Je suis médecin. Puis-je entrer ? demanda Jason, qui tenta de repousser l'homme.

Celui-ci recula pour lui barrer le chemin.

— Désolé, pas de visites après 18 heures, docteur.

— Je ne suis pas un visiteur, dit Jason, tirant son portefeuille et montrant sa carte d'identité de l'A.S.M. que le gardien ne regarda même pas.

— Pas de visites après 18 heures, répéta-t-il, ajoutant : Sans aucune exception.

— Mais, je..., commença Jason qui n'insista pas, comprenant à l'expression de l'homme que toute discussion était inutile.

— Passez dans la matinée, docteur, lui dit le gardien, qui referma la porte.

Jason redescendit les marches de l'entrée et contempla le bâtiment de quatre étages, de brique, avec ses fenêtres de granit. Il savait qu'il ne pourrait repartir, maintenant. Persuadé que le gardien l'observait, il retourna à sa voiture et sortit de l'allée. À une centaine de mètres, sur la route, il s'arrêta sur le bas-côté. Il descendit et, avec une certaine difficulté, coupa à travers l'Arboretum Arnold pour revenir à l'institut.

Il fit le tour du bâtiment, demeurant dans l'ombre. Tous les côtés, sauf la façade, étaient pourvus d'escaliers d'incendie qui montaient jusqu'au toit. Malheureusement, tout comme chez Carol, ils n'arrivaient pas au niveau du sol, et Jason ne trouva rien sur quoi grimper pour atteindre le premier échelon.

Sur la route du bâtiment, il repéra des escaliers qui descendaient vers une porte fermée. En tâtonnant dans l'obscurité, il tomba sur un panneau vitré. Il remonta et chercha une pierre de la taille d'une balle de base-ball.

Retenant son souffle, il retourna à la porte et brisa la vitre. Dans le calme du soir, le bruit parut assez fort pour réveiller les morts. Jason fila se cacher derrière l'arbre le plus proche, observant le bâtiment. Personne ne s'étant montré après une quinzaine de minutes, il retourna à la porte. Avec précaution, il glissa la main et tourna le loquet. Pas de système d'alarme.

Au cours de la demi-heure qui suivit, Jason avança en trébuchant dans un vaste sous-sol qui devait être une cave. Il découvrit un escabeau, hésita à le sortir pour atteindre l'escalier d'incendie, mais y renonça, continuant à avancer à tâtons à la recherche d'un commutateur. Il tomba finalement dessus et alluma.

Il se trouvait dans une remise pleine de tondeuses à gazon, de pelles et d'autres outils. À côté du commutateur, une porte. Jason l'ouvrit doucement. Au-delà, s'étendait une chaufferie, faiblement éclairée.

Jason traversa rapidement cette seconde pièce et escalada un escalier métallique abrupt. Il ouvrit la porte et réalisa aussitôt qu'il venait de déboucher dans le couloir central. De ses visites précédentes, il se souvenait que les escaliers montant dans les salles se trouvaient sur la droite. Et, à gauche, un bureau où une femme d'une cinquantaine d'années, mal fagotée dans son uniforme blanc, était en train de lire. Un coup d'œil vers l'entrée, et Jason aperçut les pieds du gardien sur une chaise. Il ne put voir le visage de l'homme.

Aussi doucement que possible, il passa la porte du sous-sol et la referma. Il se trouva un bref instant en plein dans le champ visuel de la femme dans le bureau, mais elle ne leva pas les yeux de son livre. Se contraignant à avancer lentement, il traversa silencieusement le couloir et atteignit l'escalier. Il poussa un soupir de soulagement quand il fut totalement à l'abri des regards de la femme et du gardien. Il grimpa les escaliers deux à deux sur la pointe des pieds jusqu'au deuxième étage où se trouvaient les salles des enfants âgés de quatre à douze ans.

Sur ces escaliers de marbre, malgré ses précautions, le bruit de ses pas se répercutait dans le silence. Au-dessus de lui, à travers une lucarne, filtrait un peu de clair de lune.

Au second, Jason ouvrit doucement la porte donnant sur les escaliers. Il se souvint que la salle vitrée des infirmières se trouvait au bout d'un long hall et il remarqua qu'elle était brillamment éclairée bien que le reste du couloir fût plongé dans l'obscurité. Tout comme la femme du rez-de-chaussée, un homme était en train de lire.

En face de lui, de l'autre côté du hall, Jason repéra la porte de la salle et sa grande ouverture centrale grillagée. Après un dernier coup d'œil au surveillant, il traversa le hall sur la pointe des pieds et pénétra dans la salle obscure. Il fut aussitôt saisi par une odeur de moisi. Il attendit un instant pour être sûr que le surveillant ne s'était rendu compte de rien et se mit à chercher la lumière. Pour avoir confirmation de ses soupçons, il lui faudrait allumer, même s'il devait être pris.

La salle s'inonda soudain d'une lumière fluorescente blanche et crue. La salle, d'une quinzaine de mètres de long, était bordée de chaque côté de lits de fer bas qui laissaient un étroit couloir au milieu. Les fenêtres, très hautes, atteignaient presque le plafond. Tout au bout de la pièce, des toilettes avec un tuyau enroulé pour le nettoyage et une porte verrouillée donnant accès à l'escalier d'incendie. Jason parcourut l'allée, regardant les noms au pied de chaque lit : Harrison, Lyons, Gessner... Les enfants, dérangés par la lumière, se redressaient, fixant l'intrus de leurs grands yeux vides et inconscients.

Jason s'arrêta, saisi d'un terrible sentiment d'écœurement qui tourna à la terreur. C'était bien pis qu'il l'avait imaginé. Lentement, son regard passa d'un visage à l'autre des pitoyables créatures rejetées. Au lieu de ressembler aux enfants qu'ils étaient, on aurait dit des centenaires séniles en miniature, les yeux chassieux, la peau sèche et ridée, le cheveu blanc et rare révélant des plaques de cuir chevelu squameux. Jason repéra le nom de Hayes. Tout comme les autres, l'enfant paraissait prématurément vieilli, ayant perdu presque tous ses sourcils, les paupières inférieures pendantes. À la place des pupilles, on décelait la réflexion blanchâtre d'épaisses cataractes. L'enfant était aveugle à tout autre chose que la perception de la lumière.

Quelques enfants sortirent de leur lit, se déplaçant de façon précaire sur des jambes usées. Et puis, horrifié, Jason les vit s'avancer vers lui. L'un d'eux se mit à répéter d'une voix faible les mots *s'il vous plaît*, bientôt rejoint par les autres dans ce chœur de gémissements.

Jason battit en retraite. Le fils de Hayes sortit de son lit et se mit à avancer, ses petits bras maigres battant désespérément l'air dans un mouvement dépourvu de toute coordination.

La meute des enfants finit par acculer Jason contre la porte de la salle et se mit à tirer sur ses vêtements. Effrayé et écœuré, il poussa la porte et se réfugia dans le hall. Quand il eut refermé la porte, il vit les enfants presser leur visage de momie contre la vitre, prononçant toujours silencieusement les mots *s'il vous plaît*.

— Hé ! vous ! lança une voix rude derrière lui.

Jason se retourna et vit l'homme qui, debout devant la porte de son box, agitait son livre ouvert dans un geste de surprise.

— Qu'est-ce qui se passe, ici ? brailla-t-il.

Jason fila vers l'escalier, mais il n'avait descendu que quelques marches quand une autre voix lança :

— Kevin ? Qu'est-ce qu'il y a ?

En se penchant par-dessus la rampe, Jason aperçut le gardien au-dessous de lui.

— Nom de Dieu ! s'exclama celui-ci, fonçant dans les escaliers, la matraque à la main.

Jason rebroussa chemin, grimpant au second. L'infirmier se trouvait toujours devant la porte de son box, apparemment trop abasourdi pour intervenir, alors que Jason traversait le hall en courant, retournant dans la salle où quelques enfants erraient tandis que d'autres étaient retombés sur leur lit. Frénétiquement, il leur fit signe d'approcher et ouvrit la porte. Quand l'infirmier et le gardien entrèrent, ils furent aussitôt entourés d'une nuée d'enfants.

Ils tentèrent l'un et l'autre de se frayer un chemin, mais les gosses s'accrochaient à eux, reprenant leur chœur monotone de *s'il vous plaît*.

Arrivé à la porte de secours, Jason appuya sur le levier d'ouverture qui, pour des raisons de sécurité, se trouvait à un mètre quatre-vingts du sol. La porte refusa d'abord de s'ouvrir. De toute évidence, on ne l'avait pas utilisée depuis des années. Jason vit qu'elle était collée par la peinture. En poussant des épaules, il parvint finalement à l'ouvrir. Avant de sortir dans l'obscurité de la nuit, il repoussa plusieurs enfants dans la salle avant de refermer la lourde porte.

Sans perdre de temps, il dégringola l'escalier d'incendie, sans se soucier du bruit, maintenant. Il avait atteint le premier étage quand s'ouvrit la porte au-dessus de lui. Il entendit de nouveau les enfants crier. Puis ressentit la vibration provoquée par de lourdes bottes sur l'escalier métallique.

Il retira une goupille, libérant la dernière échelle qui fit entendre un bruit sourd en heurtant l'asphalte du parking, au-dessous. Avant même qu'elle ait touché le sol, Jason était dessus. Ce léger retard permit au gardien de se rapprocher.

Mais, une fois sur la pelouse, Jason, avec ses qualités de coureur, put semer le gardien obèse. Ce qui lui laissa le temps de mettre sa voiture en marche, de rouler et de filer. Dans son rétroviseur, il vit le gardien qui arrivait à peine au bord de la route, brandissant le poing sous le clair de lune.

Jason parvenait à peine à dominer son dégoût et sa fureur pour ce qu'il venait de voir. Il se rendit directement à l'hôtel de police de Boston et laissa effrontément sa voiture en stationnement interdit devant l'immeuble.

— Je veux voir l'inspecteur Curran, lança-t-il au policier de garde avant de lui donner son nom.

Calmement, l'agent consulta sa montre et appela

la criminelle. Il parla quelques instants puis, couvrant le récepteur, demanda :

— Quelqu'un d'autre, ça ira ?

— Non, je veux parler à Curran. Et tout de suite, je vous en prie.

L'agent dit encore quelques mots dans l'appareil puis raccrocha.

— L'inspecteur Curran n'est pas disponible, monsieur.

— Je suis sûr qu'il acceptera de me parler. Même s'il n'est pas en service.

— Là n'est pas le problème. L'inspecteur Curran s'occupe d'un double crime sur Revere. Il devrait appeler d'ici à une heure, environ. Vous pouvez attendre, si vous le désirez, ou laisser votre numéro. Comme vous voudrez, monsieur.

Jason réfléchit un instant. Il avait passé le plus clair de la nuit debout, il avait les nerfs à vif et l'idée de prendre une douche, de se changer et de manger un peu lui parut particulièrement séduisante. En outre, une fois qu'il aurait joint Curran, il en aurait pour un bon moment. Il laissa le numéro de son domicile, demandant à nouveau que Curran l'appelle aussitôt que possible.

Le vol United en provenance de Seattle avait pris un sérieux retard, et, quand l'appareil se posa à l'aéroport Logan de Boston, Juan Diaz était d'une humeur massacrante. Une seule fois il avait raté son coup. Un fiasco bien excusable, mais pas l'échec de cette mission. A quelques secondes près, il flinguait le toubib et la *puta* de la boîte de nuit. Et Jason, un amateur, s'était montré plus malin que lui. Il n'avait aucune excuse, et c'est ce qu'il avait dit à son contact. Juan savait qu'il lui fallait se racheter et il brûlait de le faire. Dès qu'il quitta l'appareil, il alla téléphoner. On répondit à la deuxième sonnerie.

Lors du bref trajet entre l'hôpital de police et Louisburg Square, Jason essaya d'effacer de sa mémoire les horribles images des enfants de l'institution, prématurément vieillis. Il ne voulait même pas penser à Hayes et à sa découverte avant de se trouver tranquillement en présence de Curran.

Arrivé devant chez lui, il fit deux fois le tour du pâté de maisons pour s'assurer que personne ne le surveillait. Finalement convaincu que le gardien, à l'institution, n'avait pas regardé sa carte d'identité et ignorait donc qui il était, il se gara, monta ses bagages chez lui et alluma les lumières. Soulagé, il constata que l'endroit était exactement tel qu'il l'avait laissé. Quand il jeta un coup d'œil sur la place, elle lui parut tout aussi paisible que jamais.

Il allait se glisser sous la douche quand il se souvint qu'il devait parler à une autre personne, outre l'inspecteur. Il appela Shirley. Elle décrocha à la huitième sonnerie. Jason entendit une conversation animée, en arrière-fond.

— Jason ! Quand êtes-vous rentré de vacances ?

— Ce soir.

— Qu'est-ce qui se passe ? demanda Shirley, décelant l'épuisement et l'inquiétude dans la voix de Jason.

— De graves ennuis. Je crois avoir trouvé non seulement ce que Hayes avait découvert, mais aussi l'usage qu'on en a fait. L'A.S.M. est impliquée là-dedans à un degré que vous ne pourriez même pas imaginer.

— Racontez.

— Pas au téléphone.

— Dans ce cas, venez. J'ai des invités qui s'attardent, mais je vais m'en débarrasser.

— J'attends un appel de Curran, à la criminelle.

— Je vois... Vous l'avez déjà contacté ? demanda Shirley très doucement.

— Il est dehors, sur une affaire, mais il ne devrait pas tarder à appeler.

— Et si je venais chez vous, dans ce cas ? Vous m'avez sérieusement inquiétée, maintenant.

— Bienvenue au club, dit Jason avec un rire bref et amer. Autant venir, si vous voulez. Il serait probablement utile que vous soyez là quand je parlerai à Curran.

— J'arrive.

— Oh ! encore une chose. Vous vous souvenez du nom de l'actuel directeur de l'institut Hartford ?

— C'est le docteur Peterson, je crois. Je vous le confirmerai demain.

— Peterson n'était-il pas étroitement associé aux études cliniques de Hayes ? demanda Jason, qui se souvint soudain que ce Peterson était le médecin ayant examiné Hayes pour sa visite de santé.

— Je crois. Est-ce important ?

— Je ne sais pas exactement. Mais si vous venez, dépêchez-vous. Curran va appeler d'un instant à l'autre.

Jason raccrocha et se préparait de nouveau à passer sous la douche quand il réalisa que Carol pouvait être également en danger. Il décrocha le téléphone et appela son numéro.

— Je voudrais être certain que vous ne bougerez pas de chez vous, dit-il dès qu'elle décrocha. Je ne plaisante pas. N'ouvrez pas votre porte, ne sortez pas.

— Qu'est-ce qui se passe, maintenant ?

— L'affaire Hayes est bien pire que tout ce que je pouvais imaginer.

— Vous paraissez angoissé, Jason.

Il sourit malgré lui. Parfois Carol s'exprimait comme un psychiatre.

— Je ne suis pas anxieux, j'ai une trouille bleue. Mais je ne vais pas tarder à avoir la police.

— Vous me ferez savoir ce qui se passe ?

— Promis.

Jason raccrocha et alla finalement prendre sa douche.

CHAPITRE XVI

La sonnette se fit entendre, et Jason se précipita en bas pour apercevoir Shirley qui lui souriait à travers la vitre de la porte d'entrée. Il se recula pour la laisser passer, admirant son habituelle élégance. Là, elle portait une minijupe de cuir noir et une longue veste de daim rouge.

— Est-ce que Curran a appelé ? demanda-t-elle tandis qu'ils montaient au premier.

— Pas encore.

Jason boucla soigneusement à double tour la porte de son appartement.

— Maintenant racontez, dit Shirley en retirant sa veste sous laquelle elle portait un pull de cachemire.

Elle s'assit au bord du canapé, les mains sur les genoux et attendit.

— Je crois que ce que je vais vous dire ne va pas vous plaire, dit-il, prenant place à côté d'elle.

— J'ai essayé de m'y préparer. Allez-y.

— Laissez-moi revenir un peu en arrière. Si vous ne comprenez pas l'état actuel de la recherche sur le vieillissement, ce que je vais vous dire ne signifiera pas grand-chose pour vous. Au cours de ces dernières années, des chercheurs comme Hayes ont consacré pas mal de temps à tenter de ralentir le processus du vieillissement. Pour l'essentiel, ils ont fait porter leurs travaux sur des cellules, dans des cultures de cellules, encore que certains travaux étaient effectués sur des rats et des souris. La plupart des chercheurs en ont conclu que le vieillissement était un processus naturel d'origine génétique, réglé par des facteurs neuro-endocriniens, immunologiques et humoraux.

— Je suis déjà perdue, avoua Shirley avec un geste de feinte impuissance.

— Que diriez-vous d'un verre, dans ce cas ? demanda Jason, qui se leva.

— Qu'avez-vous à me proposer ?

— Une bière. Mais j'ai aussi du vin, quelque chose de plus fort, ce que vous voudrez.

— Une bière, ce sera parfait.

Jason se rendit à la cuisine, ouvrit le réfrigérateur et en tira deux Coor légères.

— Vous êtes tous les mêmes, vous les médecins, se plaignit Shirley, après avoir avalé une gorgée de sa bière. Vous rendez tout compliqué.

— C'est compliqué, effectivement, reconnut Jason en se rasseyant. La génétique moléculaire traite des bases fondamentales de la vie. La recherche dans ce domaine est ardue, non pas seulement du fait que les chercheurs pourraient accidentellement créer un nouveau virus ou une nouvelle bactérie mortels, mais aussi parce que nous jouons avec la vie même. La tragédie de Hayes, ce n'est pas son échec ; le problème, c'est qu'il avait réussi.

— Qu'a-t-il découvert ?

— Un instant, dit Jason, avalant une longue gorgée de bière et s'essuyant la bouche d'un revers de main. Laissez-moi vous présenter cela différemment. Nous atteignons tous la puberté plus ou moins au même âge et, maladie ou accident mis à part, nous vieillissons et mourons tous dans une même fourchette de durée de vie.

— Oui, dit Shirley.

— Bien, reprit Jason en se penchant vers elle. Et cela se produit parce que notre corps est génétiquement programmé pour suivre une horloge interne. Au fur et à mesure de notre développement, certains gènes sont activés tandis que d'autres cessent leur activité. C'est là ce qui a fasciné Hayes. Il avait étudié les modalités de déclenchement des humeurs à partir de l'évolution du contrôle du cerveau et de la maturation sexuelle. En isolant l'une après l'autre ces protéines, il a découvert leur action sur les tissus périphériques. Il espérait découvrir ce qui provoquait le déclenchement de la division cellulaire ou l'arrêt de cette division.

— Je peux au moins comprendre cela, dit Shirley. C'est l'une des raisons pour lesquelles nous l'avons embauché. Nous espérions de sa part une découverte pour le traitement du cancer.

— Permettez-moi maintenant une digression. Un autre chercheur, du nom de Denckla, se livrait également à des expériences sur les moyens de retarder le processus de vieillissement. Il a procédé à l'ablation de la glande pituitaire des rats et, après avoir replacé les hormones nécessaires, il a découvert que la durée de vie des rats en était augmentée.

Jason s'arrêta et regarda Shirley, comme attendant une réaction.

— Suis-je censée dire quelque chose ? demanda-t-elle.

— L'expérience de Denckla ne vous inspire rien ?

— Pourquoi ne pas me le dire, tout simplement ?

— Denckla en a déduit que non seulement la pituitaire secrétait les hormones de croissance et de la puberté, mais qu'elle secrétait également l'hormone du vieillissement, que Denckla a appelée l'hormone de mort.

Rire nerveux de Shirley.

— Voilà qui paraît très gai.

— Eh bien, je crois que, tandis que Hayes travaillait sur les facteurs de croissance, il est tombé sur l'hormone de mort dont Denckla postulait l'existence. C'est là ce qu'il voulait dire en parlant d'ironie à propos de sa découverte. En recherchant des stimulateurs de croissance, il est tombé sur une hormone qui provoque le vieillissement rapide et la mort.

— Est-ce là ce qui se produirait si l'on administrait cette hormone à quelqu'un ?

— Probablement pas trop si elle était administrée isolément. Le sujet pourrait présenter certains symptômes de vieillissement, mais l'hormone serait vraisemblablement métabolisée, et ses effets limités. Mais Hayes n'étudiait pas l'hormone isolée. Il a compris que de même qu'était stimulée la sécrétion de l'hormone sexuelle et de croissance, de même devait-il exister un facteur déclenchant de l'hormone de mort. Immédiatement, il s'est penché sur le cycle de vie du saumon qui meurt quelques heures après avoir frayé. Je pense qu'il recueillait les têtes de saumons et extrayait du cerveau le facteur déclenchant de l'hormone de mort. C'est cela, je crois, le travail auquel il se livrait pour Gene Inc. Une fois le facteur déclenchant isolé, il demandait à Helene de le reproduire en quantité au moyen des techniques de recombinaison de l'A.D.N. à son labo de l'hôpital.

— Pourquoi Hayes aurait-il voulu produire cela ?

— Je pense qu'il espérait développer un anticorps monoclonal qui empêcherait la sécrétion de l'hormone de mort et arrêterait le processus de vieillissement.

Et soudain Jason comprit ce qu'avait voulu dire Hayes en prétendant que sa découverte deviendrait un auxiliaire de la beauté. Elle préserverait la beauté de la jeunesse, comme celle de Carol.

— Que se passerait-il si le facteur déclenchant était administré à quelqu'un ?

— Cela activerait le gène de mort, libérant l'hormone de vieillissement tout comme chez le saumon — avec des résultats assez voisins. Le sujet mourrait d'une manière horrible dans les trois ou quatre semaines. Et personne ne saurait pourquoi. Ce qui m'amène au pire de tout. Je pense que quelqu'un a obtenu l'hormone artificiellement créée que produisait Helene dans notre laboratoire et s'est mis à l'administrer à nos patients. Il faut que ce soit un fou — mais je crois que c'est ce qui s'est passé. Hayes s'en est rendu compte — probablement en allant rendre visite à son fils —, et on lui a également administré le facteur de vieillissement. S'il n'était pas mort ce soir-là, je crois qu'on l'aurait tué d'une autre façon, ajouta Jason en frissonnant.

— Comment avez-vous découvert cela ? souffla Shirley.

— J'ai suivi la piste des expériences de Hayes. Quand Helene a été assassinée, j'ai deviné qu'il avait dit vrai en ce qui concernait sa découverte et le fait que quelqu'un voulait sa mort.

— Mais Helene a été violée par un rôdeur inconnu.

— Bien sûr. Mais seulement pour lancer la police sur une fausse piste quant au mobile du crime. J'ai toujours eu le sentiment qu'Helene en savait plus qu'elle ne voulait en dire sur les travaux de Hayes. Quand j'ai appris qu'elle avait une liaison avec lui, j'en ai été sûr.

— Mais qui voudrait tuer nos patients ? Et ces pauvres gosses, à l'institut...

— Un sociopathe. Le même genre de cinglé que celui qui mettait du cyanure dans le Tylenol. Ce soir, à l'hôpital, j'ai fait sortir par l'ordinateur nos courbes de survie et de mortalité. J'ai eu des résultats incroyables. On constate un accroissement significatif du taux de mortalité de nos patients âgés de plus de cinquante ans et atteints d'affections chroniques ou faisant partie de la population à haut risque. Nom de Dieu ! s'écria-t-il soudain après un instant de silence.

— Qu'y a-t-il ? demanda Shirley, regardant nerveusement autour d'elle, comme si le danger était juste là.

— J'ai oublié quelque chose. J'ai sorti les courbes mois par mois, je ne les ai pas examinées médecin par médecin.

— Vous pensez qu'il y a un médecin derrière tout cela ?

— Obligatoirement. Un médecin, ou peut-être une infirmière. Le facteur déclenchant doit être une protéine polypeptide. Il doit falloir l'injecter. Si on l'administrait par voie orale, les sucs gastriques le dégraderaient.

— Oh ! mon Dieu ! dit Shirley, la tête dans les mains. Et moi qui pensais que nous avions des ennuis avant cela.

Elle respira profondément, leva la tête et ajouta :

— Est-ce que vous ne pourriez pas vous tromper, Jason ? L'ordinateur a peut-être fait une erreur. Dieu sait que les systèmes de traitement de données foirent assez souvent...

Jason lui posa la main sur l'épaule. Il savait que l'empire difficilement conquis par Shirley était sur le point de s'effondrer.

— Je ne me trompe pas, dit-il doucement. J'ai également fait autre chose, ce soir. J'ai vu le fils de Hayes à Hartford.

— Et alors... ?

— C'est l'horreur. On a dû administrer le facteur déclenchant à tous les gosses de cette salle. Apparemment, il agit plus lentement sur des sujets préadolescents, et les enfants sont donc toujours en vie. Mais ils ont tous l'air de centenaires.

Shirley frissonna.

— C'est pourquoi je voulais connaître le nom de l'actuel médecin directeur.

— Vous pensez que Peterson est responsable ?

— C'est fatalement un des premiers suspects.

— Nous devrions peut-être nous rendre à l'hôpital et vérifier les données de l'ordinateur. Nous pourrions même ressortir vos courbes de survie selon les médecins.

Avant que Jason puisse répondre, la sonnette de la porte d'entrée les fit sursauter. Jason se leva, le cœur battant.

— Qui cela peut-il être ? demanda Shirley en posant son verre sur la table.

— Je ne sais pas.

Jason avait dit à Carol de ne pas quitter son appartement, et Curran aurait appelé avant de passer.

— Que faisons-nous ? demanda Shirley.

— Je descends voir.

— Est-ce que c'est vraiment une bonne idée ?

— Vous en avez une meilleure ?

— Non, fit Shirley qui conseilla : N'ouvrez pas la porte.

— Vous me prenez pour un fou ? Oh ! encore une chose que je ne vous ai pas dite : on a essayé de me tuer.

— Non ! Où cela ?

— Dans une auberge perdue de campagne, à l'est de Seattle, répondit Jason, ouvrant la porte de son appartement.

— Vous feriez peut-être mieux de ne pas descendre, lança Shirley.

— Il faut que je sache qui c'est, dit Jason, sortant sur le palier et regardant la porte d'entrée, au rez-de-chaussée, distinguant une silhouette à travers la vitre.

Silencieusement, il descendit les escaliers. Plus il se rapprochait et plus importante devenait l'ombre de l'individu dans le hall. Il regardait les plaques des noms et appuyait rageusement sur la sonnette. Soudain, il se tourna et pressa son visage contre la vitre. Un instant, le visage de l'inconnu et celui de Jason ne furent qu'à quelques centimètres. On ne pouvait se tromper sur cette grosse tête et ces petits yeux rapprochés. Leur visiteur était Bruno, le culturiste. Jason se retourna et remonta les escaliers tandis que l'on cognait furieusement à la porte derrière lui.

— Qui est-ce ? demanda Shirley.

— Un gros bras que je connais, répondit Jason, bouclant sa porte à double tour. Et la seule personne qui sache que je me suis rendu à Seattle.

Ce dernier détail venait de s'imposer à lui, terrifiant. Il se précipita dans son bureau et décrocha le téléphone.

— Nom de Dieu ! lâcha-t-il après un instant.

Il raccrocha l'appareil et alla essayer celui de la chambre. Là encore, il n'eut pas de tonalité.

— La ligne est coupée, dit-il, incrédule, à Shirley qui avait suivi.

— Qu'allons-nous faire ?

— On s'en va. Je ne veux pas être piégé ici.

Fouillant dans le placard de l'entrée, il trouva la

clef de la grille ouvrant sur l'étroite ruelle qui donnait sur West Cedar Street. Il ouvrit la fenêtre de la chambre, grimpa sur l'escalier d'incendie et aida Shirley. L'un derrière l'autre, ils descendirent dans le petit jardin où les bouleaux blancs dépouillés de leurs feuilles se dressaient dans l'ombre, tels des fantômes. Une fois dans la ruelle, ils se précipitèrent à la grille, et Jason tâtonna frénétiquement pour glisser la clef. Quand ils débouchèrent dans l'étroite ruelle, ils la trouvèrent paisible et vide, l'obscurité percée par intervalles par les réverbères à gaz de Beacon Hill. À part cela, il n'y avait pas âme qui vive.

— Allons-y, dit Jason, descendant West Cedar vers Charles Street.

— Ma voiture se trouve sur Louisburg Square, dit Shirley, haletante, qui tentait de suivre l'allure de Jason.

— La mienne aussi. Mais, manifestement, nous ne pouvons y retourner. Je peux emprunter la voiture d'un ami.

Sur Charles Street, quelques piétons traînaient devant le Seven Eleven. Jason songea à appeler la police depuis le magasin, mais, maintenant qu'il se trouvait hors de l'appartement, il se sentait moins coincé. En outre, il voulait revoir les données de l'ordinateur avant de parler à Curran.

Ils descendirent Chestnut Street, bordée de ses anciens bâtiments fédéraux. Plusieurs personnes promenaient leurs chiens, et Jason se sentit davantage en sécurité. Juste avant Brimmer Street, il entra dans un garage où il donna 10 dollars au gardien et lui demanda la voiture de son ami. Heureusement, l'homme le reconnut et alla chercher une BMW bleue.

— Je crois que nous ferions bien d'aller chez moi, dit Shirley en s'installant à l'avant. Nous pourrons appeler Curran et lui faire savoir où nous nous trouvons.

— Je veux d'abord retourner à l'hôpital.

Avec la faible circulation, ils y furent en moins de dix minutes.

— Je n'en ai que pour un instant, dit Jason qui s'arrêta devant l'entrée. Voulez-vous venir ou attendre ici ?

— Ne soyez pas stupide. Je veux voir ces chiffres moi-même.

Ils montrèrent leur carte d'identité au gardien et prirent l'ascenseur, bien que n'allant qu'au premier.

Le service du nettoyage avait laissé l'hôpital dans un état d'ordre et de propreté parfaits — magazines rangés, corbeilles à papier vidées, sol brillant de cire fraîchement passée. Jason se rendit directement à son bureau, s'assit à sa table et brancha son terminal.

— Je vais appeler Curran, dit Shirley, sortant pour se rendre chez les infirmières.

D'un geste de la main, Jason lui fit signe qu'il avait entendu. Déjà, il était plongé dans les données de l'ordinateur. D'abord, il demanda un tri par numéros d'identification des différents médecins de l'hôpital. Il s'intéressait particulièrement à celui de Peterson. Quand il eut tous les numéros, il demanda un tri de la population des malades par docteur puis une courbe pour chacun des groupes au cours des deux derniers mois puis des mois au cours desquels on avait constaté le plus grand nombre de changements. Il eut la liste de tous les patients. Il s'attendait à trouver chez les patients de Peterson soit un taux plus élevé, soit un taux plus bas, se disant qu'un psychopathe connaîtrait ou l'un ou l'autre avec ses malades.

Shirley revint et le regarda entrer les données.

— Votre ami Curran n'est pas encore de retour, annonça-t-elle. Il est passé à l'hôtel de police pour dire qu'il pourrait bien en avoir encore pour deux heures environ.

Nouveau signe de tête de Jason, davantage intéressé par la sortie des résultats. Il lui fallut quinze minutes, après quoi il détacha les feuilles des listings en continu et les posa devant lui.

— Elles se ressemblent toutes, dit Shirley, penchée sur son épaule.

— À peu près, reconnut Jason. Même celles de Peterson. Ça ne démontre pas sa culpabilité, mais ça ne nous aide pas non plus.

Il regarda l'ordinateur, essayant d'imaginer quelque autre renseignement qui pourrait se révéler utile. Il ne trouva rien.

— Eh bien, je n'ai pas d'autre idée lumineuse pour le moment. La police devra se contenter de cela comme point de départ.

— Allons-y, dans ce cas. Vous avez l'air épuisé.

— Je le suis, reconnut Jason en faisant un effort pour se tirer de son fauteuil.

— Ce sont là les listings que vous avez déjà sortis ? demanda Shirley en montrant la pile de feuilles à côté du terminal.

— Oui, fit Jason.

— Et si nous les emportions ? J'aimerais que vous m'expliquiez.

Jason fourra les listings dans une grande enveloppe de papier marron.

— J'ai donné mon numéro au bureau de Curran, dit Shirley. Je crois que nous serons mieux chez moi pour attendre. Avez-vous eu l'occasion d'avaler quelque chose ?

— Quelque horrible repas dans l'avion, mais j'ai l'impression qu'il y a des jours de cela.

— J'ai des restes de poulet froid.

— Magnifique.

Arrivé à la voiture, il demanda à Shirley si elle voulait bien conduire pour qu'il puisse se détendre et réfléchir un peu.

— D'accord, dit-elle, prenant ses clefs.

Jason s'assit devant à côté d'elle, lançant l'enveloppe sur la banquette arrière. Il attacha sa ceinture, se cala dans son siège et ferma les yeux. Il se mit à envisager les divers moyens qu'on aurait pu utiliser pour administrer aux patients le facteur de libération de l'hormone. Puisqu'on ne pouvait l'administrer oralement, il se demanda comment le criminel avait pu l'injecter aux patients lors des examens médicaux des cadres. Certes, on prélevait du sang, pour les examens de laboratoire, mais les trocarts ne permettaient pas d'injecter une substance. Pour les malades hospitalisés, c'était différent — on leur faisait toujours des piqûres ou on les plaçait sous perfusion.

Il n'en était arrivé à aucune conclusion plausible quand Shirley s'arrêta devant chez elle. Jason trébucha et faillit même tomber en descendant de la voiture. Le court repos avait exacerbé sa fatigue. Il ramassa l'enveloppe qui se trouvait sur le siège arrière.

— Faites comme chez vous, lui dit Shirley, en entrant dans la salle de séjour.

— Assurons-nous d'abord que Curran n'a pas appelé.

— Je vais appeler mon service dans un instant. Pourquoi ne pas vous servir un verre pendant que je me débrouille avec ce poulet ?

Trop las pour discuter, Jason alla au bar se servir un peu de Dewer sur des glaçons. En attendant le retour de Shirley, il envisagea de nouveau les moyens que l'on pouvait utiliser pour administrer le facteur de libération. Ils n'étaient guère nombreux. Si on ne l'injectait pas, il fallait l'administrer en suppositoire ou par quelque autre contact direct avec la muqueuse. La plupart des patients passant un examen complet se voyaient administrer un lavement baryté, et Jason se demanda si ce n'était pas là la réponse.

Il se mit à siroter son scotch, et Shirley arriva avec du poulet froid et de la salade.

— Je vous sers un verre ? demanda-t-il, tandis qu'elle posait le plateau sur la table basse.

— Pourquoi pas ? Non, ne bougez pas. J'y vais.

Jason la regarda ajouter un trait de vermouth à sa vodka, et c'est alors qu'il pensa aux gouttes oculaires. Tous les cadres, lors de leur examen de santé, passaient une visite d'ophtalmologie. Et on leur instillait des gouttes pour dilater les pupilles. Si quelqu'un voulait introduire dans leur organisme le facteur de libération du gène, la muqueuse de l'œil l'absorberait parfaitement. Mieux encore, si l'on pouvait mêler secrètement ce facteur à des gouttes à administrer régulièrement, elles seraient instillées involontairement par n'importe quel médecin ou infirmière innocents.

Jason sentit un début d'élancement dans son crâne. La découverte de ce qui devait être la clef de tout rendait soudain plausible l'existence d'un tueur psychopathe. Shirley revint du bar, remuant sa boisson. Pour quelque obscure raison, Jason hésita à partager avec elle ses déductions.

— Un message de Curran ? demanda-t-il.

— Pas encore, répondit Shirley, qui le regarda bizarrement, et il se demanda un instant si elle pouvait lire dans ses pensées. Mais elle ajouta : J'ai une question. Est-ce que ce prétendu facteur de libération de l'hormone de mort n'est pas censé faire partie d'un processus naturel ?

— Oui. C'est pourquoi les examens de pathologie ne nous ont pas beaucoup aidés. Toutes les victimes, Hayes y compris, sont mortes de ce qu'on qualifie de causes naturelles. Le facteur de libération se borne à activer à fond le gène qui s'est déclenché à la puberté.

— Vous voulez dire que nous commençons à vieillir à la puberté ?

— C'est la théorie actuelle. Mais c'est bien évidemment progressif, et le processus ne s'accélère que dans les dernières années de la vie, tandis que les taux des hormones sexuelles et de croissance baissent. Apparemment, le facteur de libération déclenche subitement le gène de l'hormone de mort et, chez un adulte dépourvu d'un taux élevé d'hormone de croissance pour pallier cet effet, il provoque un vieillissement rapide, tout comme chez le saumon. En trois semaines, je pense. Le principal système touché semble être le système cardio-vasculaire. C'est lui qui cède le premier et provoque la mort. Mais ce pourrait être également d'autres systèmes organiques.

— Mais le vieillissement est un processus naturel, répéta Shirley.

— Cela fait partie de la vie. Sur le plan de l'évolution, c'est aussi important que la croissance. Oui, il s'agit d'un processus naturel, dit Jason avec un rire caverneux. Hayes avait certainement raison en qualifiant sa découverte d'« ironie ». Avec tout ce qu'il avait fait pour ralentir le vieillissement, ses travaux sur la croissance se sont traduits par une accélération de ce vieillissement.

— Si le vieillissement et la mort comportent une valeur d'évolution, insista Shirley, peut-être ont-ils également une valeur sociale ?

Jason la regarda avec un sentiment d'inquiétude croissant. Il aurait souhaité ne pas être si fatigué. Son cerveau lançait des signaux d'alarme qu'il ne parvenait pas à décoder. Prenant son silence pour un acquiescement, Shirley poursuivit :

— Laissez-moi présenter cela autrement. La médecine en général se trouve confrontée au défi de fournir des soins de qualité à un coût assez bas. Mais, du fait de l'accroissement de l'espérance de vie, les hôpitaux sont encombrés d'une population de personnes âgées que l'on maintient en vie à un prix exorbitant. Ce qui provoque non seulement un épuisement des ressources économiques, mais aussi de l'énergie du personnel médical. Notre boîte, par exemple, marchait parfaitement bien au début du fait que la grosse masse de nos adhérents étaient jeunes et en bonne santé. Maintenant, vingt ans plus tard, ils sont plus âgés et nécessitent beaucoup plus de soins médicaux. Si, dans certaines circonstances, on accélérait le vieillissement, ce serait peut-être un bien à la fois pour les patients et pour les hôpitaux. L'important, c'est que les vieux et les infirmes vieillissent et meurent rapidement pour s'éviter des souffrances et pour éviter une surconsommation de soins médicaux coûteux.

Tandis que Jason commençait à comprendre le raisonnement de Shirley, il se sentait de plus en plus paralysé par l'horreur. Il aurait voulu crier que ce qu'elle impliquait n'était que le meurtre légalisé, mais il se trouvait stupidement assis là, au bord du canapé, comme un oiseau hypnotisé par un reptile venimeux, et figé de peur.

— Jason, savez-vous ce que ça coûte de maintenir les malades en vie au cours de leurs derniers mois d'hospitalisation ? demanda Shirley, prenant de nouveau le silence de Jason pour une approbation. Le savez-vous ? Si la médecine ne consacrait pas autant aux mourants, elle pourrait faire beaucoup plus pour aider les vivants. Si notre hôpital n'était pas envahi par des patients quinquagénaires ou sexagénaires du fait de leur mauvaise hygiène de vie, imaginez ce que nous pourrions faire pour les jeunes. Et ces patients qui négligent leur santé, comme les gros fumeurs et les gros buveurs ou les drogués, ne hâtent-ils pas volontairement leur propre fin ? Est-ce si mal de précipiter leur mort pour soulager le fardeau du reste de la société ?

Jason finit par ouvrir la bouche pour protester, mais il ne parvint pas à trouver les mots pour réfuter l'argumentation de Shirley.

— Je ne parviens pas à croire que vous n'acceptiez pas le fait que la médecine ne peut plus survivre sous le fardeau écrasant des problèmes chroniques de santé posés par des individus physiquement inaptes — ces mêmes patients qui ont passé trente ou quarante ans de leur vie à maltraiter le corps que Dieu leur a donné.

— Ce n'est pas à vous ou à moi d'en décider.

— Même si l'on se contente d'accélérer le processus de vieillissement au moyen d'une substance naturelle ?

— C'est un meurtre ! s'exclama Jason, qui se leva en titubant.

Shirley se leva également, allant vivement vers la double porte ouvrant sur la salle à manger.

— Entrez, monsieur Diaz, dit-elle, ouvrant toute grande la porte. J'ai fait ce que j'ai pu.

Jason, la bouche sèche, se tourna vers l'homme qu'il avait vu à l'Auberge du saumon. Le visage mat de Juan reflétait un plaisir anticipé. Il tenait un petit pistolet automatique allemand que prolongeait un silencieux de la taille d'un cigare.

Jason recula maladroitement jusqu'à ce que son dos heurte le mur. Ses yeux passaient de l'arme au visage étonnamment séduisant du tueur, puis à Shirley qui le considérait aussi calmement que si elle se trouvait à une réunion du conseil d'administration.

— Pas de nappe, cette fois, dit Diaz, grimaçant un sourire qui découvrit des dents d'une blancheur de vedette de cinéma.

Il avança, pointant le canon du pistolet à moins de vingt centimètres de la tête de Jason.

— Adieu, dit-il avec un petit signe de tête amical.

CHAPITRE XVII

— Monsieur Diaz, dit Shirley.

— Oui, répondit Juan sans quitter Jason des yeux.

— Ne l'abattez pas à moins qu'il ne vous y contraigne. Il est préférable de disposer de lui comme nous l'avons fait avec M. Hayes. Je vous apporterai le matériel du laboratoire demain.

Jason respira. Il ne s'était pas rendu compte qu'il retenait son souffle.

Le sourire disparut du visage de Juan. Ses narines palpitèrent, il était déçu et furieux.

— Je crois qu'il serait beaucoup plus prudent que je le tue tout de suite, miss Montgomery.

— Je me fiche de ce que vous croyez — et je vous paie. Bouclons-le à la cave. Et pas de brutalité — je sais ce que je fais.

— C'est bon, mais vous commettez une erreur.

Juan avança le pistolet, le froid métal du canon touchant la tempe de Jason. Celui-ci savait parfaitement que l'homme espérait qu'il lui fournirait la plus petite excuse pour tirer, et il demeura parfaitement immobile, pétrifié par la peur.

— Venez ! appela Shirley depuis l'entrée.

— Allez-y, dit Juan, retirant l'arme de la tête de Jason.

Jason avança, raide, les bras ballants, Juan derrière lui, qui lui enfonçait de temps en temps le pistolet dans le dos.

Shirley ouvrit une porte sous l'escalier en face de l'entrée. Jason aperçut un autre escalier descendant au sous-sol. Il tenta de croiser le regard de Shirley, mais elle se détourna. Il passa la porte et descendit, Juan juste derrière lui.

— Les médecins m'étonneront toujours, dit Shirley, qui alluma la lumière du sous-sol et ferma la porte derrière elle. Ils pensent que la médecine ne consiste qu'à aider les malades. En fait, à moins qu'on fasse quelque chose en ce qui concerne les malades chroniques, on n'aura jamais assez d'argent ni de personnel pour aider ceux qui peuvent vraiment guérir.

En gardant son beau visage calme et son élégance parfaite, Jason ne parvenait pas à croire que c'était la femme qu'il avait toujours admirée.

Elle conduisit Juan par un long couloir étroit jusqu'à une lourde porte de chêne qu'elle ouvrit avant de tourner un commutateur, éclairant une vaste pièce carrée. On y poussa Jason qui découvrit un encadrement de porte ouverte sur la gauche, un établi et une autre lourde porte fermée sur la droite. Puis la lumière s'éteignit, la porte se referma, et il se retrouva dans une obscurité totale.

Pendant quelques instants, il demeura immobile, figé dans un état de choc et par l'impossibilité de voir quoi que ce soit. Il pouvait percevoir de petits bruits d'eau courant dans des tuyaux, du chauffage se mettant en route, et de pas au-dessus de sa tête. L'obscurité était totale, il ne parvenait même pas à dire s'il avait les yeux ouverts ou fermés.

Quand il fut enfin capable de bouger, il recula jusqu'à la porte par laquelle il était entré, saisit la poignée et essaya de la tourner. Il tira sur la porte. Elle était solidement fermée. Il passa la main sur le chambranle, cherchant des gonds. Il y renonça, se souvenant que la porte s'ouvrait sur le couloir.

Jason abandonna la porte pour se déplacer latéralement, à petits pas, glissant avec précaution les mains sur le mur. Il atteignit un coin et vira à angle droit, poursuivant sa progression toujours à petits pas jusqu'à tomber sur l'encadrement de la porte ouverte. Il tâtonna à la recherche d'un commutateur, en trouva un à hauteur de poitrine environ. Il l'actionna. Sans résultat.

Il avança dans l'autre pièce jouxtant la première, tâtant les murs, essayant de se faire une idée de ses dimensions. Ses doigts rencontrèrent un objet métallique sur une paroi dont la partie frontale était en verre. En tâtonnant à hauteur de la taille, il rencontra un lavabo. Et, sur sa droite, un cabinet de toilette. La pièce devait faire deux mètres sur un mètre cinquante.

Il revint dans la plus grande pièce et continua son lent circuit, tombant sur une deuxième petite pièce avec une porte fermée, juste à côté du cabinet de toilette. Quand il ouvrit la porte, son odorat lui indiqua qu'il s'agissait d'un placard de cèdre qui contenait plusieurs housses de vêtements.

De retour dans la pièce principale, il gagna de nouveau un angle et tourna. À une douzaine de petits pas, il heurta doucement l'établi, qui devait avancer de quatre-vingt-dix centimètres à l'intérieur de la pièce. Il tâtonna encore au-dessous, trouvant des placards. L'établi, estima-t-il, devait faire quelque trois mètres de long. Au-delà, il retomba sur le mur et des étagères sur lesquelles se trouvaient ce qu'il pensa être des pots de peinture. Et, plus loin, un autre angle.

Au milieu de la quatrième cloison, Jason arriva sur une autre lourde porte, soigneusement fermée et verrouillée. Il trouva bien une serrure, mais il lui aurait fallu la clef. Et il n'y avait pas de gonds. Il continua son circuit jusqu'au quatrième coin. Quelques instants plus tard, il revenait à l'entrée.

Il s'accroupit et se mit à tâter le sol. Du béton. Il se redressa, essayant d'imaginer ce qu'il pourrait faire d'autre. Aucune idée lumineuse. Et soudain l'envahit un sentiment de frayeur mortelle, comme s'il étouffait. Jamais il n'avait souffert de claustrophobie, mais elle lui tomba dessus, écrasante.

— AU SECOURS ! hurla-t-il.

Seul l'écho lui renvoya sa voix. Perdant tout son sang-froid, il empoigna la porte, follement, et se mit à cogner de ses poings fermés.

— JE VOUS EN PRIE !

Il continua à cogner jusqu'à en avoir les mains douloureuses. Il s'arrêta brutalement, grimaçant, croisant ses mains meurtries sur sa poitrine. Il se pencha, le front contre la porte, et les larmes jaillirent.

Il ne se souvenait pas d'avoir pleuré depuis qu'il était enfant. Même pas après la mort de Danielle. Et toutes ces années d'émotions refoulées remontèrent dans l'obscurité du sous-sol de Shirley. Il perdit complètement sa maîtrise et glissa lentement à terre où il se recroquevilla devant la porte comme un chien enfermé, étouffé par ses propres larmes.

La violence de sa réaction le surprit. Après dix minutes passées à sangloter, il commença à se reprendre, gêné. Il avait toujours cru posséder davantage de sang-froid. Finalement, il se redressa, le dos à la porte. Dans l'obscurité, il essuya ses joues humides de larmes.

Au lieu de s'abandonner au désespoir, il songea à la pièce dans laquelle il se trouvait, essayant d'en imaginer les dimensions et de se faire une idée de la disposition des objets rencontrés au cours de son exploration. Il commença par se demander s'il n'existait pas d'autres commutateurs. Il se redressa et retourna lentement à la seconde porte fermée qui se trouvait sur sa droite. Arrivé là, il tâta le mur de chaque côté, mais sans trouver de commutateur.

Il traversa la pièce et retourna au cabinet de toilette, tentant plusieurs fois d'allumer. Puis il tâtonna pour trouver l'ampoule, pensant la changer s'il parvenait à localiser celle du plafond de la pièce principale. Mais il ne trouva rien, ni à l'armoire de toilette ni au plafond. Découragé, il regagna la pièce principale.

— Ah ! cria-t-il en heurtant de plein fouet un tuyau qui pendait.

Son nez cogna la surface métallique de quinze centimètres de diamètre. Un instant déséquilibré, il porta la main à son nez qui commençait déjà à enfler. Il sentit une arête osseuse sur le côté droit : il s'était cassé le nez. De nouveau, involontairement, ses yeux s'emplirent de larmes, mais la cause, cette fois, en était le réflexe, pas l'émotion. Quand il eut repris suffisamment ses esprits pour continuer, il fut tout désorienté. Repartant à petits pas, il avança jusqu'à rencontrer un mur. Là, seulement, il put retrouver l'établi.

Il se baissa et se mit à ouvrir les portes de rangement, explorant chaque case de ses mains. Chacune des cases devait faire un mètre vingt de large et contenait une seule étagère amovible. Il trouva d'autres pots qu'il pensa être des pots de peinture, mais aucun outil.

Il se releva, se pencha sur l'établi et tâta le mur, au-dessus. Sur la droite, quelques étagères étroites avec de petits pots et des boîtes. Il se déplaça vers la partie centrale, tâtonna de nouveau le mur, espérant tomber sur un panneau à alvéoles ou quelque chose d'analogue, avec des tournevis, des marteaux et des ciseaux. Il ne trouva qu'une espèce de bocal en verre. Voulant en connaître la nature, il tâta tout autour, constatant que le bocal était fixé à une boîte métallique dans laquelle pénétraient des tubes. Le compteur électrique, se dit-il.

Il se déplaça sur la gauche de l'établi, cherchant encore sur le mur, trouvant d'autres rayonnages avec des pots de fleurs en plastique ou en céramique, mais pas d'outils.

Découragé, Jason se demanda ce qu'il pourrait faire d'autre. Il songea à chercher quelque chose sur quoi grimper pour explorer les murs au niveau du plafond pour le cas où s'y trouverait une fenêtre aveuglée. Puis il repensa au compteur électrique et alla suivre les fils jusqu'à une deuxième boîte métallique. Il tira et ouvrit la boîte.

C'était le tableau des fusibles de la maison. Doucement, il promena les doigts, espérant ne pas les poser sur un fil nu. Il rencontra toute une série d'interrupteurs de circuits.

Au cours des cinq minutes qui suivirent, Jason se demanda quoi faire de sa découverte. Il recula de l'établi, ouvrit la porte des étagères de rangement dessous et les vida de leur contenu, rangeant les boîtes dans les deux petits placards latéraux. Puis il retira l'étagère qui, par chance, n'était pas fixée et grimpa à l'intérieur. Il avait largement la place.

Il ressortit, remonta sur l'établi et, un à un, abaissa tous les coupe-circuit. Puis il referma la boîte où ils se trouvaient, regagna le placard vide, tira la porte sur lui et se mit à prier. S'ils étaient déjà au lit, l'absence de courant ne les gênerait pas.

Après un laps de temps qu'il évalua à cinq minutes, il entendit que l'on ouvrait la porte. Puis des voix. Et, à travers une fente du placard, il distingua un rai de lumière tremblotante. Puis le bruit d'une clef et celui de la porte qui s'ouvrait. L'œil collé à la fissure, il distinguait nettement les deux silhouettes. L'une tenait une torche électrique qu'elle promena lentement tout autour de la pièce.

— Il se cache, dit Juan.

— Inutile que vous me le disiez, répliqua Shirley, irritée.

— Où est votre boîte de fusibles ?

La torche balaya le dessus de l'établi.

— Restez là, dit Juan, qui avança dans la pièce, entre Jason et la lampe que Shirley devait tenir tandis que lui devait avoir son pistolet dans une main.

Jason s'appuya contre le fond du placard et souleva les pieds. Dès qu'il entendit que l'on enclenchait les coupe-circuit, il frappa les portes du placard avec toute la force qu'il put mettre dans ses jambes. Les portes allèrent heurter Juan Diaz, surpris, l'atteignant à l'aine. Il en gémit de douleur et recula en titubant contre le placard de cèdre.

Jason ne perdit pas une seconde. Il bondit de sa cache, traversa la pièce, arrivant sur la porte avant que Shirley ne puisse la refermer. Il la percuta de toute sa force, et elle renversa Shirley qui poussa un cri quand sa tête heurta le béton, faisant rouler la torche de sa main.

Jason se rétablit et fonça dans le couloir, vers les escaliers, remerciant le Ciel que cette partie de la maison fût de nouveau éclairée. Il empoigna la rampe et se catapulta sur les premières marches. Et il entendit un « plop » sourd. Aussitôt, il ressentit une douleur à la cuisse, et sa jambe droite céda sous lui. Il se redressa et grimpa les dernières marches. Il avait presque atteint le hall ; il ne pouvait abandonner.

Traînant sa jambe droite, il gagna péniblement la

porte d'entrée. Au-dessous, il entendit que l'on montait les escaliers.

La porte s'ouvrit, et Jason se retrouva, trébuchant, dans la nuit froide de novembre. Il savait qu'il avait été touché. Il pouvait sentir le sang couler de la blessure provoquée par le projectile et qui dégoulinait le long de sa jambe jusque dans sa chaussure.

Il était parvenu au milieu de l'allée quand Juan le rattrapa et le frappa de la crosse de son pistolet. Jason s'effondra à genoux sur les dalles de l'allée. Avant qu'il puisse se relever, Juan l'envoya bouler sur le dos d'un coup de pied. De nouveau, le pistolet se trouvait pointé droit sur sa tête.

Soudain, les deux hommes se retrouvèrent dans une flaque de lumière aveuglante. L'arme toujours braquée sur Jason, Juan tenta de se protéger les yeux du rayon puissant de deux phares. Une seconde plus tard, on entendit des bruits de portières qui s'ouvraient, suivis de celui de culasses de fusil que l'on armait. Juan recula de quelques pas, comme un animal acculé.

— Ne bougez pas, Diaz, lança une voix familière à l'accent prononcé des faubourgs sud de Boston. Pas d'idioties. Nous ne voulons pas d'ennuis avec vous ni avec Miami. Vous allez regagner gentiment votre voiture et filer. D'accord ?

— Oui, fit Juan de la tête, essayant toujours de se protéger les yeux de la lumière des phares.

— Allez-y ! ordonna la voix.

Après avoir reculé de deux ou trois pas mal assurés, Juan se tourna et fila à sa voiture. Il la mit en route et sortit en trombe de l'allée.

Jason roula sur le ventre. Dès que Juan eut disparu, Carol Donner émergea du cercle éclairé et tomba à genoux à côté de Jason.

— Mon Dieu ! vous êtes blessé ! s'écria-t-elle en voyant une large tache de sang se former sur la cuisse de Jason.

— Je suppose, dit celui-ci, pour qui trop de choses

venaient de se passer en trop peu de temps. Mais ça ne fait pas trop mal.

Une autre silhouette approcha : Bruno, avec un fusil Winchester à pompe.

— Oh ! non ! dit Jason qui tenta de se redresser.

— Ne vous inquiétez pas, le rassura Carol. Il sait que vous êtes un ami, maintenant.

A cet instant, apparut Shirley sur la véranda, les vêtements en désordre, les cheveux dressés comme ceux d'un rocker punk. Un instant, elle contempla la scène. Puis elle battit en retraite et claqua la porte. On entendit des bruits de serrure.

— Il faut le conduire à l'hôpital, dit Carol.

Apparut un second culturiste qui souleva Jason avec précaution.

— Je n'arrive pas à y croire, dit celui-ci.

On le transporta au-delà du cercle de lumière jusqu'à une limousine Lincoln blanche surmontée d'une antenne de télé en « V ». Les deux costauds l'installèrent sur le siège arrière où attendait un homme aux lunettes noires, les cheveux lisses et le cigare éteint. Arthur Kochler, le patron de Carol. Celle-ci grimpa à son tour dans la voiture et présenta Jason à Arthur. Les deux costauds montèrent devant, et la limousine démarra.

— Heureux de vous voir l'un et l'autre, mais qu'est-ce qui a bien pu vous amener ici ? demanda Jason, avec une grimace quand la voiture le secoua en sortant de l'allée.

— Votre voix, expliqua Carol. La dernière fois que vous avez appelé, j'ai su que vous aviez de nouveau des ennuis.

— Mais comment avez-vous su que j'étais ici, à Brookline ?

— Bruno vous a suivi. Après votre coup de fil, j'ai appelé mon adorable patron, là, dit Carol avec une tape sur la jambe d'Arthur.

— Laisse tomber ! dit Arthur.

C'était cette voix qui avait terrifié Juan Diaz.

— J'ai demandé à Arthur s'il voulait bien vous protéger, et il m'a dit qu'il était d'accord à une condition : que je continue à danser pendant au moins deux mois encore ou jusqu'à ce qu'il me trouve une remplaçante.

— Ouais, mais elle a réussi à me faire baisser le délai à un mois, se plaignit Arthur.

— Je vous en suis très reconnaissant. Allez-vous vraiment vous arrêter de danser, Carol ?

— C'est une foutue môme, dit Arthur.

— Je suis surpris. Je ne pensais pas que les filles comme vous pouvaient s'arrêter quand elles le voulaient, dit Jason.

— Qu'est-ce que vous voulez dire ? demanda Carol, indignée.

— Je vais te le dire, moi, fit Arthur, retournant à Carol sa tape sur la cuisse. Il te prend pour une foutue pute.

Et Arthur partit d'un grand éclat de rire qui s'acheva en une toux. Carol dut lui taper dans le dos à plusieurs reprises avant que sa quinte ne cesse.

— J'avais davantage encore de ces accès de toux quand j'allumais ces trucs, dit Arthur, montrant son cigare et ajoutant, regardant Jason dans la pénombre de la voiture : Vous croyez que je l'aurais laissée partir pour Seattle si c'était une prostituée ? Un peu de bons sens, vieux.

— Désolé, dit Jason. Je croyais seulement...

— Vous croyiez que parce que je dansais au Club Cabaret j'étais une pute. Ma foi, je suppose que ce n'est pas tout à fait injuste. Il y en a une ou deux. Mais la plupart n'en sont pas. Pour moi, cela a été une grande chance. Mon nom de famille n'est pas Donner mais Kikonen. Nous sommes finlandais et nous professons une attitude plus saine que vous, les Américains, à l'égard de la nudité.

— Et c'est la gosse de la sœur de ma femme, précisa Arthur. Alors, je lui ai offert un boulot.

— Vous êtes parents ? demanda Jason, stupéfait.

— Nous ne l'avouons pas volontiers, dit Arthur, qui se remit à rire.

— Allons, dit Carol.

Mais Arthur poursuivait :

— On n'aime pas beaucoup l'idée que des gens de chez nous fréquentent l'université de Harvard. C'est mauvais pour notre image de marque.

— Vous allez à Harvard ? demanda Jason, se tournant vers Carol.

— Pour préparer mon doctorat. La danse me paie mes frais d'études.

— Je crois que j'aurais dû me douter qu'Alvin n'aurait jamais vécu avec une authentique danseuse exotique. Quoi qu'il en soit, je vous suis reconnaissant à tous les deux. Dieu sait ce qui serait arrivé si vous n'étiez pas intervenus. La police va s'occuper de Shirley Montgomery, mais j'aurais préféré que vous ne laissiez pas filer Juan Diaz.

— Ne vous inquiétez pas, dit Arthur avec un geste de son cigare. Carol m'a raconté ce qui s'est passé à Seattle. Il ne va pas traîner longtemps. Mais je ne veux pas d'ennuis avec mes amis de Miami. Nous nous occuperons de Juan à notre façon. Ou je peux vous donner suffisamment de renseignements pour que la police de Miami le pique. Ils ont assez de charges contre lui pour le boucler. Vous pouvez me croire.

Jason regarda Carol.

— Je ne sais pas comment je pourrais jamais m'excuser, lui dit-il.

— J'ai quelques idées sur la question, répondit gaiement Carol.

Arthur fut pris d'un nouvel accès de rire. Quand il se fut calmé, Bruno baissa la vitre de séparation.

— Hé ! l'obsédé ! dit-il avec un petit rire. Où est-ce qu'on vous emmène ? Aux urgences de l'A.S.M. ?

— Bon Dieu ! non ! Je ne suis pas très chaud en ce moment pour l'Assurance maladie volontaire. Emmenez-moi à l'hôpital général.

ÉPILOGUE

Jamais Jason n'avait goûté le plaisir d'être malade, comme on dit, mais pour l'instant il aimait assez cela. Il passait trois jours à l'hôpital pour une intervention chirurgicale mineure sur la blessure de sa jambe. La douleur s'était faite beaucoup moins vive, et l'équipe médicale de l'hôpital général s'était montrée compétente et pleine d'attentions. Plusieurs membres de l'équipe se souvenaient même de l'époque où Jason était interne.

Mais le plus agréable, dans son séjour à l'hôpital, fut que Carol passait le plus clair de ses journées auprès de lui, lui faisant la lecture, le régalant d'anecdotes amusantes ou demeurant simplement assise là, dans un silence sympathique.

— Quand vous irez tout à fait bien, lui dit-elle le deuxième jour en arrangeant les fleurs offertes par Claudia et Sally, je crois que nous devrions retourner à l'Auberge du saumon.

— Pourquoi, diable ? demanda Jason qui, après leur expérience, imaginait mal que l'on puisse souhaiter se retrouver là-bas.

— J'aimerais redescendre la Chute du diable, répondit gaiement Carol. Mais en plein jour cette fois.

— Vous plaisantez !

— Pas du tout. Je parie qu'on doit bien s'amuser quand le soleil brille.

Ils se retournèrent sur une toux discrète émanant

de la porte. La solide carcasse mal fagotée de l'inspecteur Curran paraissait on ne peut plus déplacée dans un hôpital. Il serrait dans ses grosses pattes un chapeau de pluie kaki qui semblait être passé sous un camion.

— J'espère que je ne vous dérange pas, docteur Howard, dit-il avec une politesse tout à fait insolite de sa part.

Jason se dit que Curran était tout aussi intimidé par la chambre d'hôpital que lui-même l'avait été par l'hôtel de police.

— Pas du tout, lui dit Jason en se redressant pour s'asseoir. Entrez, asseyez-vous.

Carol tira une chaise qui se trouvait contre le mur pour l'approcher du lit. Curran s'assit, toujours agrippé à son chapeau.

— Comment va cette jambe ?

— Bien. Des lésions musculaires, surtout. Ça ne sera pas grave du tout.

— J'en suis heureux.

— Un chocolat ? proposa Carol en lui tendant une boîte envoyée par les secrétaires de l'A.S.M.

Curran examina attentivement la boîte, choisit une cerise enrobée de chocolat et l'enfourna dans sa bouche. Après l'avoir avalée, il annonça :

— Je pensais que vous aimeriez connaître l'évolution de l'affaire.

— Tout à fait, dit Jason tandis que Carol allait s'asseoir au bord du lit, de l'autre côté.

— D'abord, ils ont piqué Juan à Miami. Il a un casier judiciaire long comme ça. Il fait partie des cadeaux de Fidel Castro aux États-Unis. Nous allons demander son extradition dans l'État du Massachusetts pour les meurtres de Brennquivist et Lund, mais ce sera dur. Il semble que quatre ou cinq autres États veuillent également le truand pour des crimes analogues, y compris la Floride.

— Je ne peux pas dire que je sois navré pour lui.

— Ce type est un psychopathe, admit Curran.

— Et l'A.S.M. ? Avez-vous pu prouver que le facteur de libération du gène de mort avait été mêlé aux gouttes utilisées dans le cabinet de l'ophtalmo ?

— Nous y travaillons, en liaison étroite avec le bureau du procureur. Cela fait une sacrée histoire.

— Pensez-vous qu'on va divulguer cela au public ?

— A ce stade, il n'y a rien de sûr. Mais une partie de l'affaire va certainement transpirer. On a bouclé l'institut Hartford, mais les parents de ces gosses ne sont pas aveugles. En outre, comme le fait observer le procureur, bon nombre de familles vont attaquer l'A.S.M., et ça ira chercher le million de dollars de dommages et intérêts pour chacune. Shirley et sa bande sont finis.

— Shirley..., dit Jason avec une certaine tristesse. Vous savez que si je n'avais pas connu Carol j'aurais bien pu avoir plus qu'une aventure avec cette dame.

Carol lui montra le poing.

— Je crois que nous vous devons des excuses, docteur. Je me suis tout d'abord dit que vous n'étiez qu'un enquiquineur. Mais il est apparu que vous avez fait éclater la plus sale affaire que j'aie jamais vue.

— J'ai surtout eu de la chance. Si je ne m'étais pas trouvé avec Hayes le soir où il est mort, nous aurions pensé, nous les médecins, que nous nous trouvions confrontés à quelque nouvelle épidémie.

— Ce devait être une grosse tête, ce Hayes.

— Un génie, rectifia Carol.

— Vous savez ce qui me tord le plus ? dit Curran. Jusqu'à la fin, ce cinglé de Hayes a cru qu'il travaillait sur une découverte susceptible d'aider l'humanité. Il se prenait probablement pour un héros, comme Salk avec son vaccin contre la polio. Le prix Nobel, et tout ça. Sauver le monde. Je ne suis pas un savant, mais il me semble que tout le domaine de la recherche de Hayes est foutrement inquiétant. Vous voyez ce que je veux dire ?

— Je vois exactement ce que vous voulez dire. La

science médicale a toujours pensé que ses recherches allaient sauver des vies et diminuer la souffrance. Mais la science détient désormais un potentiel effrayant. Les choses peuvent évoluer dans un sens ou dans l'autre.

— Si je comprends bien, Hayes a découvert une drogue qui fait vieillir et mourir les gens en quelques semaines, et ce n'était même pas ce qu'il cherchait. Ce qui me fait songer que vous, les grosses têtes, vous n'avez plus le contrôle de la situation. Je me trompe ?

— Non, je suis d'accord. Nous devenons peut-être un peu trop futés pour notre bien. C'est comme si on recommençait à mordre dans le fruit défendu.

— Ouais, et nous allons être virés du paradis. Au fait, est-ce que l'Oncle Sam ne dispose pas de chiens de garde pour surveiller des types comme Hayes ?

— Ils ne sont pas très au courant de ce genre de choses, expliqua Jason. Trop de conflits d'intérêts. En outre, les médecins et les profanes ont tendance à croire que toute recherche médicale est intrinsèquement bonne.

— Merveilleux, railla Curran. C'est comme une voiture qui dégringolerait l'autoroute à cent soixante sans personne à bord.

— C'est probablement là la meilleure image que j'aie jamais vu proposer.

— Ma foi, dit le policier en haussant ses massives épaules, au moins nous pouvons mettre les choses en ordre en ce qui concerne l'A.S.M. Les inculpations officielles ne vont pas tarder. Évidemment, toute la bande est en liberté sous caution. Mais l'affaire a bien éclaté, avec les principaux protagonistes qui se tirent dans le dos et tentent de conclure un marché pour obtenir la clémence. Il semble qu'à l'origine Hayes ait pris des contacts avec un type du nom d'Ingelbrook.

— Ingelnook. C'est l'un des vice-présidents de l'A.S.M., corrigea Jason. Je crois qu'il est dans la finance.

— Ça doit être ça. Apparemment, Hayes avait pris contact avec lui pour obtenir un capital afin de fonder une société.

— La Life Incorporated, précisa Jason.

— C'est ça, dit Curran, regardant attentivement Jason et demandant : Comment avez-vous appris cela, docteur Howard ?

— C'est sans importance. Continuez.

— Quoi qu'il en soit, Hayes a dû dire à Ingelnook qu'il était sur le point de fabriquer une espèce d'élixir de jouvence.

— Un anticorps du facteur de libération de l'hormone de mort.

— Un instant. C'est peut-être vous qui devriez nous raconter ça, pas moi.

— Excusez-moi. Tout cela est finalement en train de s'éclaircir, pour moi. Je vous en prie, continuez.

— Ingelnook a dû préférer l'hormone de mort à l'élixir de jouvence. Depuis quelque temps, il se pressait la cervelle pour trouver un moyen de réduire les coûts, à l'A.S.M., pour qu'ils demeurent concurrentiels. Jusqu'à présent, il n'y a que six personnes mouillées dans cette affaire, mais d'autres apparaîtront peut-être. Ces gens sont responsables de l'élimination de nombreux patients dont ils pensaient qu'ils allaient leur coûter plus que leur part en prestations médicales. Joli, non ?

— Alors, ils les ont tués, dit Carol, horrifiée.

— Ma foi, ils se répétaient que le processus était naturel, dit Curran.

— Voilà une belle excuse au meurtre : nous devons tous mourir, commenta amèrement Jason, soudain hanté par les visages de ses patients récemment décédés.

— Quoi qu'il en soit, c'est la fin de l'A.S.M. Outre les accusations de crime, les procès pour faute professionnelle montrent le bout du nez. Je crois que vous allez donc vous retrouver à la recherche d'un emploi.

— On dirait, dit Jason, qui ajouta, regardant Carol : Carol termine ses études de psychologie clinique. Nous pensions ouvrir un cabinet ensemble. Je crois que j'ai envie de refaire de la clientèle privée. J'en ai assez des emplois salariés pour un temps.

— Ça me paraît tout à fait chouette, dit Curran. Comme ça je pourrai me faire soigner la tête et le palpitant tout à la fois.

— Vous pourrez être notre premier patient.

Composition réalisée par EURONUMÉRIQUE

IMPRIMÉ EN FRANCE PAR BRODARD ET TAUPIN
Usine de La Flèche (Sarthe).
LIBRAIRIE GÉNÉRALE FRANÇAISE - 43, quai de Grenelle - 75015 Paris.
ISBN : 2 - 253 - 05068 - 7

30/7543/9